Ein Sommerferienheft

NACHWORT VON
HORST DENKLER

PHILIPP RECLAM JUN. STUTTGART

Der Text folgt: Wilhelm Raabe: Sämtliche Werke. (Braunschweiger Ausgabe.) Im Auftrag der Braunschweigischen Wissenschaftlichen Gesellschaft herausgegeben von Karl Hoppe. Band 16. Bearbeitet von Hans Oppermann. 2., durchgesehene Auflage. Göttingen: Vandenhoeck & Ruprecht, 1970.

Bearbeitung des Anhangs: Horst Denkler.

Universal-Bibliothek Nr. 9988
Alle Rechte vorbehalten
© 1980 Philipp Reclam jun. GmbH & Co., Stuttgart
Bibliographisch ergänzte Ausgabe 1996
Gesamtherstellung: Reclam, Ditzingen. Printed in Germany 1996
RECLAM und UNIVERSAL-BIBLIOTHEK sind eingetragene Marken
der Philipp Reclam jun. GmbH & Co., Stuttgart
ISBN 3-15-009988-9

Pfisters Mühle

Ein Sommerferienheft

UND IN DEM BLICK AUF DAS GANZE
IST DER DOCH EIN STÄRKERER GEIST,
WELCHER DAS LACHEN, ALS DER,
WELCHER DAS WEINEN NICHT HALTEN KANN

Seneca, *Von der Gemütsruhe*

Von alten und neuen Wundern

Ach, noch einmal ein frischer Atemzug im letzten Viertel
dieses neunzehnten Jahrhunderts! Noch einmal sattelt
mir den Hippogryphen; – ach, wenn sie gewußt hätten,
die Leute von damals, wenn sie geahnt hätten, die Leute
vor hundert Jahren, wo ihre Nachkommen das »alte
romantische Land« zu suchen haben würden!
Wahrlich nicht mehr in Bagdad. Nicht mehr am Hofe
des Sultans von Babylon.
Wer dort nicht selber gewesen ist, der kennt *das* doch
viel zu genau aus Photographien, Holzschnitten nach
Photographien, Konsularberichten, aus den Telegram-
men der Kölnischen Zeitung, um es dort noch zu suchen.
Wir verlegen keine Wundergeschichte mehr in den
Orient. Wir haben unsern Hippogryphen um die ganze
Erde gejagt und sind auf ihm zum Ausgangspunkte
zurückgekommen.
Enttäuscht sind wir abgestiegen, und die Verständigen
ziehen ihr buglahmes, keuchendes Tier in den Stall, und
wir haben es ihnen schon hoch anzurechnen, wenn sie
kopfschüttelnd und mit einem betrübten Seufzer das still
tun und sich nicht durch irgendeine Redensart eines
schlechte Geschäfte gemacht habenden Musterreiters ob
ihrer Enttäuschung rächen und grinsen:

>»Auf den Leim nie wieder!«

oder:

>»Na, so blau!«

Jenseits dieser Verständigen sind dann einige, von denen
wir, da wir höchstpersönlich unter ihnen beteiligt sind,
nicht wissen oder nicht sagen können, ob sie zu den ganz
Unverständigen gehören. Diese stehen und halten ihr
Vogelpferd am Zügel und wissen nicht damit wohin,
denken Kinder und Enkel und schütteln das Haupt.

Durch die Wüste, über welcher der Vogel Rock schwebte, über welche Oberon im Schwanenwagen den tapfern Hüon und die schöne Rezia, den treuen Knappen Scherasmin und die wackere Amme führte, sind Eisenschienen gelegt und Telegraphenstangen aufgepflanzt; der Bach Kidron treibt Papiermühlen, und an den vier Hauptwassern, in die sich der Strom teilte, der von Eden ausging, sind noch nützlichere »Etablissements« hingebaut: wer hebt *heute* von *unseren* Augen den Nebel, der auf der *Vorwelt Wundern* liegt?

Wer? – Was? ist vielleicht die richtigere Frage. Ein leichter Hauch aus der Tiefe der Seele in diesen Nebel, und er zerteilt sich auch heute noch gradeso wie im Jahre siebenzehnhundertundachtzig. Das »alte romantische Land« liegt von neuem im hellsten Sonnenschein vor uns; wir aber erfahren mit nicht unberechtigtem Erstaunen, wie uns jetzt der »Vorwelt Wunder«, die wir in weiter Ferne vergeblich suchten, so nahe – dicht unter die Nase gelegt worden sind im Laufe der Zeiten und unter veränderten Umständen.

Zehn Schritte weit von unserer Tür liegen sie – zehn, zwanzig, dreißig Jahre ab –, als die Eisenbahn noch keine Haltestelle am nächsten Dorfe hatte – als der Eichenkamp auf dem Grafenbleeke noch nicht der Separation wegen niedergelegt war – als man die Gänseweide derselben Separation halben noch nicht unter die Bauerschaft verteilt und zu schlechtem Roggenacker gemacht hatte – als die Weiden den Bach entlang noch standen, als dieser Bach selber –

Nun, von diesem letztern demnächst recht vieles mehr! Er fließt zu bedeutungs- und inhaltsvoll durch die Wunder der mir persönlich so nahe liegenden Vorwelt, von welcher hier erzählt werden soll, als daß über seine Existenz mit einem Sprunge oder in drei Worten weitergeschritten werden könnte.

† † †

»Was schreibst du denn da eigentlich so eifrig, Mäuschen?« fragte die junge Frau; und der junge Mann, das eben vom Leser Gelesene, niedergeduckt durch die süße Last auf seiner Schulter, noch einmal seitwärts beäugelnd, meinte:

»Eigentlich nichts, Mieze. Bei genauester Betrachtung aber leider nichts weiter als das, was du selber bereits längst durch gottlob ziemlich eingehendes und eifriges Studium herausgefunden hast. Nämlich, daß ein gewisser Jemand auch an einem so schönen Morgen wie der heutige der graueste aller Esel, der ›erschröcklichste aller Pedanten‹ und – kurz und gut eigentlich ›ein gräßlicher Mensch‹ ist.«

»Dann klapp das dumme Zeug zu und komm herunter und erzähle mir das übrige draußen. Ein schrecklicher Mensch bist du, und ein himmlischer Morgen ist es. Die Wildtauben gurren immer noch in den Bäumen, und von dir, mein Schatz, verbitte ich mir hoch und höchst alles fernere Geknurre und Gedruckse. Komm herunter, Ebert –

> ›Das Wasser rauscht zum Wald hinein,
> Es rauscht im Wald so kühle;
> Wie mag ich wohl gekommen sein
> Vor die verlassene Mühle?‹«

Mit heller, lustigster Stimme machte sich die liebe Kleine ihre eigene Melodie zu dem wehmütig-schönen, melodischen Verse, und – *mir* blieb wirklich nichts übrig, als unter meine unmotivierte Stilübung dahin drei Kleckse zu machen, wo im Druck vielleicht einmal drei Kreuze stehen, und mich hinunterziehen zu lassen unter die alten Kastanienbäume, in deren Wipfel die wilden Tauben immer noch in den Sommermorgen hineingurrten.

Zu leeren Tischen und Bänken

Es war ein eigen Ding um die Mühle, von der hier die Rede ist. Im Walde lag sie nicht, und verlassen war sie grade auch nicht. Ich hatte sie nur verkauft – verkaufen müssen –, aber vier volle Sommerwochen war sie noch einmal mein Eigentum. Dann erst traten die neuen Besitzer in ihr ganzes Recht an ihr. Ich hatte mir das nicht so ausbedingen und es mir schriftlich geben lassen können, aber die jetzigen Herren hatten gegen meine »seltsame Idee« nichts einzuwenden gehabt, sondern mich und meine Frau sogar recht freundlich eingeladen, bis zum Beginn des Baus ihrer großen Fabrik auf ihrem Besitz ganz zu tun, als ob wir daselbst noch zu Hause wären. Einmal also sollte ich sie noch für mich haben, wie ich sie seit meinem ersten Augenaufschlagen in dieser Welt kannte und in meinen besten Erinnerungen mit ihr verwachsen war. Nachher durften freilich die neuen Herren mit ihr anfangen, was sie wollten: ich und mein Weib hatten weder ein Wort noch einen Seufzer dreinzugeben. Ich wußte schon, daß sie, die nunmehrigen Eigentümer, sich große Dinge mit ihr vorgenommen hatten, für mich aber konnte leider Gottes mein Vätererbe nichts weiter sein als ein großes Wunder der Vorwelt, ein liebes, vergnügliches, wehmütiges Bild in der Erinnerung. Und ich hatte meine junge Frau dies Jahr, das erste Jahr unserer Ehe, nicht nach der Schweiz, nach Thüringen oder in den Harz in die Sommerfrische geführt, sondern nach meiner verlassenen Mühle. Was sollte daraus werden, wenn das Weib dem Manne nicht in seine besten Erinnerungen zu folgen vermöchte? Schnezlers Romanze hatte sie meinem »ewigen Gesumme« im Eisenbahnwagen von Berlin her bereits so ziemlich abgelauscht und abgelernt und mehr als einmal dabei gesagt: »Bald kann ich's auch auswendig, Miezchen!«, wobei sie dann hinzusetzte: »Auf deine väterliche Heimat bin ich aber doch sehr gespitzt, mein Herz.« – – *(looking forward to)*

Meine väterliche Heimat! Daß ich gespitzt oder gespannt auf meinen Aufenthalt und mein unwiderruflich Abschiednehmen dort gewesen sei, kann ich nicht sagen. Der Ausdruck, selbst aus dem Munde der Liebe oder grade aus diesem lieben, zärtlichen Mündchen, war mir auch gar nicht zu Sinne, wenn ich gleich im Rädergerassel, in dem Geschrill der Dampfpfeife und dem Getümmel der Bahnhöfe nicht wußte, wie ich ihn verbessern sollte.

In den Wald hinein rauschte das Wasser nicht, das die Räder *meiner* Mühle in meinen Kindheits- und Jugendtagen trieb. In einer hellen, weiten, wenn auch noch grünen, so doch von Wald und Gebüsch schon ziemlich kahl gerupften Ebene war sie, neben dem Dorfe, ungefähr eine Stunde von der Stadt gelegen. Aus dem Süden kam der kleine Fluß her, dem sie ihr Dasein verdankte. Ein deutsches Mittelgebirge umzog dort den Horizont; aber das Flüßchen hatte seine Quelle bereits in der Ebene und kam nicht von den Bergen. Wiesen und Kornfelder bis in die weiteste Ferne, hier und da zwischen Obstbäumen ein Kirchturm, einzelne Dörfer überall verstreut, eine vielfach sich windende Landstraße mit Pappelbäumen eingefaßt, Feld- und Fahrwege nach allen Richtungen und dann und wann auch ein qualmender Fabrikschornstein – das war es, was man sah von meines Vaters Mühle aus, ohne daß man sich auf die Zehen zu stellen brauchte. Aber die Hauptsache in dem Bilde waren doch, und dieses besonders für mich, die Dunstwolke und die Türme im Nordosten von unserm Dörfchen. Mit der Natur steht die Landjugend auf viel zu gutem Fuße, um sich viel aus ihr zu machen und sie als etwas anderes denn als ein Selbstverständliches zu nehmen; aber die Stadt – ja die Stadt, das ist etwas! Das ist ein Entgegenstehendes, welches auf die eine oder andere Weise überwunden werden muß und nie von seiner Geltung für das junge Gemüt etwas aufgibt.

Was alles, worüber ich heute noch Rechenschaft ablegen kann, habe ich erlebt in dieser Pappelallee, auf dem Wege von und nach der Stadt!

Und sie stand noch dazu in einem ganz ausnahmsweise angenehmen Verhältnis zu uns in der Mühle, diese Stadt!

Dutzende von nunmehr vermorschenden Tischen und Bänken unter unsern Kastanien und Linden, in Gebüsch und Lauben, auf behaglichen Rasenflecken zeugen noch davon. Heute haben Emmy und ich die Auswahl unter allen diesen behaglichen Plätzen und das Reich allein an allen Tischen und auf allen Bänken. Es hindert uns nichts mehr, in meines Vaters Grasgarten, um der Sonne auszuweichen oder sie zu suchen, mit dem Buch und der Zigarre, der Häkelarbeit und der Kaffeekanne um ein paar Schritte weiterzurücken; aber einst war das anders.

Es gab eine Zeit, wo Emmy mehr die Auswahl unter den Studenten aus der Stadt als unter den Plätzen im Mühlengarten gehabt hätte. Aber nicht bloß unter den Studenten. Es gab damals keinen angenehmern Ruf als den meines Vaters mit seinem kühlen Bier, seinem heißen Wasser zum billigen Kaffeekochen und seiner süßen und sauern Milch. Sie kannten alle in der Stadt unsere Mühle, groß und klein, Gelehrte und Ungelehrte, hohe Regierende und niedere Regierte.

Wir waren von Urväterzeiten die Leute darnach und lieferten den Bauern im Dorf und den Bäckern in der Stadt nicht bloß das Mehl, sondern auch noch einiges andere zu dem allgemeinen Behagen der Welt. Soweit die deutsche Zunge klingt, sitzen heute noch Alte Herren auf Kathedern, Richterbänken und an Krankenbetten, ganz abgesehen von denen, die allsonntäglich auf Kanzeln stehen; und in die Schulstube, den Schwurgerichtssaal, die Krankenstube und das Räuspern und Schnauben der »christlichen Zuhörer« summt es ihnen aus zeitlich und räumlich entlegener Ferne:

>Weende, Nörten, Bovenden
Und die Rasenmühle,
Das sind Orte, wo man kann
Sich behaglich fühlen.«

Die Rasenmühle ist es freilich nicht, von welcher hier die Rede ist; aber es wiederholt sich gottlob manches Gute und Erquickliche an andern Orten unter andern Namen. Auch mein väterlich Anwesen hat seine Stelle in mehr als einem ältern Studentenliede, und *wir*, die Pfister von Pfisters Mühle, können nichts dafür, daß künftige Generationen, wenn sie ja noch singen, nicht mehr von ihm singen werden.

Drittes Blatt

Wie Sardes, Frau!

Ich klappte das dumme Zeug zu, und es hatte wirklich keiner weitern Überredungskunst und Kraft bedurft, um mich dazu zu bewegen. Emmy hatte für den heutigen Morgen ihr und also auch mein Plätzchen in einer zerzausten Laube dicht am Flusse gewählt, wo man im Schatten saß und das Licht auf dem muntern Wasser und den Wiesen drüben im vollen Morgenglanze vor sich hatte.

Die Wildtauben gurrten über uns, im Schilf schnatterte eine Entenschar, hielt uns fest im Auge und achtete auf die Bissen, die von unserm Frühstückstische für sie abfielen. Ein Storch ging am andern Ufer in der Sonne spazieren, und Emmy sagte:

»Guck mal den! Eine volle halbe Stunde schon achte ich hier allein in der Einsamkeit auf ihn, und manchmal guckt er auch hier herüber, als wollte er sagen: Siehst du, ich stehe nicht bloß im Bilderbuche und sitze im Zoolo-

gischen Garten gegen eine halbe Mark Eintrittsgeld an
Wochentagen, sondern –«

»Ich bin eine Wirklichkeit, eine wirkliche, wahrhaftige
Wirklichkeit, und ich fange auch nicht bloß Frösche,
sondern Kinder; und weise Frauen und nicht bloß
gelehrte, sondern auch kluge Männer wollen nicht bloß
nach der Tradition, sondern auch aus eigener Erfahrung
als ganz gewiß wissen –«

»Du, höre mal, närrischer Dummrian«, meinte meine
neunzehnjährige blonde Matrone, mich jetzt ihrerseits
wieder unterbrechend, aber dabei doch noch ein wenig
mehr sich annestelnd, »mit den Kindergeschichten und
Märchen, und was deine überweisen Frauen und nase-
weisen Männer aus der Erfahrung und der Naturgeschichte und der eigenen Tradition wissen wollen, rücke
jetzt meinetwegen eine Bank weiter. Die Auswahl haben
wir ja; und ich habe auch darüber den ganzen Morgen in
meiner verlassenen Einsamkeit mir allerlei Gedanken
gemacht. Herzensmann, eine schöne Wirtschaft müßt ihr
hier vor meiner Zeit doch geführt haben!«

»Eine wunderschöne – wunderbare – wundervolle,
Kind!«

»Das sieht man den Ruinen noch an; und es tut dir heute
natürlich nicht im geringsten leid, daß ich damals nicht
auch schon mit dabeiwar wie die Jungfer Christine und
euch diese wunderbare, wunderschöne, wundervolle
Wirtschaft nicht mit führte?«

Und ich, Eberhard Pfister, frage jeden, das heißt jedes
männliche Erdengeschöpf, was er oder es auf diese Frage
geantwortet haben würde.

Glücklicherweise rief die Christine in diesem Augenblick
in unseren jetzigen hiesigen Haushaltsangelegenheiten
nach der jungen Frau, und zwar mit einer Milde und
Lieblichkeit in Ton und Ausdruck, die ich in meinen
jungen Jahren nicht immer an ihrem Organ gekannt
hatte. Und Emmy flötete zurück: »Gleich, gleich, gute
Seele!«, warf mir ihr Nähzeug auf den Schoß und ent-

12

tänzelte neckisch und holdselig durch den Lichter- und Schattentanz unter den guten, alten Kastanienbäumen unserer Mühle zu, mit zierlichem Knicks und Kußhand mich in meinen Erinnerungen an die hiesige frühere Wirtschaft zurücklassend.

Ach und wie nahe lagen sie noch, die Tage dieser früheren Wirtschaft in der Mühle! Wie wenige Jahre war es her, daß mein Vater dort in der Tür stand, in die eben mein Liebchen geschlüpft war, und ebenfalls fröhlich und unschuldig »gleich!« rief, aber hinzusetzte »meine Herrschaften!« im Verkehr zwischen dem Hause und den Tischen und Bänken unter den grünen Bäumen den Fluß entlang und auf den Rasenplätzen – der vergnüglichste Mensch der Welt. Ach, wenn nur nicht grade die vergnüglichsten Menschen dann und wann das bitterste Ende nehmen müßten! . . .

Alle haben ihn gekannt. Patrizier und Plebejer, Philister, Professoren und Studenten, die letzteren freilich nur neulich noch, haben ihn gekannt, den Vater Pfister in seinem Haus- und Gartenwesen; und wenn ich heute noch in jener vieltürmigen Stadt dort von manchen Leuten gekannt bin und freundlich gegrüßt werde, so habe ich das einzig und allein Pfisters Mühle, meinen Ahnen drin und meinem verstorbenen Vater Bertram Gottlieb Pfister und seiner ausgezeichneten Wirtschaft zu danken. Was unsern Familiennamen anbetrifft, so hat der Ahnherr des Geschlechts sicherlich der ehrsamen Bäckergilde angehört. Als Magister artium und Doktor der Theologie ist ein der Familie zugehöriger, zu einem Pistor oder Pistorius latinisierter Becker zwischen dem Schmalkaldischen und dem Dreißigjährigen Kriege nachzuweisen; aber als Pfister haben wir seit dem Anfang des achtzehnten Jahrhunderts eben auf Pfisters Mühle gesessen, und verschiedene von diesen letzteren werten Männern würden wahrscheinlich in ihrem Staub sich schütteln, wenn die Nachricht zu ihren verschollenen Ruhestätten dränge, daß dem in der Folge nicht mehr so sein werde.

Aber Emmy kümmert das ja gottlob nicht, und auch mich lange nicht so viel, als es von Rechts wegen sollte. Das Kind ist reizend; und gesund und jung sind wir beide, und Berlin ist eine große Stadt, und man kann es darin zu vielem bringen, wenn man die Augen offen und auch seine übrigen vier Sinne beisammen behält und nicht ganz ohne Grütze im Kopfe ist. Wir zwei haben die Welt und unsere hübschesten, feinsten und würdigsten und wertvollsten Hoffnungen in ausgesuchter Fülle noch vor uns; wir haben das volle Recht, die Mühle als nichts weiter als das uns nächstliegende Wunder der Vorwelt zu nehmen. Und wenn einer nichts dagegen einzuwenden haben würde, so ist das mein alter lieber Vater, der letzte Pfister auf Pfisters Mühle unter seinem noch nicht einge-sunkenen und verschollenen grünen Hügel bei unseren Vorfahren auf dem Kirchhofe unseres Dorfes.

Von dem, dem Vater Pfister, rede ich nun, an den denke ich nun, während Emmy und Christine drinnen in dem Hause an seinem großen Herde, auf welchem er einen so vortrefflichen Grog und Glühwein zu brauen verstand, von welchem so viele sparsame Familienmütter und hüb-sche, junge Kleinbürgertöchter das kochende Wasser für ihren Kaffeetopf holten, an welchem er so viele tausend glückselige Kindergesichter vergnüglich tätschelte, – ihre Köpfe über mein Mittagessen zusammenstecken.

»Vater Pfister, mir zuerst!«

Wie oft ist der Ruf durch den übrigen lustigen Lärm um uns her an mein Ohr geklungen, seit ich aufwachte – auch ich unter den Gästen von Pfisters Mühle – des Vater Pfisters verzogenster Stammgast!

Des Vaters! Meine Mutter hatten wir leider so früh verloren, daß ich für mein armes Teil gar keine Erinne-rung mehr von ihr hatte und ich als Gast in der Mühle wie auf der Erde von frühester Kindheit an auf den Vater angewiesen war. Und auf die Jungfer Christine! Die hatte die Mutter bald nach ihrer Verheiratung mit dem jungen Müller von Pfisters Mühle sich an die Hand und ins Haus gezogen und soll auf dem Sterbebett zu ihr gesagt haben: »Mädchen, ich stürbe viel weniger ruhig, wenn ich dich nicht kennte und wüßte, daß du ein gutes Herz und eine harte Hand und weiter keinen Anhang in der Welt hast. Die Wirtschaft und den Verkehr mit den Leuten hab ich dir auch beigebracht, also rücke mir das Kissen zurecht in meiner bittern Sorge und stehe fest für die Mühle und meinen Müller und – nimm noch zum letztenmal einmal vor meinen leiblichen Augen mein arm, verlassen Tröpfchen aus der Wiege und lege es trocken, auf daß ich noch einmal sehe, daß du es in alle Zeit weich anfassen willst und dein Bestes tun. Zurecht-geschüttelt hab ich dich wohl, wenn's zu deinem Besten notwendig war, – jetzt küsse deine Frau in ihrer höchsten Angst dafür zum Danke; und wenn's mir möglich sein wird, passe ich auch ganz gewiß noch fernerhin aus der Ewigkeit auf dich und dein Verhalten . . .«

»Und den Kuß hab ich mit dir im Arme, mein Junge, an ihrem Bett auf den Knieen ihr geben dürfen und mich so mit der Mühle verlobt und auf kein Mannsbild nachher weiter geachtet, wenn ich auch wohl mal wie andere die Gelegenheit gehabt habe, mich zu verändern, und ganz gute Partien aus dem Dorfe und aus der Stadt!« hat mir die Christine tausendmal mit immer sich gleichbleibender Rührung erzählt, und ich werde wahrlich auch heute noch nicht darob ungeduldig, auch wenn die treuherzige, melancholische Erinnerung noch so sonderbar mit den Vorkommnissen – Ärgernissen und Annehmlichkeiten – des laufenden Tages in Verbindung gebracht wird.

Wie mein Vater die Jahre seit dem Tode meiner Mutter ohne die Christine zurechtgekommen sein würde, weiß ich nicht. Er hätte es auch wohl möglich gemacht, aber besser war besser, und so war auch für die Stadt und Umgegend Pfisters Mühle ohne die Jungfer Christine nicht mehr zu denken, und was demnächst in der großen Stadt Berlin aus der Christine in unserm neuen Haushalt werden wird, das wage ich nicht vorauszusagen, wenn ich mir gleich vorgenommen habe, sie nach besten Kräften bei gutem Humor zu halten und ihr das neue Leben so leicht als möglich zu machen. Daß Emmy mir dabei helfen will und auch bereits einige Male ein erkleckliches Maß von Selbstbeherrschung im Verkehr mit dem guten alten Mädchen bewiesen hat, trägt viel zu meiner Beruhigung bei.– –

Die Sonne steigt, und Vater Pfisters letzter Stammgast müßte um eine Bank weiterrücken, um im Schatten seiner Erbbäume zu bleiben mit seinen Morgenphantasien. Aber wir wohnen schon auf der Schattenseite unserer Straße in der großen Stadt Berlin, und ich habe mich daselbst allzu häufig nach dem Sonnenlicht der Jugendheimat gesehnt, um demselben inmitten derselben in einer solchen wohligen Frühe aus dem Wege zu gehen. Und ich habe den Grundriß und sonstigen Entwurf der großen Fabrik, welche die demnächstigen Eigentümer an diesem Orte aufrichten werden, eingesehen und weiß, wie wenig Helle und Wärme im nächsten Jahre schon die Ziegelmauern und hohen Schornsteine auch hier übriglassen werden. Auch diese Vorstellung hält mich auf meinem Platze fest. Ich fühle mich mehr denn je als Vater Pfisters letzter Stammgast in dem heutigen Sonnenschein und Baumlaubschatten. Es hat sich manch einer einen mehr oder weniger vergnüglichen kleinen Rausch an diesen Gartentischen gezeugt; aber kein guter Trunk hat so einen aus Licht und Schatten und Erinnerung gewebten, wie er mich in diesen Tagen gefangen hält, einem andern Gast zuwege gebracht.

»Wie Sardes in der Offenbarung Johannis ist sie, meine Mühle, Kind!« hatte ich noch neulich im Eisenbahnwagen zu Emmy geseufzt. »Sie hat den Namen, daß sie lebet, und ist tot!«

»O Gott, dann weiß ich doch nicht, ob es trotz allem nicht besser gewesen wäre, wenn wir woanders zu unserer Erholung hingegangen wären!« hatte die Kleine unter dem Eindrucke dieses lugubern, biblisch-gelehrten Zitats ängstlich erwidert und – nun gab es nichts Lebendigeres für sie und für mich als Pfisters Mühle.

Für sie war es ein neues, liebliches, ungewohntes – unbekanntes Leben, für mich ein konzentriertestes Dasein alles dessen, was an Bekanntschaft und Gewohnheit gewesen war, von Kindheit an, durch wundervollste Jünglingsjahre bis hinein ins früheste, grünendste Mannesalter.

Alles um mich herum, bei gutem und schlechtem Wetter, bei Sonnenschein und Regen, hatte in den Tagen und Nächten dieser seltsamen Sommerfrische nicht bloß den Namen, daß es lebte, sondern es lebte wirklich. Und wie hätte vor allem der letzte wirkliche Herr und Wirt des guten Ortes sich in Nebel und Nichts auflösen können, während sein letzter Stammgast noch seinen Platz auf der Bank und am Tische festhielt?

Viertes Blatt

Herein von der Gänseweide

»Einen Augenblick, meine Herren, es wird frisch angestochen!« Ich höre den jovialen Ruf wie einer der durstigen Gäste im Garten, und ich bin zugleich auf dem kühlen, gewölbten Flur mit dabei als flachsköpfiger, dreikäsehoher Eingeborener von Pfisters Mühle und beobachte den Vorgang mit stets sich gleichbleibendem Interesse. Das geleerte Faß darf ich den Abhang hinter dem Haus hinab in den Schuppen zu den übrigen rollen, und das Gaudeamus igitur aus der großen Laube ist mir wie ein Gesang von der Wiege her. Seit Väterzeiten kennen wir, alle Pfister in der Mühle, das Kommersbuch auswendig, wenn ich gleich in neuester Zeit der einzige bin, der auch in andern Lauben, Gärten, Schenken und Mühlen mit Schankgerechtsame Gebrauch davon gemacht hat mit der Verbindungsmütze auf dem närrischen, heißen Kopfe und dem Schläger in der Faust.

Er setzte etwas auf seinen und seines Hauses und Gartens Ruf in der Welt, mein Vater! Fast alle unsere Wände waren mit den Verbindungsschildern, Silhouetten und Photographien seiner akademischen Freunde bedeckt, und für mein eigenes Leben sind seine Neigungen zu dem jungen gelehrten Volk und allem, was dazu gehört, von dem größesten Einfluß gewesen. Der Umgang mit den jungen (und auch den alten) Leuten, welche ihm die Stadt und die Universität tagtäglich herausschickten und in deren mehr oder weniger geräuschvolle Unterhaltung er gern auch sein Wort und seine Stimme dreingeben durfte, hatte ihm in betreff meiner wohl allerlei in die Phantasie gesetzt, was meinem Lebensgange jedenfalls eine andere Richtung gab, als Pfisters Mühle seit Generationen an ihren Erbeigentümern gewohnt war.

Ein weißlicher Müller und ein weiser Mann war er; aber alles auf einmal konnte auch er nicht bedenken und das einander Ausschließende miteinander in Gleichklang bringen. So trug denn auch er sein Teil der Schuld, daß der augenblicklich letzte Pfister nicht mehr als Müller auf Pfisters Mühle sitzt; und mein einziger Trost ist, daß der Alte, als er auf seinem Sterbebett zum letzten Male seinen Arm mir um den Nacken legte und mich zu sich niederzog, sagen durfte: »Ist's nicht, als ob ich's vorausgerochen hätte, lieber Junge, als ich dich von der Gänseweide holte und mit der Nase ins Buch steckte? Die Welt wollte uns nicht mehr, wie wir waren, zu ihrem Nutzen und Vergnügen. Aufdrängen muß man sich keinem; und so ist's wirklich am besten so geworden, wie es sich gemacht hat . . .«

Es war richtig; auf Schulen ging ich zwar schon, nämlich in die Dorfschule zum Kantor Busse, und am liebsten um den Kantor und die Schule herum, als er, Vater Pfister, mich auf dem Gänseanger nacktbeinig unter den übrigen flachsköpfigen Barfüßern herauslangte, mich am Kragen nach Hause führte und mich in genaueste wissenschaftliche Verbindung mit einem andern, etwas ältern und gebildeteren, verwahrlosten Menschenkinde brachte, das er gleichfalls am Kragen hielt, wenn auch mehr mittelbar, daß heißt infolge des Pumpes, den es seit längerer Zeit bei ihm angelegt hatte.

»Wenn Sie auf den Vertrag eingehen, Herr Asche, wird es vielleicht für beide Parteien ein gutes Abkommen sein, und dünner sollen Sie mir nicht dabei werden, wenn dies nicht so in Ihrer Natur liegt und die Weltregierung Sie nicht schwerer auf der Waagschale haben will, Adam«, sagte mein Vater.

Das aber ist die zweite Gestalt, die von Tisch und Bank, aus Licht und Schatten, aus alle dem Tumult, den Klängen und Studentenliedern um Pfisters Mühle sich loslöst und vertraulich-seltsam wie mit Stroh im Haar, wenn auch keineswegs im Kopfe, in diese Traumbilder hineinschlendert. Grade als habe auch sie bis jetzt den Tag auf der Gänseweide hingebracht oder noch bequemlicher, auf dem Rücken liegend zwischen den Roggengarben auf dem Felde jenseits der Uferweiden, des Entengeschnatters und des Mühlwasserrauschens von Pfisters Mühle.

»Können das Ding probieren, Vater Pfister! Geben Sie Ihren Bengel her. Werden ja bald erfahren, wer die Langweilerei am ersten satt kriegt, Sie, ich oder dies glückselige, quatschlige, weißfleischige Geschöpf Gottes hier. Braten könnte ich es mir jeden Mittag; weshalb sollte ich ihm nicht gegen zivilisiertere freie Beköstigung und ein Taschengeld an jedem Mittwoch und Sonnabend die Anfangsgründe des Lateinischen beizubringen versuchen? Die Sache paßt mir vollkommen. Mürbe wollen wir ihn schon kriegen. So 'nen jungen Römer zum Weichreiten unterm Sattel hab ich mir schon längst zu Weihnachten oder zum Geburtstage gewünscht. Sollen wir heute mit ihm anfangen, oder hat der Knabe auch eine Stimme bei dem Kontrakt und zieht er's vielleicht vor, am nächsten Sabbat zum erstenmal übergelegt zu werden?«

Ich habe damals erst meinem Vater in das freundliche, kluge, vergnügte Gesicht gesehen und dann dem Studiosus der Philosophie Adam Asche in das seinige, und, die Zähne zusammenbeißend, gesagt: »Heute!« und nachher die volle Gewißheit erhalten, daß der letzte wirkliche Besitzer von Pfisters Mühle auch bei dieser Gelegenheit ganz genau wußte, wen er vor sich hatte und was er tat.

Emmy kennt die dämmerige, düstere Brutstätte meiner ersten wissenschaftlicheren Betätigungen. »Brr!« hat sie zuerst gesagt, den Kopf hineinsteckend, aber nachher, wahrscheinlich um mich in meinen Gefühlen nicht zu sehr zu verletzen, hinzugefügt: »O, wie hübsch kühl an einem heißen Tage wie heute!«, und das Liebchen hatte vollkommen recht. Das Loch war recht schön kühl im Sommer, und im Winter konnte man es leider heizen, und Studiosus Asche bemerkte bei unserer ersten Niederlassung darin: »Würgen könnte ich dich, Lümmel, ob deiner höchst unnötigen Existenz im Weltganzen! Da soll nun ein Mensch Atem holen und Latein verstehen, mit dem vollen Wissen davon, wieviel gemütlicher es draußen ist. Na, Gott sei dir Esel gnädig in diesem Sack mit – Asche! Na, na, sieh mich nur nicht so blödbockig an, Junge! Wir müssen's ja zusammen aushalten!«

Und wir haben es zusammen ausgehalten in dem Stübchen nach hinten hinaus in Pfisters Mühle. Nach hinten hinaus, von der Lust des Gartens so weit als möglich entfernt, aber doch nicht ganz von dem Getön derselben und noch weniger von dem Geklapper und Rauschen der Turbinenstube, hatte uns mein Vater den Tisch ans Fenster gerückt und denselben mit allem nötigen Material an Dinte, Federn und Papier versehen, und da habe ich nicht nur die Rudimente der Römersprache, sondern noch manches andere von meinem – Freund Adam Asche gelernt.

Was mir das Latein genützt hat, weiß ich so ziemlich genau heute; aber wie nützlich mir das »andere« war, erfahre ich heute tagtäglich so viel mehr, daß von einer sichern Berechnung noch lange nicht die Rede sein kann.

Es war damals ein recht dürftiges, mageres Männchen, das mit einem Kopf, der von einem äußerst schwarz-strubbelhaarigen Riesen ihm zwischen die Schultern gefallen zu sein schien, mir gegenüber, wie es sich aus-drückte, »die schönen Stunden vertrödelte« und mir nicht selten energisch genug in die Flachswolle griff, um, wie es seufzte, »wenigstens etwas« aus mir herauszuzie-hen. Von »zu braven« Eltern, wie er meinte, war er – Studiosus philosophiae A. A. Asche – Adam August Asche. »Ich gebe Ihnen mein Wort, Vater Pfister«, sagte er, »ich würde hier wahrhaftig nicht sitzen müssen, um Ihr Junges philologisch zu belecken, wenn mein Alter etwas mehr auf das Wohlbehagen seines Jungen und etwas weniger auf die Wohlfahrt der Welt und ihre gute oder schlechte Meinung von ihm gegeben hätte.«

»Reden Sie sich nicht um Ihren besten Trost in dieser Welt, Herr Asche«, sagte mein Vater. »Weil ich Ihren Vater gekannt habe, habe ich mir eben alleweile gedacht, allzuweit kann der Apfel nicht vom Stamme gefallen sein, und Vertrauen zu Ihnen gehabt und Sie mir aus dem Vivathoch da draußen im Garten und vom Verliegen da draußen auf der Wiese und im Heu hereingeladen und Sie gegen einen Strich durch Ihr Konto und eine übrige angemessene Entschädigung an meinen eignen wilden Dorfindianer und eheleiblichen Tagedieb gesetzt.«

»Reden Sie sich nicht um Ihren Hals, Vater Pfister!« hat mein Freund und Gönner, Doktor Adam Asche, ge-lacht.

Hinter dem Beutelkasten und unter den Kastanien

Wie wunderlich das für mich heute ist, mit dem lieben
jungen Weib und der alten Christine in unserer alten
Küche und unserm wohlgegründeten behaglichen Heim
in der großen Stadt in diesen abgezählten Sommertagen
von der guten alten Zeit in Pfisters Mühle zu träumen
und zu schreiben! Wie sind trotz der sonnigen, hoff-
nungsreichen Gegenwart jene anderen, gleichfalls zu-
und abgezählten Tage und Stunden in dem muffigen,
dunkeln Winkel nach hinten hinaus gleichfalls zur »guten
alten Zeit« für mich geworden!
Von dem Latein, das mir darin, wie mein gelehrter
Freund Asche das nannte, »verzapft« wurde, werde ich
reden müssen. Ich weiß heute noch nicht, wie eigentlich
meine Begabung dafür ist, aber das weiß ich genau, daß
wir uns damals in dieser Hinsicht auf das Notwendigste
beschränkt haben.
»Es ist Ihr Junge, Vater Pfister, und so haben Sie gewissermaßen die Berechtigung, mit ihm anzufangen, was Sie
wollen. Mensa bringe ich ihm schon bei; was er nachher
auf den Tisch zu stellen hat, ist Ihre und seine Sache«,
sagte Studiosus Asche. »Was mich anbetrifft, so wissen
Sie, daß mein Alter insolvent starb und Schönfärber
war.«
»Und daß von meines guten Freundes, Ihres Vaters,
Kunst, Wissenschaft und Sinnesart vielleicht grade das
auf Sie übergegangen ist, was Sie brauchen und was
andern Leuten bei Gelegenheit auch wieder nützlich
werden kann. Auf einmal kann man selten das Beste
zugleich haben, so zum Beispiel den Verstand in der
Welt und das Glück in ihr. Sie ständen sich selber im
Lichte, wenn Sie von Ihrem seligen Vater mit der geringsten Despektion reden wollten, Herr Asche.«
»Bei den unsterblichen Göttern!« ist die ruhige, gewis-

senssichere Antwort gewesen. »Was würde aus mir armen Waisenknaben geworden sein und werden, wenn nicht wenigstens ein Bruchteil vom Talent des Alten, die Dinge in der Welt schönzufärben, auf mich übergegangen wäre? Sie wissen, Vater Pfister, es ist so ziemlich das einzige, auf was die Gläubiger beim Ausschütten der Masse keinen Anspruch erhoben.« –

Das ist wahr. Ich habe nicht einen zweiten Menschen kennengelernt, der mit gleicher Fähigkeit, den Beschwerden dieser Erde eine angenehme Färbung zu geben, versehen gewesen wäre, wie mein erster, über den Dorfkantor hinausreichender Lehrmeister in unserm Hinterstübchen. Auch die unvermutete, »aus dem blauesten Himmel hereinbrechende« Störung seiner »Wald-, Feld-, Wiesen- und Pfistersmühlen-Faulheit« überwand er, und die Stunden, während welcher mein Vater uns beide hinter Schloß und Riegel hielt, gingen viel glatter und behaglicher vorbei, als wir es uns beim Beginn der ersten vorgestellt hatten. Es sitzt mehr als eine grammatikalische Regel wahrscheinlich nur deshalb heute noch bei mir fest, weil ich zugleich mit ihr noch das entfernte fröhliche Getön des Gartens und das nahe Rauschen der Mühlräder im Ohre habe.

»Drei Viertel auf fünf! Noch fünfzehn Minuten, und das Elend liegt wieder einmal hinter uns. Also noch einmal den Kopf zwischen beide Fäuste und drücke dreist etwas fester am Gehirn, Knabe! Siehst du, da haben wir das Gewürm schon draußen, und zwar wie gewöhnlich zum Teil durch die Nase mit: der schwarze Rabe – corvus niger; der angenehme Garten (es sind heute die Teutonen, die sich da den Hals abbrüllen und die kleinen Mädchen anrenommieren!) – hortus amoenus; das schwere Geschäft – negotium difficile. Der Eierkuchen mit Schnittlauch, der uns für später in Aussicht gestellt wurde, ist auch nicht gänzlich zu verachten. Noch einmal mit der Nase in den Schoß der Weisheit! Drücke – drücke fest: der gierige Bauch?«

»Alvus a-vi-dus, Herr Asche.«
»Avida, Esel! Keine Regel ohne Ausnahmen, mein Sohn.
Die große Futterschwinge?«
»Vannus magna«!
»So machst du mir Freude. Und nun zum Schluß für
heute den ganzen Quark noch mal poetisch: Er ir ur us
sind –?«

> ». . . Mascula,
> um steht allein als Neutrum da.«

»Schön. Solltest du die nichtsnutzigen Ausnahmen auch
noch in dieser zum Herzen sprechenden Weise angeben
können, würdest du mir eine ebenso kindliche Freude
bereiten wie ich selber. Leiere ab, jugendlicher Kitharoede; aber bedenke, daß ich dich immer noch vor Schluß
der Stunde lebendig zu schinden imstande bin. Die Städt
und Bäume –«
Und während Studiosus A. A. Asche am Tischrande die
Faust im Kreise dreht, als drehe er den Griff einer
Straßenorgel, leiere ich her:

> »Die Städt und Bäume auf ein us
> Man weiblich nur gebrauchen muß.
> Von andern Wörtern merke man
> Sich alvus, colus, humus, vannus an.
> Die Wörter virus, pelagus
> Sind einzig Neutra auf ein us,
> Und vulgus ist daneben auch
> Als Neutrum meistens im Gebrauch. –«

»Hurra! Wieder hinein in das Vulgus, und zwar als
möglichst komplettes Neutrum!«
Es ist Freund Asche, der das nicht ruft, sondern mit
merkwürdig tonloser Stimme seufzt, als riefe ihn des
Dorfes Abendglocke nicht aus der tödlichsten Lange-
weile, sondern aus der innigsten Versunkenheit in alle
Freuden der Pädagogik ab. Und es ist mein lieber, ver-

storbener Vater, der sein kluges, friedliches, lächelndes Gesicht in die Tür steckt und ruft:

»Nun, Kinder? Hübsch fleißig gewesen? Brav was gelernt?«

»Sehr brav – alle zwei, Vater Pfister.«

»Na, dann seien Sie bedankt, Herr Asche, und kommt heraus. Es ist wirklich ein recht amöner Abend und der Garten draußen voll bis zum Platzen. Bis in die Hecken sitzen sie mir. Bringe auch noch euere Stühle hier im Studio mit hinaus, Junge; bis ans Wasser haben sie mir die letzten aus dem Hause hingerückt, und Ihre Herren Kollegen, Herr Adam, haben die ihrigen schon lange höflich an die Damen abgetreten und behelfen sich mit den leeren Fässern und ein paar Brettern drüberhin. Hält diese Witterung so an, so bleibt uns nichts anderes übrig, als daß wir noch ein zweites Stockwerk über dem Pläsier etablieren, nämlich in den Baumästen. Einige von den Herren sitzen schon drin und lassen sich das Getränk in die Höhe reichen.« – – –

Es ist alles vor allen meinen fünf Sinnen.

Es ist kein Zweifel mehr, es ist ein heißer Tag geworden; je mehr die Sonne dem Mittage entgegengestiegen ist, durch desto wolkenloseres Blau schwimmt sie, und die Grillen auf den Wiesen jenseits des Baches hat sie allgemach vollständig berauscht; immer vielstimmiger und schriller dringt deren Lust an mein Ohr herüber. Die Enten rudern leise gegenüber im Schilfrohr; als der Schatten eines großen Raubvogels, der mit schwerfälligem Flügelschlag einem fernen Gehölz zuzieht, auf das Land fällt, hebt der letzte Gast in dem einst so lebendigen, jetzt so verlassenen, stillen Garten von Pfisters Mühle unwillkürlich die Hand und sieht sich erschreckt um: Welch ein wunderlich Mittagsgespenst in der schwülen, grünen, goldenen Einsamkeit von Pfisters Mühlengarten! Welch ein bunter, fröhlicher und doch dem letzten Stammgast so sehr das Herz beklemmender

Abendzauber jetzt – jetzt zwischen elf und zwölf Uhr, um die Mitte des Tages! . . .

Der Garten voll bis zum Überquellen! Ist es nicht, als habe sich die halbe Stadt ein Stelldichein in Pfisters Mühle gegeben? Alt und jung bis zu den Allerjüngsten in der Wagenburg von mehr oder weniger eleganten Kinderwagen! Männlein und Fräulein, und die letztern in den zierlichsten, duftigsten Sommergewändern! Lehrstand, Wehrstand und Nährstand! Die Herren Studenten von allen Farben, und einige von ihnen – den Herren Studierenden – wirklich bereits auf den bequemeren Baumästen, wahrscheinlich um von denselben die Sonne bequemer untergehen zu sehen und einen objektiveren Überblick über das Philisterium im ganzen, die hübschen Mädchen und die Mütter der letztern im einzelnen zu haben.

»Vater Pfister! Vater Pfister! Was soll denn das heißen, Samse, daß sich kein Mensch von euch in dieser Region blicken läßt!«

»Es wird eben frisch angestochen, meine Herren«, brummt Samse – unser Samse, ein Drittel Mühlknappe, ein Drittel Ackerknecht, ein Drittel Dorf- und Gartenkellner, und also ganz und gar von der Zipfelkappe bis zu den Nägelschuhen, mit Mehlstaubjacke und Serviette, in Griff und Tritt und Ton vollkommen, unverbesserlich, gar nicht anders zu denken und zu wünschen – *Pfisters Mühle!* Doktor Asche hat ihn heute in Berlin als alten, behäbigen, weißköpfigen Herrn, hat ihm statt der Müllerjacke einen langen, behaglichen, dunkelgrünen Rock, im Winter mit Pelzkragen, ankomplimentiert, ihm einen Lehnstuhl in eine gemütliche Wachtstube neben der großen Eingangspforte hingestellt und gesagt: »Sie halten die Augen wohl ein wenig offen, Samse, und passen mir hübsch auf alles, was ein und aus geht, alter Knabe. Cave canem! Ist der Junge aus den Windeln, so passen Sie mir auch auf den wohl ein bißchen mit, lieber Freund.«

»Wie in Pfisters Mühle, Herr Asche«, hat Samse erwi-

dert, und es ist ganz gut so. Wie würde er uns verküm-
mert sein bei den gestellten Rädern und zwischen den
leeren Tischen und Bänken von Pfisters Mühle! Wie
schlecht hätte er sich, auch in meiner Gesellschaft, an
einem Morgen wie der heutige auf dieser Bank, an diesem Tisch gegen das zu wehren vermocht, was vorbei
war und niemals wiederkommen konnte! Der alte Grobian und getreue Knecht hatte sich eben nur unter den
Menschen und nicht auch unter den Büchern umgetrie-
ben. Er hätte nicht seine Gefühle zu Papier gebracht;
höchstens würde man ihn nach längerm Suchen und
Rufen aus dem Bach aufgefischt oder von einem Strick in
einem dunkeln Winkel von Pfisters Anwesen abgeschnit-
ten haben.

»Ich habe eine Vorahnung, daß dich nichts so sehr gegen
deine zukünftigen Erlebnisse abhärten wird als eine
regelrechte Beschäftigung mit den Wissenschaften, mein
Junge«, sagte mein Vater, und – es ist immer in diesem
Augenblick noch Sommerabend und Pfisters Mühle in
ihrer Glorie ohne Schaden für Leib und Leben in meiner
abgehärteten Phantasie. Wie freilich meine Stimmung
sein würde ohne Emmys Arbeitskörbchen auf dem
Tische und ihr Taschentuch auf der Bank neben mir und
ohne die Gewißheit ihres Vorhandenseins in dem stillen
Hause unter den Kastanien und Linden hinter mir, soll
trotz aller Bücher und Wissenschaften in der Welt eine
offene Frage bleiben.

»Geh mir nicht so weit weg, daß ich dich nicht abrufen
kann«, ruft eben das süße Herz im weißen Küchen-
schürzchen von meines Vaters verkauftem Hause her; ich
aber habe wahrlich nicht die Absicht und Neigung, jetzt
weit wegzugehen.

> Das Wasser rauschet neben mir hin,
> Als wüßt es, was ich fühle,
> Und nimmermehr will aus dem Sinn
> Mir die verlassne Mühle;

es wäre auch ein wirkliches und dazu höchst jämmerliches Wunder, wenn das trotz allem, was ich auf und vor Schulbänken und Kathedern zur Abhärtung des »bessern Bewußtseins« in Erfahrung brachte, möglich sein könnte.

Wie viele der Stimmen, die mich damals von allen Seiten her riefen, können mich heute nicht mehr abrufen! Wie groß die Gefahr für meines Vaters Sohn, sich in Stadtkuchen an Dutzenden von Tischen aus Handtaschen und dem Papier der gestrigen Zeitung zu überfressen! Und doch gehe ich den geputzten, feinen Stadtdamen und den kleinen Fräuleins so gern aus dem Wege und ziehe am liebsten in grinsender Dorfblödigkeit den Ärmel unter der Nase her, wenn man mir zuwinkt und zulacht und das Behagen und Wohlgefallen an Vater Pfister auch auf seinen Sprößling überträgt. Am liebsten halte ich mich jetzt bereits so dicht als möglich hinter meinem vor kurzem noch so sehr gefürchteten, gelehrten lateinischen Freund aus dem Hinterstübchen, und es ist möglich, daß ich auch wie er die Hände in die Hosentaschen geschoben halte und dasselbe Stück ihm nachsumme oder zwischen den Zähnen pfeife, wie wir uns zwischen den Tischen hinschieben und die heutigen Gäste von Pfisters Mühle einer mehr oder weniger gemütlichen Betrachtung unterwerfen.

Wahrlich, ich habe nicht bloß die Grundlagen meiner Kenntnis der Römersprache von meinem für einen Strich durch sein Kneipkonto, fernerweitige gute Verköstigung und ein Taschengeld allmonatlich angeworbenen, eigentümlichen Mentor! Freilich ist es in damals erst kommenden Jahren, wo ich vollkommen einsehen lerne, was alles man in Pfisters Mühle und Garten sehen, lernen, in die Erfahrung bringen kann.

In den Tagen, von welchen jetzt die Rede ist, schiebt der gelehrte Freund gewöhnlich so rasch als möglich irgendwo einen krassen Fuchs vom Stuhl, schickt ihn, ganz gegen die Naturgeschichte, gleichfalls am Baum in

die Höhe auf den nächsten bequemen Ast und prokla-
miert das riesigste Bedürfnis, mindestens sechs von den
nächsten wiederkäuenden Kamelen abzuschlachten und
sie auf den Keller in ihrem Innern zu prüfen.

An diesen Tischen, hinter diesen Stühlen und Bänken
hielt ich mich am liebsten auf, und Emmy meinte
gestern: »Wenn ich bedenke, unter welchen Gefahren
und Verlockungen du hier von Kindesbeinen an aufge-
wachsen bist, so habe ich meinem Herrgott eigentlich
tagtäglich dafür auf den Knieen zu danken, daß ich noch
so ziemlich gut davongekommen bin. Dies ist ja gräßlich!
Und ein wahres Glück, daß ich bis heute keine Ahnung
hiervon gehabt habe und Papa und meine liebe selige
Mama ebenfalls nicht! Na freilich, Papa sein Gesicht und
seine vergnügte Freundlichkeit hinter seiner Pfeife sind
vielleicht auch nicht besser und moralischer, als sie von
Gottes und Rechts wegen sein sollten; aber was meine
arme selige Mama betrifft, so sollte ich es jetzt wirklich
für einen Segen halten, daß sie leider Gottes nicht uns
hierher nach deiner entsetzlichen Mühle begleiten konnte
und ihre Vorgeschichte gehört hat.«

»Beruhige dich, Kind. Wenn die Rede zu eingehend auf
euch süße Herzen, Trösterinnen im Erdenleben, kurz,
bessere Hälfte des Menschengeschlechts – Kalypso und
ihre Schwestern gar nicht zu erwähnen – geriet, wurde
Telemachos vom Mentor stets mit einer Bestellung ins
Haus geschickt oder kurz und bündig aufgefordert, sich
weiterwegzuscheren.«

»Ich danke«, sagte Emmy, leider in einigem Zweifel, ob
sie den Trost wirklich als ein Kompliment aufzufassen
habe.

»Und dann – manchmal wurde es ja auch unserm Freund
Asche zu arg, und er nahm mich am Arm und verzog
sich selber mit mir aus der Brüder wildem Reihen.«

»In den Frieden der Natur!« zitierte Emmy eine der
mannigfachen Redensarten ihres Freundes A. A.
Asche.

Eine nachdenkliche Frage

»Wo bleiben alle die Bilder?« das ist eine Frage, die einem auf jeder Kunstausstellung wohl einige Male ans Ohr klingt und auf die man nur deshalb nicht mehr achtet, weil man dieselbe sich selber bereits dann und wann gestellt hat. Man sieht sich nicht einmal die Leute, die das Wort aussprechen, drauf genauer an. Die Frage liegt zu sehr auf der Hand: wo bleiben alle die Bilder?

Ein anderes mit dem Aufachten und der Beantwortung ist's freilich, wenn einem vor all der unendlichen, bunten Leinwand in den goldenen Rahmen die eigene junge Frau die Bemerkung macht und uns unsere Meinung und Ansicht darüber nicht schenken will.

Mich persönlich ergreift sehr bald in einer solchen großen Ausstellung ein melancholisches Unbehagen, das nicht die gewöhnliche, aus dem »Bilderbesehen« hervorgehende, körperliche Ermüdung ist. Und es ergreift mich um so mehr, als ich gottlob mich zu denen zählen darf, die wie der alte Albrecht von Nürnberg am liebsten ihre Kritik in die Worte fassen: »Nun, die Meister haben ihr Bestes getan!« – Wahrlich, es sind nicht immer die, welche vom Publikum *Meister* genannt werden und sich selber so nennen, die ihr Bestes tun! Es gehört zu manch einer mutigen, heißen, fieberhaft ihr Bestes geben wollenden Seele eine ungeschickte, zaghafte Hand. –

»Wo bleiben alle die Bilder? Man begegnet ihnen doch nie wieder außerhalb dieser Wände. Meine Bekannten haben noch nie eines von ihnen gekauft. Und immer malen die Herren Maler andere, wenn es auch von Jahr zu Jahr so ziemlich immer die nämlichen bleiben. Für ihren Spiegel und dergleichen wird so eine Künstlerfrau recht bald keinen Platz übrigbehalten, und wenn sie sie nachher auch eins übers andere an die Wand lehnt, so wird sie sich doch allmählich im Raum recht beschränkt fühlen. Aber vielleicht werden sie übers Meer verschickt, nach fremden Weltteilen, wo die Leute mehr Geld für so was haben und mehr Gelegenheit an den Wänden und wo auch die Fliegen im Sommer nicht so unangenehm werden.«

»Und wo die Leute vielleicht, abgesehen vom Geld, von den Wänden und den Fliegen, mehr Geschmack und weniger Kunstverständnis haben, mein Schatz. Du hattest da eine Idee, Liebchen; aber ganz löst sie die Frage doch nicht: Wo bleiben alle diese Bilder – alle diese Wälder und Felder, Wasserfälle und italienischen Seen, diese angenehmen Stilleben und schrecklichen Stürme zu Land und Meer, all das Genre, all die Historie, diese Schlachten und Mordgeschichten? Komm du nur noch ein paar Jahre unter meiner Führung hierher, um dein liebes, kluges Alltagsnäschen und dein hübsches Sonntagshütchen hier mit mir zum Besten der Kunst spazierenzuführen, und ein großes Licht soll dir aufgehen.«

»Darauf bin ich neugierig, du Spötter.«

»Es sind nur die Umrisse und die Farben, welche wechseln; Rahmen und Leinwand bleiben. Jaja, mein armes Kind, es würde uns, die wir selber vorübergehen, den Raum arg beschränken im Leben, wenn alle Bilder blieben!«

»Das ist mir zu hoch«, hat Emmy, Gott sei Dank, damals gesagt, und es bleibt, jedenfalls noch für längere Zeit, eines der hübschesten Bilder meines Lebensbilderbuches, sie in unsern Flitterwochen glücklich, lächelnd, tänzelnd am Arm zu haben, sie aus den heiligen, aber kühlen Hallen der bildenden Kunst in den warmen Sonnenschein der menschenwimmelnden Straße und die nächste elegante Konditorei zu führen, sie dort zierlich Eis essen zu sehen und das Hin- und Herwogen der Tagesmoden draußen vor den glänzenden Riesenspiegelscheiben mit den Bildern in ihrer Modenzeitung zu Hause vergleichen zu hören.

Aber es regnet heute rund um Pfisters Mühle und auch

auf dieselbige. Derselbe Rahmen und dieselbe Grundfläche wie vorgestern; aber ist das noch dasselbe Bild wie vorgestern? Ein tüchtiger und, wie die Bauern meinen, sehr erwünschter Landregen kommt seit gestern herunter. Wir haben es versucht, unterm Regenschirm die Stadt zu erreichen, aber es hoffnungslos aufgegeben. Nun sitzen wir im Oberstock des Hauses am geöffneten Fenster und hören und sehen dem Regen zu, ich durch den Rauch meiner Zigarre, Emmy über eine merkwürdig künstliche weibliche Arbeit, die darin besteht, Löcher und Zacken in einen langen Streifen weißer Leinwand zu schneiden und den angerichteten Schaden vermittelst der Nadel eifrigst wiedergutzumachen. Von der Landschaft jenseits des Flusses ist wenig zu sehen, große Sümpfe stehen unter den triefenden Bäumen im Garten, es triefen die alten Tische und Bänke, und alle Enten sind ans Land gestiegen und doch in ihrem Elemente geblieben, wie Emmy sich ausdrückt. »Denen ist's egal!« sagt sie und seufzt und schlägt die großen Sammetaugen von ihrer Unterrocksborde auf und sieht mich mit einem solchen Ausdruck von himmlischer, aber hoffnungsloser Geduld und Ergebung an, daß mich eine unsägliche Armesünderstimmung und das ganz bestimmte Gefühl überkommt, daß *ich* dieses Wetter angerichtet habe, daß *ich* für es und alle seine Konsequenzen bedingungslos verantwortlich bin.

»Auch in Baden-Baden, Wiesbaden und Baden bei Wien regnet es heute vielleicht und vielleicht ärger als auf Pfisters Mühle, mein Herz«, wage ich schüchtern zu flüstern; aber Emmy geht durchaus nicht darauf ein.

»Ich mache dir ja gar keinen Vorwurf, mein Schatz«, sagt sie, »aber leugnen mußt du es mir auch nicht: im Grunde ist es doch nur Wasser auf deine Mühle, und ich merkte es dir gleich an, wie recht es dir kam und wie wohl dir wurde, als sich der Himmel bezog und dich unsrer Absicht, heute abend im Sommertheater in der Stadt Fatinitza zu hören, entledigte. Es ist zwar wirklich unendlich lieb, so zu sitzen und noch mehr als sonst auf uns allein und die Jungfer Christine angewiesen zu sein; aber dann solltest du auch deine Mappe zulassen und deine Dinte für Berlin und unser Nachhausekommen sparen. Was habe ich heute davon, daß du alles das, was du da Lustiges, Rührendes und Interessantes zusammenschreibst, mir nächsten Winter vorlesen willst? Da war es ja fast auf Papas Kirchhofe amüsanter.«

Auf Papas Kirchhofe! . . . Wo bleiben alle die Bilder? . . . »He, he, he«, pflegte mein Schwiegervater, der damals, in jenen seligen Tagen des Zweifels und der Erfüllung, noch nicht mein Schwiegervater war, auf *seinem* Kirchhofe zu kichern. »He, he, junger Freund und Hosenpauker, nach getaner Arbeit ist gut ruhn, he he? Könnten auch die Pferdebahn benutzen und weiter draußen im Grün bei einer kühlen Blonden sitzen und halten sich doch in der Stadt und gehen mit dem Alten von Aktenberge, dem alten Spitzbuben Schulze, auf *seinem* Landbesitz spazieren und genießen den lieblichen Abend! Seltsam, aber – vielleicht nicht unerklärlich. Ist in der Tat in der jetzigen Zeit was Neues, mal beim Alten zu bleiben, he he he!«

Und es war in der Tat ein eigentümlicher Ort zum Lustwandeln, von und auf dem der alte Herr damals sprach und von dem meine junge Frau eben redete. Ein Kirchhof! Wenn nicht im Mittelpunkte der beträchtlichen Stadt Berlin, so doch inmitten einer der Vorstädte, und zwar nicht einer der ältesten! Ein grüner, busch- und baumreicher Fleck, im Viereck von neuer, modernster Architektur umgeben und von praktisch zwar noch imaginären, aber in der Theorie fest auf dem Papier des Stadtbauplans hingestellten Straßenlinien überkreuzt.

»Stehe auf meinem Schein, mich hier noch begraben lassen zu dürfen und sie noch dreißig lange Jahre nach meinem Tode ärgern zu können, die Fortschrittler«, grinste mein Schwiegervater. »Wenn Sie mich einmal wieder besuchen, will ich ihn Ihnen zeigen, den Schein, junger Herr, he he, he he. Andere Wertpapiere sind mir im Verlaufe der Tage so ziemlich abhanden gekommen; aber dies habe ich sicher in der Schublade hinter Schloß und Riegel, und sein Kurs ist gestiegen und steigt, steigt – steigt. Ich habe es aber meiner seligen Frau Mutter versprochen, mich meinerzeit neben ihr zur Ruhe zu legen. Brave, aber eigensinnige alte Dame, die sich merkwürdigerweise etwas darauf einbildete, noch einen Kalkulationsrat, Steuerzahler, Hungerleider und Asthmatikus mehr in die üble Luft dieser Welt gesetzt zu haben. Wie sie so sanft ruhn, alle die Seligen, und – es ist mir in der Tat ein Vergnügen, hier mit Ihnen zu promenieren, jugendlicher Freund, und Sie auf die Lächerlichkeit mannigfacher Prätensionen des Menschen hinzuweisen. Rauch ist alles irdische Wesen – und eine der größten Lächerlichkeiten ist's, daß man hier nicht rauchen soll. Hier! – Meiner seligen Frau in ihrer ewigen Ruhe war das Reglement an der Pforte gegen Hunde und Zigarren freilich ganz aus der Seele geschrieben. Der durfte ich natürlich nicht mit der Pfeife in die beste Stube kommen und würde es mir also auch hier nicht erlauben, sondern höchstens kalt rauchen oder lieber das Rohr an das Sofa stellen oder es am besten ganz vor der Tür lassen.«

»O Papa, wie kannst du nur so reden?« pflegte dann Emmy gegen den Papa dieselbe Redensart zu gebrauchen, welche sie nun so häufig gegen mich in Anwendung bringt. Mir aber würde es heute nicht das geringste nützen, wenn ich es noch leugnen wollte, daß es nicht der skurrile Alte war, dessen philosophischen, moralischen, ethischen und asthmatischen Expektorationen zuliebe auch ich nur zu gern den sonderbaren Erholungsplatz zum Frische-Luft-Schöpfen mir auswählte. Herrn Rechnungsrats Schulzes blondes Töchterlein war's, dem zuliebe ich kam, und – bei den unsterblichen Göttern – es gibt keinen Rahmen, der golden genug ist, um mir das Bildchen für alle Zeit einzufassen und festzuhalten! Und ein wahres Glück war's, daß nicht jeder das gleiche

Interesse und verbriefte Eigentumsrecht des alten Spitzbuben Schulze an der unheimlich-gemütlichen Lustwan-
delbahn besaß und daß die Büsche um die alten hors de
concours gesetzten Grabstellen sehr hoch und dicht
ineinander verwachsen waren und daß Emmy und ich
ganz genau sämtliche Flecke hinter ihnen zu kennen
glaubten, wo man sich auch gegen die Fenster und die
Naseweisheit des umliegenden Stadtteiles gedeckt hoffen
konnte. Daß wir bald gern in diesen engen, grünen
Gängen dem Papa den Vortritt ließen und etwas hinter
ihm zurückblieben, vorzüglich an den Wendungen der
Wege, ist eine vergnügliche, wonnige Tatsache. Daß ich
für meine Person es nie gewesen bin, der den Herrn
Rechnungsrat in seinen kuriosen Betrachtungen durch
Fragen oder gar den Ruf: So laufen Sie doch nicht so,
werter Greis! unterbrach, ist gleichfalls ein Faktum. Es
war schon störend genug, daß zuerst Emmy mich unterbrach und, das rosige Mündchen scheu und schämig
zurückbiegend, ängstlich flüsterte:

»O, wie kannst du nur so sein! . . . o bitte! Und gar hier
auf dem Kirchhofe!« . . .

Ja, es ist eine historische Tatsache, daß ich damals so
gewesen bin, und glücklicherweise ändert nichts, was
uns in Zukunft noch begegnen mag, mehr das geringste
dran. Und es ist richtig, daß ich auf jenem Kirchhofe so
war, nach welchem Emmy sich heute, während der
Landregen ununterbrochen auf Pfisters Mühle herab-
rauscht, süß-schmollend, so sehr und dazu so lieblich
schmeichelhaft für mich zurücksehnt.

Und dessenungeachtet habe ich durchaus keine Lust, den
ganzen heutigen Tag mit ihr dort zuzubringen, welche
Lust zu ähnlichem Verweilen ich auch unter besagten
Umständen damals dazu haben mochte. Wohl fällt ein
goldnes Licht, ein wonniglich Glänzen aus der Zeit
unserer jungen Liebe auf jenes Land Lemuria zwischen
den nüchternen Häusermauern und unter den neugieri-
gen Fenstern der sich ins Unbestimmte ausbreitenden

Stadt Berlin; aber wir sind doch eigentlich nicht nach Pfisters Mühle gekommen, um nach dem Verbleiben jenes Bildes zu fragen.

Was für ein Gesicht ich zu der letzten Überlegung geschnitten haben muß, erfuhr ich nicht dadurch, daß ich in den Spiegel sah, sondern auf eine viel angenehmere Weise. Es fiel nämlich drüben an der andern Seite des kleinen Tisches der langzackige Batist- oder Leinwandstreifen in den Schoß, und eine kleine Hand kam über den Tisch herüber und strich mir über die Stirn, nachdem mich zwei ihrer Finger an der Nase gefaßt hatten; und Frau Emmy Pfister geborene Schulze rief:

»Oh, nun guck ihn einer an! . . . Willst du wohl! . . . Daß du mir auf der Stelle eine andere Miene machst! Das fehlte mir grade noch! Drei Tage Regen draußen und drei auf deinem Brummbärengesicht sind sechs, und das solltest du mir selbst jetzt, wo wir schon so lange miteinander verheiratet sind, nicht antun wollen!« – Und ich tat es der rechenkundigen Tochter meiner verstorbenen Schwiegermutter und meines noch recht lebendigen Herrn Schwiegerpapas wahrhaftig nicht an. Ich zog sofort meinen Stuhl um den Tisch herum an ihre Seite und legte naturgemäß den Arm um sie; und sie hatte den Kopf an meine Schulter gelegt, und der Regen regnete immerzu, und wir ließen ihn glückselig dabei.

»O, wie konntest du nur so sein und denken, daß ich es nicht ganz genau weiß, wie gut und lieb wir das jetzt hier haben in deiner Mühle und wie traurig das ist, daß wir es hier nie so wieder haben können!« flüsterte sie. »Und es ist auch ganz recht von dir, daß du jetzt im letzten Augenblick noch einmal alles aufschreibst, was du in ihr erlebt hast, und ich freue mich auch schon auf den Winter in der Stadt, wo du es mir hoffentlich im Zusammenhang vorlesen wirst, wenn auch Herr und Frau Asche dabeisein werden; aber ein klein, klein bißchen mehr könntest du wirklich wohl jetzt mit mir darüber reden, wo ich allein bei dir bin und wir alles rundum so himmlisch behaglich und melancholisch für uns allein haben. Ob es dabei regnet, schneit oder ob die Sonne scheint, das ist mir ganz einerlei, du alter, scheußlicher Langweiler!«

Das liebe Wort oder vielmehr die reizende Strafpredigt des Kindes hatte ihre Berechtigung; aber an »jenem Tage« hatte sie nur die Wirkung, die das Buch Galeotto beim scheußlichen alten Langweiler Dante Alighieri auf seinen Paul Böskopf aus Rimini und sein zärtlich Fränzchen von Mehlbrei aus Ravenna ausübte. Wir fanden etwas Besseres zu tun, als einander gegenüber oder nebeneinander zu lesen, Putzmacherei zu treiben oder gar närrisches Zeug für den Winterofen zu Papier zu bringen. Aber sein Recht und seinen Willen bekam das liebe Herz zwischen gutem und schlechtem Wetter, zwischen Tagen und Nächten, im Hause und draußen, unter den Gartenbäumen an den stillen Tischen, unter den Weiden den Bach entlang, auf den Wiesen und zwischen den Ährenfeldern. Ich habe es meiner Frau ziemlich genau von Mund zu Ohr erzählt, was ich zwischendurch denn doch auch auf diesen Blättern für den möglichen Winter meines Lebens an lustigen und traurigen, tröstlichen, warnenden, belehrenden Erinnerungen in meines Vaters Mühle dauerhaft in bleibenden Bildern in goldenem Rahmen zusammensuchte und -trug.

> Daß man der Dornen ach't,
> Das haben die Rosen gemacht.

Da trippelten den Bach entlang
Gar wunderliche Gäste

heißt es in dem Liede, und zwar »bei Sonnenuntergang«, wie es in demselben wunderlichen Liede heißt. Mir lag freilich noch die volle Morgen- und Mittagssonne auf meines Vaters Hause und der Umgegend, während um den Vater selbst die Schatten schon wuchsen. Aber es war noch mein Recht, keine Ahnung davon zu haben oder doch nicht darauf zu achten; ich habe noch nach der glücklichen Kindheit eine glückliche Jugend in Pfisters Mühle gehabt und würde Bände schreiben müssen, um ihr auf literarischem Wege gerecht zu werden, und da könnte am Ende auch das Publikum wie meine Frau kommen und fragen: »Wozu?«

Wenn es nur nicht gar zu verlockend wäre, von jenen Epochen zu plaudern, zu den Zeitgenossen, zu der Frau, zu jedem beliebigen ersten besten, der darauf hören mag, weil er seinerseits auch davon zu reden wünscht und uns am Munde hängt, weil er mit zappelndem Verlangen drauf paßt, uns endlich das Wort in dieser Hinsicht davon abzufangen!

Nachdem ich die erste Stufe meiner wissenschaftlichen Bildung, die vertraulichen gelehrten Unterhaltungen im Hinterstübchen mit A. A. Asche hinter mir hatte, betrat ich die zweite Staffel der Leiter. Auch die Herren vom städtischen Gymnasium besuchten Pfisters Mühle, die älteren mit meistens zahlreicher Familie, die jüngern neben der jungen Frau mit wenigstens einem Kinderwagen voll und nur die jüngsten ohne Anhang und höchstens mit ihrem Ideal im Herzen. Gewöhnlich am Mittwoch- und am Sonnabendnachmittag kamen sie und bildeten dann an einem der längsten Tische des Gartens eine große Familie, und eines schönen Mittwochnachmittags stellte einer aus derselben, und zwar sogar das würdige Oberhaupt, der weißlockige Patriarch, nämlich Direktor Pottgießer, aus blauer Luft eine Art von kursorischem Examen mit mir an, dem mein Vater, mit sämtlichen Schoppen der jüngern Kollegen in bunter Reihe leer auf dem Tische, atemlos lauschte und dessen Resultat das Wort aus dem Munde des gemütlichen Schultyrannen war: »Schicken Sie ihn mir zu Michaelis, Pfister.«

Und zu Michaelis wurde ich ihm geschickt: das heißt, Vater Pfister von Pfisters Mühle führte seinen zu einem höhern Ziel (das heißt einem andern, als auch Vater Pfister aus Pfisters Mühle zu werden) bestimmten Sprößling zu einem andern, mehr förmlichen und in die Dinte und aufs Papier verlaufenden Examen in die Stadt. Das Resultat hiervon war, daß ich nicht ein Stück Kuchen aus der Handtasche der Frau Direktor Doktor Pottgießer wie beim ersten bekam, sondern nur, daß mich der Doktor einen »mit wunderlichen Allotriis vollgepfropften Tironen« nannte, mich aber doch in die seiner wackern Obhut anvertraute Herde germanischer Zukunftsgelehrtheit aufnahm und mich dem »passenden Pferch junger, in gleichen Tritt zu bringender Böcke« zuwies, wie A. A. Asche sich ausdrückte.

Ich bekam einen Platz in der Quinta, und mein Vater, der sein ganzes liebes Leben durch in seinen Ansprüchen bescheiden war und ein dankbar Gemüt dazu hatte, begabte zum Lohn für seinen Erfolg meinen und seinen Privatgelehrten mit einer soliden silbernen Taschenuhr, welchen höchst überflüssigen Zeitmesser Asche bereits gegen Ende des laufenden Mondes nach dem Pfandhause trug und vor dem Ablauf des Jahres für immer gegen »andere Werte und momentan Nützlicheres« vertauschte. Daß er so ziemlich um diese Zeit seine Studien, oder wie die Leute (nicht er!) es sonst nannten, vollendete, rufe ich dazu mit einiger Schwierigkeit in die Erinnerung zurück. Was er eigentlich studiert hatte, konnte kein Mensch recht sagen und er selber vielleicht auch nicht. Naturwissenschaften hieß es offiziell, und mit der Natur stand er freilich auf bestem Fuße, legte sich aber noch lieber an schönen Tagen, so lang er war, in dieselbe hin, mit den Händen unter dem Kopfe und einer Zigarre oder kurzen Holzpfeife zwischen den Zähnen. Wovon er in dieser Zeit lebte, das wußte außer den Göttern und meinem Vater niemand; aber er lebte und wurde eines Tages auch Doktor der Philosophie, und ich habe später die unumstößliche Gewißheit aus verschiedenen Papieren in Pfisters Mühle gewonnen, daß dieses gleichfalls nur unter Mitwissen und Beihülfe meines Vaters und der Unsterblichen möglich gemacht worden war.

»Ich habe seinen Vater gekannt«, pflegte mein Vater zu sagen. »Der war ähnlich und ist bis an seinen Tod mein bester Freund gewesen, und es war schade, schade um ihn! Und wenn er von seines Berufs wegen als Schönfärber sich auch die Welt für sein Fortkommen in ihr ein bißchen zu hübsch gefärbt hat, so ist doch kein anderer Mensch als er selber und höchstens sein Junge dabei zu Verdruß gekommen, und der – deinen Doktor meine ich – der soll's in meinen Augen nachträglich nicht auch noch entgelten. Dazu hat er mir zu viel innerlich von seinem Alten, meinem guten Freund, seinem seligen Vater. Und daß sein Umgang und seine Belehrung dir keinen Schaden getan haben, das mußt du allgemach jetzt schon selber einsehen und sagen können, Ebert.«

Und ob ich das schon selber einsah! . . . Was ich damals aber noch nicht wußte, war, daß ich es später sogar in meines Vaters Haus- und Wirtschaftsbüchern finden sollte, wieviel Nutzen mein Freund Adam Asche Pfisters Mühle schaffen konnte. A. A. Asche hat diese Bücher jahrelang geführt in dem Hinterstübchen; und wäre der Niedergang des guten, vergnüglichen Erdenflecks durch genaue Buchhaltung zu verhindern gewesen, so würde heute wohl kein ander Bild drüber hingemalt werden und würde der nüchterne Alltag um eine grüne, lustige Feierabendstelle reicher geblieben sein für *die* Gegend.

Aber es hat alles seine Grenzen, und so hatte es auch das Zutrauen meines Vaters in seinen Günstling.

»Nicht weiter als soweit ich ihn unter Augen haben kann«, meinte der Alte. »Und daß ich dich ihm in der Stadt allein und unbeaufsichtigt in die Pfoten oder nur in Kost und Wohnung geben könnte, davon ist gar keine Rede. In einem von der Sorte hat die Welt grade genug, und daß du, mein Sohn, dich unter seiner speziellsten Obhut zur Anwartschaft auf den zweiten von der Art herausbilden solltest, das paßt mir doch nicht ganz in die Mütze.«

Wo in seiner »grünen Salatzeit« Studiosus und Doktor Asche selber seine Kost entnahm, war freilich etwas unbestimmt, und die sonderbarsten Spelunken schienen ihm manchmal grade recht zu sein. Was seine Wohnung anbetraf, so wechselte er häufig mit derselben, und sie gehörte meistens zu den beschränktesten und erfreute sich nicht immer der besten Luft und der erquicklichsten Aussicht. Am liebsten hielt er sich in dieser Hinsicht wie in so mancher andern in der Höhe, und ich habe ihn heute im Verdacht, daß er's in jener vergnüglichen Zeit Mauerstraße Numero neunzig nur deshalb länger ein Jahr lang aushielt, weil er von seinem dortigen Fenster die Hintergebäude der moralisch anrüchigsten Gasse der Stadt mit all ihrem Leben und Treiben zum nachdenklichsten Zeitvertreib vor und unter sich hatte.

Aber es war noch ein triftiger Grund vorhanden, der ein Zusammenhausen mit ihm nicht bloß für mich, den Schulknaben, sondern für jedermann sonst unmöglich machte. Er war zu häufig nicht zu finden! ... Man vermißte ihn wochenlang im Kreise seiner Freunde, und er blieb mondenlang für seine Hoflieferanten und sonstigen Gönner und Gläubiger jenseits seines nächstumfriedeten Wohnbezirks verschollen. Einmal ist er sogar länger als zwei Jahre verreist gewesen.

Als er von dieser letzten Fahrt – einer wahren Weltfahrt, wie es sich nachher auswies – von neuem im Lande erschien, war ich bereits einer der verständigeren jüngeren Leute des Schulrats Pottgießer, im Besitz eines Rasiermessers und des dazu gehörigen, glücklichen, unverwüstlichen körperlichen und wissenschaftlichen Selbstgefühls, zugleich mit der unvertilgbaren Neigung, noch andere Wirtschaftsgärten als den von Pfisters Mühle, sowie allerhand sonstige Kneipen zu besuchen. ✤ Ich war Primaner des löblichen städtischen Gymnasiums und hatte schon mehr als eine erste Ahnung davon, daß es eine Täuschung des Menschen ist, wenn er glaubt, daß die Bilder der Welt um ihn her stehenbleiben. Und wie der Junge aus Pfisters Mühle, so war auch das ganze deutsche Volk ein anderes geworden; denn die Jahre achtzehnhundertsechsundsechzig und -siebenzig waren ebenfalls gewesen und man zählte, rechnete und wog Soll und Haben mit ziemlich dickem, heißem Kopfe so gegen die Mitte der Siebenziger heran. –

»Und das ist ein wahres Glück«, meinte Emmy, »hoffentlich kommen wir jetzt endlich mehr zu Frau Albertinens Geschichte. Nimm es mir nicht übel, Männchen, Freund Asche interessiert natürlich als dein Freund auch mich ungemein, was seine Gelehrsamkeit und seine nachlässige Toilette, seine Naseweisheit und seine Unruhe und ewiges Umhertreiben in der Welt anbetrifft, aber auf seine Liebesgeschichte bin ich doch am gespanntesten. Bis jetzt ist es mir ein komplettes Rätsel, wie die beiden Leutchen zusammenkommen konnten. Ich versetze mich ganz in ihre Lage und denke, zuerst muß es sie doch schrecklich frappiert haben, als sie einander zum ersten Male gegenseitig zu Gesicht bekamen. Du wirst natürlich sagen, daß wir hier ja in Pfisters Mühle sind und daß es eben ein verzauberter Grund und Boden ist. Und wenn ich diesen Mondschein ansehe, wie er so silbern durch die Baumzweige fällt und auf dem Wasser, dem Gebüsch und dem Erdboden tanzt, und wenn ich mir überlege, daß es auch damals wohl ebenso nette und warme Nächte gab und daß Ehen im Himmel geschlos-

sen werden und des Menschen Wille sein Himmelreich
ist und daß wir armen Mädchen nur allzuleicht vor euch
Übeltätern in Rührung und Aufopferung geraten und die
Contenance verlieren, so brauche ich eigentlich gar nicht
an Zauberei und Verzauberung zu glauben, sondern
kann mich ganz einfach an meine eigne klägliche
Geschichte halten, du Bösewicht, und wie du am hellen
Mittag und beinahe vor aller Leute Augen die Unverfro-
renheit hattest—«

»Die Sache endlich zwischen uns ins reine zu bringen
und den Papa so romantisch, wie es nur in Berlin möglich war, unter seinen Gräbern, hinter seinen Taxusbü-
schen und unter seinem Lieblings-Eibenbaum damit zu
überraschen. Übrigens aber, mein Herz, habe ich immer
nach den besten Mustern mich zu bilden bestrebt: dort
auf des Papas Friedhofe hielt ich mich an das treffliche
Beispiel A. A. Asches, und in diesem Augenblicke
schwebt mir Vater Joachim Heinrich Campe als nachah-
mungswertes Exempel vor. Der brach unter seinem
Apfelbaum in seinen Historien von Robinson dem Jüngern und seinem treuen Freund Freitag stets dann ab,
wenn's in ihnen ›interessanter‹ wurde. Wie er, schlage ich
vor: indem wir uns auf unser eigenes, sicheres Lager
strecken, wollen wir unsern freudigen Dank dem guten
Gotte bringen, der uns in einem Lande geboren werden
ließ, wo wir unter gesitteten, uns liebenden und helfen-
den Menschen leben und nichts von wilden Unmenschen
zu befürchten haben.«

»Lieber Himmel, was soll denn das nun wieder bedeuten?« rief Emmy näher rückend und ganz bänglich nach
allen Seiten in die nicht vom Monde erhellten Gebüsche
des verlassenen Gartens von Pfisters Mühle scheue Blicke
werfend. »Meinst du wirklich nicht, daß es hier, und
vorzüglich bei Nacht, doch ein bißchen zu einsam und
zu weit entlegen vom Dorf und andern Leuten ist?«
»Nichts meine ich, als daß morgen wieder ein schöner
Tag wird und daß, da uns die Tage auf Pfisters Mühle nur

zu genau zugezählt sind, wir uns die letzten nicht durch den Nachttau und den öfters darauf folgenden Schnupfen verderben lassen wollen.«

»Jawohl«, meinte Christine, die seit einiger Zeit nach vollbrachten Hausgeschäften am Tische gegessen hatte, »jawohl, ich denke auch, daß es allmählich Zeit wird, zu Bette zu gehen, obgleich ich für mein Teil Sie in alle Ewigkeit so erzählen hören könnte, Herr Ebert. Es wird einem immer so kurios dabei, und je näher die Zeit zum Abzug kommt, immer wehmütiger. Und wissen möchte ich grade in diesem Augenblick, wie es Samse geht und ob er nicht bei diesem Mondenschein nach Pfisters Mühle zurückdenkt! Ach Gott, ach liebster Herrgott, und wie wird's mir sein, wenn auch ich in den allernächsten Tagen schon hierher nur noch zurückdenken kann und alles ist, als ob alles gar nicht gewesen wäre!«

Achtes Blatt

Wie es anfing, übel zu riechen in Pfisters Mühle.

»Es ist Schnee in der Luft!« sagten die Leute und hatten ausnahmsweise einmal vollkommen recht. Es war Schnee in der Luft, und bald nach Mittag kam er sogar in einzelnen Flocken herunter und zeigte sich zum erstenmal im Jahre unserm Stück Erde, und die Leute darauf taten sich einiges darob zugute und fragten einander: »Haben wir es nicht gesagt?«

Es war kurz vor den Weihnachtsferien im letzten Semester meines Schülerlebens, und nie hatte mich der erste Schnee eines Winters in gleich träumerischer Stimmung, ihn zu würdigen, zu empfinden, gefunden wie dasmal. In gemütlicher Faulheit mit dem Kinn auf beiden Fäusten in der Fensterbank zu liegen und in die trübe Luft und auf die verschleierten Dächer zu starren und an dem Schulrat

Pottgießer, Pfisters Mühle und dem demnächstigen vir juvenis und Studiosus der Philosophie Ebert Pfister bei diesem ersten Schnee zu gleicher Zeit sein Behagen haben zu können, das war etwas, was bis jetzt noch nicht dagewesen war, und ich genoß es ganz und gar und zu allem übrigen eingehüllt in ein Gewölk nicht übeln Knasters.

Wenn ich mich wendete, lag die Stube in gleicher Dämmerung, im gleichen Nebel wie die Gasse und die Dächer draußen. Wenn ich aus einer Ecke der Bude zur andern querüber den langjährig gewohnten Denkerpfad schritt, lebte und wogte es umher von Gestalten der Vergangenheit und Genien der Zukunft, und – der Mensch ist nur selten, selten so alt und so jung zu gleicher Zeit, wie in solchen germanischen Zwischenlichtstunden, gleichviel mit welchem Datum er im Kirchenbuche oder in der Standesamtsliste eingetragen sein mag!

Vor allem war es natürlich die nahe weihnachtliche Ferienzeit in der Mühle, die ich in dieser Stunde vorkostete. Es war immer, solange ich wenigstens zu denken vermochte, gut gewesen, Weihnachten unter dem väterlichen Dach, Weihnachten in Pfisters Mühle zu feiern und das neue Jahr darin anzufangen; aber so viel Wohlbehagen wie diesmal hatte ich mir eigentlich noch nie davon versprochen und in der Phantasie ausgemalt. Rechenschaft darüber wußte ich mir nicht zu geben und gab mir auch keine Mühe, nach Gründen dafür zu suchen.

Wie oft aber geschieht es im Leben, daß in dergleichen gute Stimmungen ein Laut hineinklingt, ein Schritt auf der Treppe, ein Klopfen an der Tür, die dem gemütlichen Träumer die Laune vollkommen verderben würden, wenn er gleich wüßte, was sie für den morgenden Tag, die nächste Woche, das folgende Jahr und so weiter zu bedeuten hätten?

Diesmal aufhorchend vernahm ich einen gar wohlbekannten Fußtritt im schweren Stiefel treppauf tappend draußen und ein Schnaufen und Räuspern, das ich nie auf den Pfaden dieser Erde mit einem andern verwechseln konnte, und so rief ich:

»Alle Wetter, das ist ja der Alte? Was will denn der Alte heute noch und so spät am Tage in der Stadt?«

Ich kannte seinen Schritt, seinen Husten und sein Räuspern. Aber er hatte noch eine andere Gewohnheit an sich: er sang stets, wenn er eine Treppe stieg, vor sich hin; Pfisters fröhlicher Mühlengarten schien immer mit ihm aufwärts zu steigen. Diesmal aber war dem nicht so.

Weder einen Endreim aus einem Liede seiner Herren Studenten, noch ein Stück vom Repertorium einer der vielen Sangesverbrüderungen der Stadt, die sein Lokal allen übrigen zu ihren intimsten Festlichkeiten vorzogen, brachte er heute mit die Treppe herauf.

»Was ist denn das?« murmelte ich, als ich ihm die Tür öffnete, um ihn schon auf dem dunkeln Vorplatze in Empfang zu nehmen und zu begrüßen.

Es war sehr dunkel bereits auf diesem Vorplatze, und Gaserleuchtung gab es im Hause nicht. Der Alte hatte noch einige Stufen der steilen Treppe zu erklimmen, und es schien mir, als mache das ihm mehr Beschwerde als früher. Er atmete jedenfalls schwer dabei und schnappte längere Zeit nach Luft, nachdem ich ihm die Hand gereicht und ihn vollends emporgezogen hatte.

»Pfui Teufel!« rief er, nachdem er die Luft des Hauses noch einmal mit gekrauster Nase geprobt hatte. »Auch eine angenehme Atmosphäre! Nur um eine Idee lieblicher als Pfisters Mühle – der Satan weiß es. Guten Abend, Junge.«

»Guten Abend, Vater«, sagte ich lachend. »Will der alte Sünder seinen Sprößling ob der Wohlgerüche Arabiens, in die er ihn gepflanzt hat, gar noch verhöhnen? Was kann denn dein Kind dafür, daß Mutter Müller mit Käse, Heringen und Schellfisch aus zweiter Hand handelt, daß Mutter Pape ihre Kinderwäsche wahrscheinlich zu nah an den Ofen gehängt hat, daß Jungfer Jürgens heute mittag eines kleinen Zwistes mit Schneider Busch halben ein wenig nachlässig mit ihrem Sauerkraut auf dem Petroleumkocher umgegangen ist und daß Meister Busch hinten hinaus soeben einen ziemlichen Teil der Sonntagsgarderobe der Nachbarschaft auf Benzin traktiert? Na, komm herein, Vater Pfister! Unter allen Umständen bringst du den neuen Winter mit, also mach mir auch auf der Stelle dein gewohntes vergnügtes Gesicht dazu und verkünde beiläufig, was dich eigentlich zu so ungewohnter Stunde herführt.«

Ich hatte ihn in meinem Scholarenstübchen. Er saß in dem Sorgenstuhl des Seligen der Witib, bei welcher er mich in Wohnung und allerlei andere Verpflegung getan hatte. Hut und Stock hatte ich ihm abgenommen und den wollenen Schal ihm vom Halse abgewickelt. Einen Überrock hatte er nie getragen, und jetzt knöpfte er kopfschüttelnd, dem Winter, den er mitgebracht hatte, zum Trotz, die Weste über der breiten Brust und dem stattlichen Bäuchlein auf, rang noch einige Zeit nach mehr Atem und sprach:

»Jaja, mein Junge, nur noch einen Augenblick . . . das Fenster laß nur zu; es kommt nichts Besseres herein, als hinausgeht. Jaja, in Veilchen, Rosen und Hyazinthen bist du freilich hier nicht gebettet, und so will ich auch nichts dagegen einwenden, daß du dich wieder mal an meinen besten Varinas, wie ich merke, gehalten hast, um dir die Lüfte zu verbessern. Es ist bei dir doch nur ein Übergang in deinen jungen Jahren; aber ich bin zu alt dazu. Ich halte es nicht länger aus, mich, ohne mich dagegen zu rühren, zu Tode stänkern und stinken zu lassen, und heute ist dem Faß der Boden ausgefallen, und du brauchst mich nicht so dumm anzustieren: ich bin darum in der Stadt, und wenn es eine Wissenschaft und Gerechtigkeit gibt, so soll sie jetzt für uns zwei – Pfisters Mühle und mich – eintreten, oder wir schließen beide das Geschäft, sie und ich, und für mich mag es ja wohl der beste Trost sein, daß du dich nicht darum zu kümmern hast, sondern für was anderes auf Schulen und Universitäten vorbereitet bist, grade als ob ich eine Ahnung davon gehabt hätte, als ich dich aus der freien Luft hereinrief und an die Bücher setzte und Doktor Aschen über dich!«

»Lieber Vater –«

»Jawohl, mein Sohn, wie dein lieber Vater es dir sagt, so verhält es sich. Samse hat im Blauen Bock ausgespannt, und ich bin hier vorhanden, um der Sache auf den Grund zu kommen, oder mit Ergebung das Rad zu stellen und unser Schild einzuziehen. Können sie Pfisters Mühle in der Welt nicht mehr gebrauchen, haben sie genug von ihr, nun so muß es mir, ihr und dir am Ende ja wohl egal sein.«

»So leicht geben wir und die Welt Pfisters Mühle doch wohl nicht auf, Vater!«

»Das sage ich mir ja auch in jedweder schlaflosen Nacht, Ebert; aber was kannst du am Ende noch weiter tun, als daß du dich bis aufs äußerste wehrst, dir in der Mühlstube die Nase zuhältst, nur an dein Handwerksgeschäft denkst und denkst: Freunde, Herrschaften, gute Gevattern hin und her, was tut's, wenn sie dir ausbleiben, Alter? Am Ende bist du doch von Rechts wegen eigentlich mehr ein Müller als ein Krugwirt, und solange sich dir das Rad dreht, hast du noch nicht den richtigen Grund, deinen Herrgott wegen Ungerechtigkeit anzuklagen. Aber wenn sie dir auch in der Mühlstube aufwerfen und sprechen: ›Meister Pfister, daß Sie uns recht sind, das wissen Sie; aber aushalten tut das bei Ihnen keiner mehr, der Parfüm ist zu giftig!‹ Was dann?«

»Deine Leute haben dir gekündigt?«

»Bis auf Samse, und den sehe ich immer nur darauf an in stiller Verwunderung und zerbreche mir den Kopf über die Frage, ob er aus Dummheit oder Anhänglichkeit bleibt. Ja, sie haben allesamt außer ihm ihre Kräfte in Nase und Lunge taxiert und sind zu dem Beschluß gekommen, daß sie über Weihnachten und Neujahr wohl noch reichen müßten, aber daß sie zu Ostern komplett damit zu Ende seien. Sie gehen alle zu Ostern von Pfisters Mühle!«

»Zum Teufel auch! Der Henker soll sie holen!«

»Fluche nicht, mein Sohn«, sprach der alte Herr, melancholisch den Kopf schüttelnd. »Du bist seit vierzehn Tagen nicht draußen gewesen und hast schon bei deinem letzten Aufenthalt und Besuch genug geflucht.«

»Und es ist seitdem noch schlimmer geworden?«

Der Alte erhob sich aus seinem Stuhl, weitbeinig stellte er sich fest, beide Hände in die Seiten stemmend. Sechsmal blies er aus vollen Backen vor sich hin und schlug dann mit voller Faust auf mein Schreibpult, daß rundum das ganze Gemach zitterte, und so keuchte er wütend:

»Der lebendige Satan soll mich frikassieren, wenn ich für mein Teil es bis zum Heiligen Christ aushalte! Sie haben am Ende Anhänglichkeit an mich und prätendieren es also ein bißchen länger; aber was kann ich denn noch an mir haben bei so bewandten Zuständen? . . . Ob es ärger geworden ist? . . . Bücher könnte man darüber schreiben und soll es auch, wenn ich was dazu kann! Die besten alten Freunde und urältesten treuen Stammgäste – gelehrte und ungelehrte – gucken nur noch über die Hecke oder in das Gartentor seit Mitte vorigen Monats oder klopfen höchstens ans Fenster vom Klubzimmer und sagen: ›Mit dem besten Willen, es geht nicht länger, Vater Pfister; das bringt kein Doppelmops, kein Kardinal, kein Pariser Numero zwei, keine Havanna und kein Varinas oder sonstig Kraut in keiner Nase und Pfeife mehr herunter, dieser Gestank kriegt alles tot! Und wenn wir es auch aushielten, Pfister, so will man doch des Sonntags auch gern seine Damens mit herausbringen, und es frißt uns das Herz ab, aber – sie danken, sobald wir Sie jetzt in Vorschlag bringen, alter Freund. Unsre Weibsleute, die doch sonst von Gottes und Natur wegen jeglichen übeln Geruch in der Welt am besten ausdauern können, werden von einem einzigen Nachmittag bei

Ihnen, Meister Pfister, ohnmächtig, verlangen unterwegs auf dem Heimwege eine Droschke und räsonieren die ganze nächste Woche; und so nehmen Sie es uns wohl nicht übel, Pfister, wenn wir am Ende nur können, wie wir müssen, Ihnen vorbeipassieren und unsere Unterkunft bei der Konkurrenz im Dorfe suchen, bis die Lüfte bei Ihnen wieder reiner sind. Sie sollten aber wirklich sich da recht bald mal an den Laden legen, die Konkurrenz und der üble Geruch verdirbt überall leider Gottes nur zu rasch das allerbeste Geschäft.«

Der Alte setzte sich wieder, und ich klopfte ihm zärtlich und so beruhigend als möglich den braven, breiten Rükken; aber schwer war's in der Tat, einen Trost für ihn zu finden. Ich kannte ja die jetzigen Düfte um und in Pfisters Mühle selber nur zu gut, und wußte, daß sie alle vollkommen recht hatten, der Meister Müller und seine Knappen wie seine Gäste. Es war schwer auszuhalten für einen, der's nicht unbedingt nötig hatte, es zu ertragen.

»So bin ich nun jetzt hereingekommen, um mich an den Laden zu legen«, seufzte der Vater. »Die Herren Studiosen sind und bleiben mir zwar allewege eine Ehre und ein Vergnügen; aber wenn sie nicht ausbleiben, so pumpen sie mir doch alleweile ein bißchen zu arg auf den odeur de Pfister hin, wie sie sich ausdrücken. Von den Bauern habe ich nur noch diejenigen, so am wenigsten zahlungsfähig sind, und so – wenn der Mensch sich gar nicht mehr zu helfen weiß, dann geht er eben zum Doktor, und dieses werde ich jetzt auch besorgen, Ebert.«

»Zum Doktor?« fragte ich in einiger Verwunderung.

»Jawohl! Er ist ja wohl wieder im Lande, und wenn ein Mensch sich vor keinem Stank in der Welt fürchtet, so ist *er* das. Und er kriegt sein Stübchen im Oberstock und seine Verpflegung, bis er's herausgebracht hat, was mir mein Wasser, meine Räder und alle meine Lust am Leben so verschimpfiert und schändiert. In der Stadt hat er ja doch noch immer nicht allzuviel zu verlieren an Wohlleben und an Liebe und Vertrauen unter den Leuten. Beides soll er aber noch mehr als sonst schon dann und wann in Pfisters Mühle finden, solange er sie in der Kur hat. Mein allerletztester Trost ist *er*! Und er muß es mir herauskriegen, an wem ich meine Wut auszulassen habe, wem ich in dieser pestilenzialischen Angelegenheit mit einem Advokaten zu Leibe steigen kann! Meinen Widerwillen gegen Prozesse kennst du, Junge; aber den infamen Halunken, der uns dieses antut und mir meiner Väter Erbe und ewig Anwesen und Leben so verleidet, den bringe ich mit Freuden an den Galgen. Ein schönes Erbe werde ich dir an Pfisters Mühle hinterlassen, mein armer Junge, wenn der Doktor uns gleicherweise wie alle übrigen vor dem Duft ohnmächtig wird und bleibt!« . . .

Ich hatte sie richtig in den Schlaf erzählt.

Emmy nämlich.

Sie hatte zwar nicht geschworen, mich von meinem »nichtsnutzigen« Kopfe ganz zu befreien, wenn ich sie diesmal nicht außergewöhnlich interessieren würde; aber sie hatte mir doch fest versprochen, mich bei diesem eben bezeichneten Kopfe zu nehmen. Und wie Scheherezade hatte ich das möglichste geleistet; Schahriar schlummerte süß und lächelte wie ein Kind in seinem Schlummer.

In Berlin war es noch früh am Tage; aber nebenan in unserm Dorfe schlug die Kirchuhr schon zehn, und niemand schien dort mehr wach zu sein als auf den an der Landstraße gelegenen Gehöften einige Hunde, die über den Zaun ihre Gedanken über ein verspätetes Wagengerassel oder einige der Stadt zueilende Fußgänger austauschten.

Ich lächelte ebenfalls. Weniger in Betracht als in Betrachtung meines unumschränkten Herrschers über Indien mit allen seinen großen und kleinen Inseln bis an die Grenzen von China – mein Herz für immer und Pfisters Mühle, solange es sich tun ließ, eingeschlossen. Das Kind sah in seiner lieblich-ergebenen Hingabe an mein

Erzählertalent – in seinem tiefen, unschuldigen Schlaf zu reizend aus! Was blieb mir dieser Flut von blonden Locken gegenüber, die über die hübschen Schultern und die Stuhllehne rollten, anders übrig, als leise, wie in den Brauttagen, eine von ihnen, den Locken nämlich, zu fangen und verstohlen einen Kuß darauf zu drücken? Wozu hat man eine Frau, wenn sie nicht in allem recht hat – selbst in ihrem Entschlummern bei Mitteilung unserer kuriosesten vorehelichen Erlebnisse und Betrachtungen a priori und a posteriori darob?!

»Du brauchst nicht zu denken, daß ich nicht zuhöre, wenn ich auch einmal die Augen für einen Augenblick zumache«, hatte das Herz mehrere Male gesagt. »Erzähle nur ruhig weiter; aber eigentlich begreife ich den seligen Papa nicht so recht. Wir wohnen doch nun über vierzehn Tage schon hier in deiner verzauberten Mühle; aber so arg, wie er es eben dir schilderte, ist es doch nicht. Es mag eine Täuschung von mir sein, weil ich eben selten oder nie aus Berlin herausgekommen bin; aber die Bäume rundum und die Wiesen drüben und das Heu duften ganz hübsch, und das Wetterleuchten da hinten ist auch ganz reizend, wenn nur das Gewitter nicht wieder näher kommt. Das habt ihr Gelehrten auch noch nicht heraus, warum alle diese wunderhübschen hundert Tiere, Mücken und Schmetterlinge, sich ihre Flügel an der Lampe verbrennen wollen, sowie man sie angezündet hat, und das sage ich dir, auf eine Jagd wie gestern mit der Fledermaus lasse ich mich nicht wieder ein; mir zittern – noch – die Glieder, und – es – war sehr unrecht – von – dir –«

Ich erfuhr es nicht, was sehr unrecht von mir am vergangenen Abend gewesen war; ich ließ das liebe, seidene Geflecht, auf welches das geflügelte Nachttier gestern so erpicht gewesen war, leise aus der zögernden Hand gleiten und legte mich noch einen Augenblick in das offene Fenster des Oberstocks von Pfisters Mühle und blickte in die Sommernacht hinein. Eigentlich ist das freilich nicht das richtige Wort; ich roch vielmehr in sie hinaus und mußte augenblicklich Emmy vollständig recht geben, wenn sie vorhin den letzten Wirt von Pfisters Mühle in seiner Verzweiflung und meiner Erzählung gar nicht begriffen hatte.

Neuntes Blatt

Wie es eben bei dem Doktor Adam Asche noch viel übler roch.

Lieblich düftevoll lag die Sommernacht vor den Fenstern über dem alten Garten, dem rauschenden Flüßchen und den Wiesen und Feldern. Ein leiser Hauch von Steinkohlengeruch war natürlich nicht zu rechnen; aber er genügte doch, um mich bei den gewesenen Bildern festzuhalten, wenn ich gleich am heutigen Abend nicht mehr meinem Weibe davon weitern Bericht gab.

Es war eben ein Herbst- und Wintergeruch, den weder die dörflichen und städtischen Gäste, noch die Mühlknappen und die Räder und mein armer, fröhlicher Vater ihrerzeit länger zu ertragen vermochten. Und die Fische auch nicht – *jedesmal, wenn der September ins Land kam.* Pollution every autumn.

Damit begann nämlich in jeglichem neuen Herbst seit einigen Jahren das Phänomen, daß die Fische in unserm Mühlwasser ihr Mißbehagen an der Veränderung ihrer Lebensbedingungen kundzugeben anfingen. Da sie aber nichts sagten, sondern nur einzeln oder in Haufen, die silberschuppigen Bäuche aufwärts gekehrt, auf der Oberfläche des Flüßchens stumm sich herabtreiben ließen, so waren die Menschen auch in dieser Beziehung auf ihre eigenen Bemerkungen angewiesen. Und ich vor allem auf die Bemerkungen meines armen seligen Vaters, wenn ich während des Blätterfalls am Sonnabendnachmittag zum

Sonntagsaufenthalt in der Mühle aus der Stadt kam und den Alten trübselig-verdrossen, die weiße Müllerkappe auf den feinen grauen Löckchen hin- und herschiebend, an seinem Wehr stehend fand:

»Nun sieh dir das wieder an, Junge! Ist das nicht ein Anblick zum Erbarmen?«

Erfreulich war's nicht anzusehen. Aus dem lebendigen, klaren Fluß, der wie der Inbegriff alles Frischen und Reinlichen durch meine Kinder- und ersten Jugendjahre rauschte und murmelte, war ein träge schleichendes, schleimiges, weißbläuliches Etwas geworden, das wahrhaftig niemand mehr als Bild des Lebens und des Reinen dienen konnte. Schleimige Fäden hingen um die von der Flut erreichbaren Stämme des Ufergebüsches und an den zu dem Wasserspiegel herabreichenden Zweigen der Weiden. Das Schilf war vor allem übel anzusehen, und selbst die Enten, die doch in dieser Beziehung vieles vertragen können, schienen um diese Jahreszeit immer meines Vaters Gefühle in betreff ihres beiderseitigen Hauptlebenselementes zu teilen. Sie standen angeekelt um ihn herum, blickten melancholisch von ihm auf das Mühlwasser und schienen leise gackelnd wie er zu seufzen:

»Und es wird von Woche zu Woche schlimmer, und von Jahr zu Jahr natürlich auch!«

»Sieh dir nur das unvernünftige Vieh an, Ebert«, sagte der Alte. »Auch es stellt die nämlichen Fragen an unsern Herrgott wie ich. Experimentiert er selber so schon damit im Erdinnern, na, so kann man ja wohl nichts dagegen sagen und muß ihn machen lassen; denn dann wird er's ja wohl wissen, wozu es uns gut ist. Aber – vergiften *sie* es, da weiter oben, in nichtsnutziger Halunkenhaftigkeit *ihm* und mir und uns, na, so müßte er denn wohl am Ende mit seinem Donner dreinschlagen, wenn nicht meinetwegen, so doch seiner unschuldigen Geschöpfe halben. Guck, da kommen wiederum ein paar Barsche herunter, den Bauch nach oben; und daß man

54

einen Aal aus dem Wasser holt, das wird nachgrade zu einer Merkwürdigkeit und Ausnahme. Kein Baum wird denen am Ende zu hoch, um auf ihm dem Jammer zu entgehen; und ich erlebe es noch, daß demnächst noch die Hechte ans Stubenfenster klopfen und verlangen, reingenommen zu werden, wie Rotbrust und Meise zur Winterszeit. Zum Henker, wenn man nur nicht allmählich Lust bekäme, mit dem warmen Ofen jedwedes Mitgefühl mit seiner Mitkreatur und sich selber dazu kalt werden zu lassen!« . . .

»O, ich habe alles gehört«, sagte Emmy. »Erzähle nur ruhig weiter; ich höre alles. Es ist bloß ein Erbteil von meinem armen Papa, wenn den etwas sehr interessierte, was Mama erzählte, und er in seiner Sofaecke saß, und Mama grade wie du sagte: ›Kind, wozu rede ich denn eigentlich?‹ – Er wußte nachher so ziemlich alles, wovon die Rede gewesen war, wenn er auch mit geschlossenen Augen darüber nachgedacht hatte. Und du brauchst mich nur zu fragen, lieber Ebert, ob ich dir nicht auch alles an den Fingern aufzählen kann von dir und den Fischen in Pfisters Mühle – nein, von Pfisters Mühle und deinem Papa und den Enten und allem übrigen, den Studenten und den Gästen aus der Stadt, und wie alles so sehr übel roch jedesmal, wenn seit dem Kriege mit den Franzosen und dem allgemeinen Aufschwung der Herbst kam. Und eben hatten die Leute schon gesagt: ›Es ist Schnee in der Luft!‹ und du saßest in deiner Schülerstube am Fenster und wartetest drauf, und da war dein Papa in die Stadt gekommen, und ihr hattet wieder von den entsetzlichsten Gerüchen euch unterhalten, daß es einem allmählich ganz unwohl dabei wird. Siehst du wohl, ich weiß alles ganz genau, und zuletzt waret ihr grade in euerer äußersten Verzweiflung auf dem Wege zum Doktor Asche, und das ist eigentlich mehr, als du von mir verlangen kannst, denn du hattest seinen Namen noch durchaus nicht genannt; ich habe es mir aber gleich gedacht, auf wen die Sache hinauslief.«

»Ein Prachtmädchen bist du und bleibst du!« stotterte ich ein wenig verwundert und in einigem Zweifel darob, wieviel eigentlich unser Herrgott den Seinigen im Traum zu geben vermag. Aber einerlei, woher das liebe Seelchen es hatte; es war seinem eigenen Ausdruck zufolge vollkommen au fait und blieb helläugig und munter und schlauhörig bis weit über Mitternacht hinaus.

Ein Grund zur Eifersucht war gottlob nicht vorhanden; aber es gab glücklicherweise außer mir keine andern Individuen innerhalb und außerhalb meiner Männerbekanntschaft, die mein Weib so ausnehmend interessierten wie Doktor A. A. Asche und so gut Freund mit ihr waren wie derselbige Herr, Weltweise und Berliner Großindustrielle.

»Ja, setz deine Mütze auf«, sagte mein Vater. »Du kannst mitgehen und anhören, was seine Meinung ist und ob er auf meine Vorschläge in Anbetracht euerer Weihnachtsferien und Pfisters Mühle eingehen will. Es ist mir sogar recht lieb, wenn ich dich als Zeugen habe, der mir im Notfall dermaleinst vor dem Weltgericht bestätigen kann, daß ich mein möglichstes getan habe, um deiner Vorfahren uralt Erbe vor dem Verderben zu bewahren und es vor dem Ausgehen wie Sodom und Gomorra in Schlimmerem als Pech und Schwefel und in Infamerem als im Toten Meere zu erretten. Deine selige Mutter, wie ich sie kenne, stünde schon längst als Salzsäule dran; und in der Beziehung ist es ein Glück, daß sie das nicht mehr erlebt hat. O du lieber Gott, wenn ich mir Pfisters Mühle von heute und deine selige Mutter denke!«

Ich hatte meine selige Mutter nicht gekannt. Ich wußte von ihr nur, was mir der Vater und Christine von ihr berichtet hatten und immer noch erzählten, und ich wußte es in der Tat schon, daß sie und Pfisters Mühle »von heute« nicht mehr zueinander paßten, und daß ihr, meiner jungen, zierlichen, reinlichen, an die beste Luft gewöhnten lieben Mutter, viel Ärgernis und Herzeleid erspart worden war durch ihr frühes Weggehen aus

diesem auf die höchste Blüte der Kunst- und Erwerbsbetriebsamkeit gestellten Erdendasein.

Ich setzte meine Mütze auf und nahm den Arm meines
alten, einst so fröhlichen Vaters. Er hatte mich sorgsam
und nach bestem Verständnis geführt, solange er die alte
Lust, das alte Behagen an seinem Leben hatte. Heute
abend auf der steilen Treppe, auf dem Wege zu unserm
beiderseitigen Freunde, Doktor Adam Asche, überkam
mich zum erstenmal die Gewißheit, daß in näherer oder
fernerer Zeit an mir wohl die Reihe sein werde, sorgsam
und liebevoll seine Schritte zu unterstützen. Es war kein
kleiner Trost, daß das lichte, liebe Bild, das er eben
durch Erwähnung meiner Mutter wachgerufen hatte, uns
freundlich und ruhig und lächelnd voranglitt.

Die Witterung draußen war längst nicht so behaglich,
wie sie sich vom Fenster aus ansehen ließ. Der Wind blies
scharf, und ich hatte häufig die Kappe mit der freien
Hand zu halten auf dem Wege zu »unserm Freunde«.

Der pflegte, wie gesagt, häufig mit seinen Wohnungen zu
wechseln, wenn er im Lande war, das heißt, wenn er sich
in seiner Vaterstadt aufhielt. Diesmal hatte er sein Quar-
tier in einer entlegenen Vorstadt aufgeschlagen, und
zwar, wie immer, nicht ohne seine Gründe dazu zu
haben; und ich, der ich, um die Schülerredensart zu
gebrauchen, die Gegend und Umgegend natürlich wie
meine Tasche kannte, hatte zwischen den Gartenhecken
und Mauern, den Gartenhäusern und Neubauten in dem
nur hier und da durch eine trübflackernde Laterne erhellten Abenddunkel mehr als einmal anzuhalten, um mich
des rechten Weges zu ihm zu vergewissern.

Ein enger Pfad zwischen zwei triefenden Hecken brachte
uns zu einer letzten Menschenansiedlung, einem drei-
stöckigen, kahlen Gebäude, mit welchem die Stadt bis
jetzt zu Ende war und hinter welchem das freie Feld
begann. Aber Lichter hie und da in jedem Stockwerk
zeigten, daß auch dies Haus schon bis unters Dach
bewohnt war, und mancherlei, was umherlag, -hing und

-stand, tat dar, daß es nicht grade die hohe Aristokratie im gewöhnlichen Sinne war, die hier ihren Wohnsitz aufgeschlagen hatte.

Bei einer halbwachsenen Jungfrau, die in sehr häuslicher Abendtoilette eben einen Zuber voll Kartoffelschale über den Hof trug, erkundigte ich mich, ob Herr Doktor Asche zu Hause sei, und erhielt in Begleitung einer Daumenandeutung über die Schulter die eigentümliche Benachrichtigung:

»In der Waschküche.«

»Wo, mein Herz?« fragte mein Vater ebenfalls einigermaßen überrascht; doch ein ungeduldiges Grunzen und Geschnaube aus einer andern Richtung des umfriedeten Bezirkes nahm das Fräulein so sehr in Anspruch, daß es nichts von fernerer Höflichkeit für uns übrig behielt. Zu dem Behälter ihrer Opfertiere schritt die vorstädtische Kanephore; und wir, wir wendeten uns einer halboffenen Pforte zu, aus der ein Lichtschein fiel und ein Gewölk quoll, welche beide wohl mit dem Waschhause der Ansiedlung in Verbindung zu bringen waren.

»Du lieber Gott, er wird doch nicht– es ist zwar freilich morgen Sonntag; aber er wird doch nicht jetzt noch sein frisches Hemde selber drauf zurichten?« stotterte Vater Pfister, und ich – ich konnte weiter nichts darauf erwidern als:

»Das müssen wir unbedingt sofort sehen!«

Ich stieß die Tür des angedeuteten Schuppens mit dem Fuße weiter auf. Das vordringende Gewölk umhüllte uns und –

»Alle Wetter!« husteten und prusteten zurückprallend sowohl der Müller von Pfisters Mühle wie sein Kind, – der Dampf, der uns den Atem benahm, stammte wohl von noch etwas anderm als unschuldiger grüner Seife und Aschenlauge; und wie eine menschliche Lunge es hier aushielt, das war eine Frage, zu der wir erst eine geraume Zeit später fähig wurden.

Dagegen begrüßte uns sofort aus dem vielgemischten, entsetzlichen Dunst eine wohlbekannte Stimme:

»Holla, nicht zuviel Zugluft bei obwaltender Erdenwitterung draußen! Tür zu, wenn ich bitten darf! Olga, bist du es, so muß ich dir doch sagen, daß mir so ein Unterrock während meiner ganzen wissenschaftlichen Praxis noch nicht vor Nase und Augen gekommen ist.«

»Olga ist es grade nicht; wir sind's, Doktor Asche«, keuchte mein Vater. »Ich bitte Sie um des Himmels willen –«

Und aus dem vom Herd und aus dem Waschkessel aufwirbelnden Greuel hob sich, wie das Haupt eines mittelalterlichen Alchimisten, der schwarze Struwelkopf unseres letzten Trösters in unseren übeln Erdengerüchen; und Doktor A. A. Asche mit aufgestreiften Ärmeln, in einem Schlafrock, der wahrscheinlich seinesgleichen nicht hatte, sagte gelassen:

»Sie sind es, Vater Pfister? Und der Junge auch? Na – dann kommt nur herein und machen Sie auch die Tür zu, wenn das Ihnen lieber ist.«

»Den Teufel auch!« ächzte der alte Herr von Pfisters Mühle. »Aber Asche – Doktor – Herr Doktor –«

Doktor Asche ließ sich gegenwärtig nicht so rasch stören, wie es für unsern freien Atem wünschenswert sein mochte.

Mit einem langen hölzernen Löffel fuhr er in den Kessel vor ihm, vermehrte durch längeres Suchen und Rühren Gedämpf und Gedüft um ein erkleckliches, holte ein unheimliches Etwas empor, packte das brühheiße Scheußliche mit abgehärtet verwogener Gelehrtenfaust, hielt es, ließ den stinkgiftigen Sud abträufen und sprach wie mit bescheidener Ergebung unter die eben vom Genius auferlegte Last eines ewigen guten Rufes und unsterblichen Namens:

»Meine Herren, Sie kommen zu einem großen Moment grade recht! Ich glaube wirklich in diesem Augenblick

sagen zu dürfen: Bitte, treten Sie leise auf! . . . Vater
Pfister, halten Sie sich die Nase zu, aber stören Sie
gefälligst das Mysterium nicht. Und du, Bengel – ich
meine dich, Eberhard Pfister, mein Zögling und mein
Freund, tritt heran, glücklicherer Jüngling von Sais,
werde mir bleich, aber nicht besinnungslos – ekle dich
meinetwegen morgen mehr und soviel du willst, doch
gegenwärtig beuge in schaudernder Ehrfurcht dein Knie:
so geht man im zweiten Drittel des neunzehnten Jahrhunderts zur Wahrheit!« . . .
Jedenfalls ging er mir um den Herd herum zwei Schritte
näher, schlug mir den triefenden, furchtbaren Lappen,
den Fetzen vom Schleier der Isis, fast ums Gesicht und
grinste:

»Gewichtiger, mein Sohn, als du es meinst,
  Ist dieser dünne Flor – für deine Hand
  Zwar leicht, doch zentnerschwer für meinen – Beutel;
ich meine, Sie, meine Herren, bei der in diesem Raume
obwaltenden Atmosphäre nicht darauf weiter hinweisen
zu dürfen, daß es keine Kleinigkeit ist, der Natur nicht
aus dem Tempel zu laufen, sondern den Stein der Weisen
weiter zu suchen, auch auf die Gefahr hin, ihn wieder
nicht zu finden.«
Vater Pfister, der seit längerer Zeit von seiner Mühle
doch schon an allerlei obwaltende Atmosphäre gewöhnt
war, kam vor Atmungsbeschwerden noch immer nicht
dazu, die nötige Frage zu stellen. Ich brachte es zu dem
gekeuchten Wort:
»Ich bitte dich um alles in der Welt, Asche!« – Doch
Doktor Asche ließ sich fürs erste noch nicht stören.
Er hielt jetzt sein geheimnisvolles Gewandstück zwischen beiden Fäusten. Er wrang es aus zwischen beiden
Knieen – schweißtriefend. Er entfaltete es, hielt es gegen
eine trübe Petroleumflamme, rollte wie wütend es noch
einmal zusammen und rang von neuem mit ihm, wie der
Mensch eben mit der alten Schlange, dem Weltgeheimnis
als Ideal und Realität a priori und a posteriori zu ringen

pflegt, seit er sich, sich auf sich selber besinnend, erstaunt in der Welt vorfand. Aber er gelangte, wie immer der Mensch, auch diesmal nur bis zu den Grenzen der Menschheit, und er nahm das *Ding*, nachdem er es zum drittenmal auseinandergebreitet und wieder zusammengewickelt hatte, *an sich*, das heißt, er nahm es jetzt unter den Arm, bot uns die biedere, wenn auch augenblicklich etwas anrüchige Rechte und meinte: »Zu Ihrer Verfügung, meine Herren! Ich hatte doch eben das Laboratorium dem schnöden Alltagsgebrauch zu überlassen. Es wollen noch andre Leute am heutigen Abend im Hause waschen, und das wissenschaftliche Trocknen besorge ich in meinem Falle lieber am eigenen Ofen. Olga! . . . Witwe Pohle! . . . Stinchen! . . . Frau Börstling! . . . Fräulein Marie – das Lokal ist frei. Krallen in die Höhe und munter in die Haare einander! Vater Pfister, gehen wir?«

Wir gingen gern; denn schon drängte es sich in die Pforte dieser Waschküche dieser vorstädtischen Mietskaserne – ein zürnend giftig Gewoge aufgeregter, nevösester Weiblichkeit, das, wie wir im eigenen Durchzwängen noch vernahmen, schon seit Mittag auf das Ende der Schmiererei in seinem eigenen, angeborenen Reiche und Bereiche gewartet hatte. Und ein Gewimmel unmündiger Nachkommenschaft war natürlich auch vorhanden, begleitete uns mit teilweise höhnischen, teilweise aber auch wohlwollenden Gefühlsäußerungen über den Hof und verließ uns auch im Innern des Hauses auf den Treppen nicht.

»Tausend Donnerwetter«, ächzte mein Vater, meinen Arm fester fassend. »In Kannibalien an 'ne Insel geworfen werden muß ja ein Labsal hiergegen sein. Hat man denn gar nichts, was man unter sie schmeißen könnte? Hier, halte meinen Stock, Ebert; vielleicht löse ich uns mit meinem Kleingeld aus! Da wage ich mich doch nie in meinem Leben wieder hierher ohne polizeiliche Begleitung heraus. Da ist ja die reine Kommunewirtschaft,

Asche; und Sie mitten drin, Doktor, und zwar ganz in Ihrem Esse, wie's den Anschein hat? Das fasse ein anderer!«

»Mein Versuchsfeld, Vater Pfister«, sprach lächelnd Doktor A. A. Asche. »Sie haben mir an jedem andern Orte nach dem zweiten Experiment die Miete aufgesagt. Als ob ich etwas dafür könnte, daß die Wissenschaft in ihrer Verbindung mit der Industrie nicht zum besten duftet. Gleich sind wir aber oben, und zwar in mehr als einem Sinne. Wie sagte man zu Syrakus, Knabe, als die Geldnot am höchsten und der Küchenschrank am leersten war? ›Gib mir, wo ich stehe, und ich setze mich sofort‹ – wenn ich nicht irre! Und das nämliche sage ich jetzt, und – hier stehe ich, und von hier aus hoffe ich in der Tat die Welt aus den Angeln zu heben und allen Sambuken und Argentariern zum Trotz dem Jammer ein wohlgesättigt, ja vollgefressen behaglich Ende zu bereiten, solide Platz zu nehmen auf Erden und Ihnen, Vater Pfister, ganz speziell alles Gute, was Sie an mir vollbracht haben, mit dem eigenen Keller- und Speisekammerschlüssel in der Tasche gerührt zu vergelten.«

Wir standen nämlich jetzt in seinem absonderlichen Daheim, Schlehengasse Numero eins, im Ödfelde, und selbst hier nicht im ersten Stockwerk. Es war aber ein ziemlich umfangreiches Gelaß, in dem er jetzt noch, in Erwartung alles Bessern, sich und seine kuriosen wissenschaftlich-industriellen Studien und Bestrebungen untergebracht hatte. Und Vater Pfister kam noch einmal aus einem übeln Dunst in den andern und hatte Grund, von neuem sich die Nase zuzuhalten und nach Atem zu schnappen.

Ein überheißer, rotglühender Kanonenofen bösartigster Konstruktion war von einem Gegitter von allen vier Wänden her durch den Raum ausgespannter Bindfäden und Wäscheleinen umgeben. Was aber auf den Fäden und Stricken zum Trocknen aufgehängt war, das entzog sich jeglicher genauern Beschreibung. Ich brauche nur mitzuteilen, daß jede Familie im Hause ein Stück ihrer Garderobe dazu geliefert zu haben schien und daß Doktor Adam Asche Olgas Gewand eben auch dazuhing, und darf hoffen, genug gesagt zu haben.

»Und nun, Kinder, setzt euch«, rief der Doktor, im vollsten Behagen sich die Hände reibend und in überquellender Gastfreundlichkeit unter und zwischen seinen Leinen und Lumpen und Fetzen männlicher und weiblicher Bekleidungs- und Hausratsstücke nach Sitzgelegenheiten hin und her fahrend, auf und ab tauchend.

»Das ist ja reizend von Ihnen, Vater Pfister. Ein Abend, ganz darnach angetan, um wie in Pfisters Mühle beim Schneetreiben und einem Glase Punsch zusammenzurücken! Nur einen Moment, meine Herren; kochendes Wasser stets vorhanden! Störe mir meine Kreise nicht, das heißt, reiß mir meine Feigenblätter menschlicher Eitelkeit und Bedürftigkeit nicht von der Linie, Ebert, sondern greif behutsam hin und drüber weg: die Zigarrenkiste steht auf dem Schranke gerade hinter dir. Vater Pfister —«

»Jetzt will ich Ihnen mal was sagen, Asche, und zwar am liebsten gleich wieder draußen vor der Tür«, sprach mein Vater, und zwar mit einer wütenden Gehaltenheit in Ton und Ausdruck, die nur selten bei ihm zum Vorschein kam. »Sie werden sich doch nicht einbilden, Adam, daß ich, der ich grade wegen ziemlich gleichem Geruch und noch dazu bei dieser Tages- und Jahreszeit als älterer Mann mich auf meinen weichen Füßen zu Ihnen herausbemüht habe, hier jetzt in diesen infamen Odörs ein pläsierlich Konvivium bei Ihnen halten will? Behalt deine Mütze auf dem Kopfe, Junge; das haben wir zu Hause auch. Komm wieder mit; ich sehe ein, es ist nicht anders und soll nicht anders sein. Die Welt will einmal in Stank und Undank verderben, und wir Pfister von Pfisters Mühle ändern nichts daran. Bringe mich mit möglichst heilen Knochen wieder hin nach dem Blauen Bock. Samse mag sofort wieder anspannen; wir fahren nach

Hause. Es ist wohl nicht das letzte Mal, daß dein Vater sich in das Unabänderliche geschickt hat, Ebert.«

»Holla! Halt da! Nur noch fünf Minuten Aufenthalt«, rief der Doktor. »Was ist es denn eigentlich, Vater Pfister? Das klingt ja verflucht tragisch. Um was handelt es sich, Knabe Eberhard? . . . Wenn die Herren sich vielleicht einbilden, daß ich, Doktor A. A. Asche, vorhin aus inniger Neigung in meinem angeborenen Element plätscherte, daß ich hier wie 'ne Kölnische Klosterjungfer gegenüber dem Jülichsplatz in meinem Eau de Cologne schwimme und mich selber mit Wonne rieche, so irren Sie sich. Auch der Gelehrte, der Chemiker bleibt am Ende Mensch – Nase – Lunge! Es ist zwar schön, aber durchaus nicht angenehm, auf dem Gipfel seiner wissenschaftlichen Bestrebungen dann und wann ohnmächtig zu werden; und – wißt ihr was, Leute? Feierabend ist es doch – ich gehe am besten mit euch nach dem Blauen Bock und vernehme dort in gesünderen atmosphärischen Verhältnissen das, worüber Sie meinen bescheidenen Rat einzuholen wünschen, Vater Pfister.«

»Das ist wenigstens ein Wort, was sich hören läßt«, sagte mein Vater. »Das ist sogar ein vernünftiges Wort, Adam, und ich nehme Sie und warte mit dem Ebert so lange draußen auf der Treppe, bis Sie sich hier drinnen gewaschen und angezogen haben. Nicht wahr, Sie nehmen das einem alten Manne, der sonst schon tief genug im Morast sitzt, nicht übel?«

»Durchaus nicht!« lachte der Doktor, und nach fünf Minuten befanden wir uns auf dem Wege nach dem Blauen Bock. Wieviel Verdruß, Ärger und leider auch herzabfressenden Kummer Vater Pfister noch von Pfisters untergehender Mühle haben sollte: das ist mir wenigstens ein Trost, daß er dabei zur Rechten wie zur Linken jemand hatte, der, wie treue Söhne sollen, Leib und Seele hingegeben hätte, ihm seine letzten Schritte durch die schlimme Welt behaglicher zu machen. Er ist doch noch mehr als einmal zu einem vergnüglichen

Knurren und herzlichen Lachen in seiner alten Weise
gekommen, ehe es aus mit ihm war.
Wo bleiben alle die Bilder?

Zehntes Blatt

Der Blaue Bock und ein Tag Adams und Evas in der
Schlehengasse

Ich nahm Emmy nicht weiter mit in den Blauen Bock;
wir gingen denn doch endlich lieber zu Bett in der stillen
Mühle, und das Kind mit seinem unschuldigen, besten
Gewissen entschlummerte auch sofort und drehte sich
nur einmal auf die andere Seite, wie es schien, von der
seltsamen Wäsche ihres guten Freundes Doktor Adam
Asche träumend.
Ich aber, wenngleich ebenfalls in »Nacht und Kissen
gehüllt«, blieb in der Erinnerung noch ein wenig im
Blauen Bock und saß mit dem verstorbenen Vater und
dem Freunde und – Samse, dem treuen Knecht, in der
wohlbekannten Wirtsstube der weitbekannten Ausspannwirtschaft und frischte alte Bilder auf.
Der alte Herr zahlte selbstverständlich uns hungrigem
jungen Volk die Zeche, und Samse griff in die Schüssel
wie in die Unterhaltung ein und gab nicht nur einen
wackern Durst, sondern auch mehr als ein verständig
Wort dran und dazu. Über seine eigenen übelduftenden
Augiasstallstudien und seine sich möglicherweise daran
knüpfenden Absichten und Aussichten, Pläne und Hoffnungen ließ sich der Doktor wenig aus, murmelte nur
einiges von: Berliner Schwindel! und tat selbst mir
gegenüber zurückhaltender, als sonst seine Gewohnheit
war. Aber seinem alten Gönner lieh er ein williges Ohr
und ließ, mit Messer und Gabel beschäftigt, Vater Pfister
so ausführlich werden, als das demselben in seinen
Nöten und Ängsten ein Bedürfnis sein mochte.

»Den Braten habe ich lange gerochen!« seufzte er, Asche, mit einem fetten Stück Kalbsniere auf der Gabel, und ließ es ungewiß, was für einen »Braten« er eigentlich meine. Das Wort wird ja wohl immer noch dann und wann in Verbindung mit der Nase des Menschen figürlich genommen.

»Sie hören mir doch auch zu, Adam?«

»Mit vollstem Verständnis, würdigster Gastfreund. Bis über die Ohren in diesem Salat!« lautete die Antwort.

»Erzählen Sie ruhig weiter, Vater Pfister; es gehört mehr in der Welt dazu, mir in gegenwärtiger Stunde den Appetit zu verderben. Dich ersuche ich um den Pfeffer dort, Sohn und Erbe von Pfisters Mühle. Hoffentlich hat man es dir in der klassischen Geographie beigebracht, daß grade durch das Land Arkadien der Fluß Styx floß und daß jeder, der im neunzehnten Jahrhundert einen Garten und eine Mühle an dem lieblichen Wasser liegen hat, auf mancherlei Überraschungen gefaßt sein muß. Schade, daß ich dich meinerzeit nicht schon darauf aufmerksam machen konnte in unserm Hinterstübchen! Sie waren dort sehr gastfrei, Vater Pfister – in Arkadien nämlich – und sie beteten den Gott Pan an, und in der Poesie und Phantasie wird es immer ein Paradies bleiben – grade wie Pfisters Mühle mir! – was auch in der schlechten Wirklichkeit daraus werden mag. Ob ich Ihnen zuhörte, Vater Pfister? In Ihrer Seele sitze ich! Als Sie in harmloser Heiterkeit in gewohnter, lieber Weise Ihre Nase noch hoch unter Ihren Gästen herumtrugen, habe ich Ihr und unserer alten guten Mühle Schicksal bereits vorausgerochen. Zu Weihnachten also das Weitere, und zwar so wissenschaftlich, als es Ihnen beliebt; vorläufig nur das Wort: Krickerode!«

Krickerode!

Es war nur ein Wort, aber es wirkte, wie ein einziges Wort dann und wann zu wirken pflegt. Es schlug ein; und mein Vater, nachdem er auf den Tisch geschlagen hatte, sprang auf, legte sich vorwärts über Gläser, Schüsseln und Teller, faßte mich, hielt mich an beiden Schultern, schüttelte mich und rief:

»Was habe ich mir gedacht? . . . In schlaflosen Nächten und am wachen Tage! . . . Was hab ich dir gesagt, Junge? Bezeuge es dem Doktor da, was ich dir schon längst gesagt habe!«

»Was verlangen Sie denn sonst noch von dem Zucker, als daß er uns das Leben versüße, Vater Pfister?« fragte Doktor Asche mit behaglich gesättigter Grabesstimme. »Allzuviel davon in der Welt Feuchtigkeiten kann einem freilich – hie und da zuviel werden. Ich gebe Ihnen da wie gewöhnlich vollkommen recht, alter Herr und Gönner.«

»Also doch – Krickerode!« murmelte mein Vater, jetzt schlaff und erschöpft auf seinem Stuhle sitzend und wie abwesend (an seinem Wasserlauf und in seiner Mühle) von einem zum andern blickend. »Wer mir *das* in meiner unschuldigen Jugend prophezeit hätte, wenn mich meine selige Mutter mit dem Sirupstopf ins Dorf schickte und sich jedesmal wunderte, daß der Kaufmann so wenig fürs Geld gab! . . . Also Krickerode! . . .«

»Zuviel Zucker – zuviel Zucker – viel zuviel Zucker in der Welt, in der wir leben sollen!« seufzte Asche.

»Rübenzucker«, sagte mein Vater, matt die brave, breite Hand auf den Tisch legend; und Adam Asche meinte jetzt mit wirklicher, aufrichtiger Teilnahme:

»Wozu ich Ihnen und der Mühle unter diesen Umständen werde nützlich sein können – wozu ich Ihnen verhelfen kann: ob zu Ihrem Recht oder nur zu größerem Verdruß, kann ich nicht sagen; aber daß ich zu Weihnachten nach Pfisters Mühle kommen werde, darauf können Sie Gift nehmen, Vater Pfister.«

»Letzteres ist gar nicht notwendig, Adam«, meinte der alte Herr melancholisch. »Bloß auch wissenschaftlich möchte ich es jetzt gern zum Heiligen Christ von Ihnen haben, Doktor. Anspannen, Samse! . . .«

Ehe Samse hinausging, um anzuspannen, setzte der gute

Knecht mir unterm Tisch den nägelbeschlagenen Gamaschenschuhabsatz in einer Art auf die Fußzehen, die nur bedeuten konnte:

»Komm mal mit in den Stall.«

Und im Stall neben dem treuen, die letzten Haferkörner in der Krippe beschnaubenden Hans von der Mühle legte er, Samse aus der Mühle, mir die arbeitsharte, treue Hand schwer auf die Schulter und sagte:

»'s ist die höchste Zeit, daß Ihr was dazu tut, Ebert. Seht ihn Euch an! Er wird mir umfänglicher, aber auch weichlicher von Tag zu Tage. Da will er mir des Morgens nicht mehr aus dem Bette, und heben wir ihn heraus, so sitzt er uns hin im Stuhl am Fenster und schnüffelt und schnüffelt und schnüffelt. Und steht er und geht er um, so ist es noch schlimmer mit der Mühle – von uns gar nicht zu reden. Er schnüffelt drinnen, er schnüffelt draußen; an mir mag er riechen, was und so viel er will, aber an dem übrigen riecht er sich noch seinen Tod an den Hals, und die Christine ist da auch ganz meiner Meinung. Ja, die hat sich auch in Geduld zu fassen und das Ihrige zu leiden! Nichts riecht ihm an ihr mehr recht. In Küche und Kammer, auf dem Boden und im Keller schnüffelt er uns; aber das Schlimmste ist doch sein Stehen im Garten und sein Atemholen dorten, so viel ihm noch davon vergönnt ist, und das ist leider Gottes wenig genug. Daß ich ihm heute morgen unsern Herrn Doktor Adam aufs Tapet gebracht habe, das ist mein Verdienst; aber nun sorgen auch Sie, Ebert, nach Kräften dafür, daß der als Übergelehrter das Seinige an uns tut. Es ist ja diesmal wirklich, als ob uns die Doktoren zu unserm einzigsten Troste in die Welt gesetzt wären: ohne unsern andern von der Art, Sie wissen es, wen ich meine, stünde es an manchem gegenwärtigen Winterabend noch tausendmal elender um Pfisters Mühle, und einen schlimmen Zahler muß unser Meister ja mal zu jeder Zeit auf dem Konto haben. Das ist eben sein absonderlich Privatvergnügen, zu dem er unter Millionen allein auf die Welt gekommen scheint. Und dann Fräulein Albertine –«

Ich wußte es natürlich, von wem der Alte redete; aber ehe ich ihm meine vollständige Übereinstimmung mit seiner Meinung kundgeben konnte, rief mein Vater derartig ungeduldig von dem Hausflur des Blauen Bockes her nach seinem getreuen Knechte, daß dieser allen Grund hatte, sich und den braven Mühlen-Hans zu beeilen.

Zehn Minuten später standen Adam und ich in dem Torbogen und sahen dem Vater Pfister nach, wie er heimwärts fuhr und wenig Trost aus der Stadt mit nach Hause nahm. Mit den Augen konnten wir ihm und dem Gefährt nur wenig über die nächste Laterne am Wege folgen; aber wir standen in der scharfen Zugluft und dem feuchten Niederschlag des Winterabends unter dem Tor und Schilde des Blauen Bockes, bis sich das letzte Rädergerassel des Müllerwagens von Pfisters Mühle in der Ferne verloren hatte.

Dann meinte Doktor A. A. Asche:

»Ein Mensch wie ich, der die feste Absicht hat, selber einen sprudelnden Quell, einen Kristallbach, einen majestätischen Fluß, kurz, irgendeinen Wasserlauf im idyllischen grünen Deutschen Reich so bald als möglich und so infam als möglich zu verunreinigen, kann nicht mehr sagen, als daß er sein Herzblut hingeben würde, um dem guten alten Mann dort seinen Mühlbach rein zu erhalten. Ich bin, wie du weißt und nicht weißt, seit ich dir im Hinterstübchen von Pfisters Mühle die Anfangsgründe nicht nur des Lateinischen, sondern auch der Menschenkenntnis beibrachte, unter den Menschen viel und an vielen Orten gewesen; aber einen zweiten seinesgleichen habe ich nicht unter unsersgleichen gefunden. Da ist kein Wunsch, den ich dem nicht zum Heiligen Christ erfüllen möchte, aber leider Gottes werde ich ihm nur in einem zu Willen sein können. Erfahren soll er, wer ihm seinen Bach trübt. Wissenschaftlich soll er's haben bis zur letzten Bakterie! Schriftlich soll er's haben – zu Gericht soll er damit gehen können! Ich werde ihm sein Wasser beschauen, und kein anderer Doktor wird ihm die Diagnose so sicher stellen, wie sein alter, verlungerter Schützling und Günstling Adam Asche.«

»Du bist doch ein guter Mensch, Asche!« rief ich.

»Das bin ich gar nicht«, schnarrte mir aber der chemische Vagabund und Abenteurer zu. »Komm nach Hause, *junger* Mensch! Wende du deine Windeln auf dem Zaune um, das heißt, setze dich an deine Bücher. Mich verlangt's anjetzt dringlich zu der Wäsche zurück, die mir, wie du vorhin bemerken konntest, auf der Leine hängt. Ich habe viel zu tun die nächsten Wochen hindurch und du auch einiges; also beschränke deine Erkundigungen nach meinem Ergehen auf das geringste Maß der Höflichkeit. Am liebsten ist's mir, du kommst am Tage Adam und Eva, am vierundzwanzigsten Dezember, so um vier Uhr nachmittags, und holst mich ab nach Pfisters Mühle. Das soll übrigens allem Erdenstank und -drang zum Trotz die gemütlichste Weihnacht werden, die ich seit manchem widerwärtigen Jahr gefeiert habe. Den Wind im Rücken auf der Landstraße, Abenddämmerung, Nacht und Nebel auf den Feldern rundum und in seiner Mühle der Vater Pfister: ›Christine, da kommen sie! Brenne die Lichter an der Tanne an!‹ – Das wäre wahrhaftig eine Sünde, ihm seinen Wunsch nicht zu erfüllen. Bis auf das letzte Atom soll er's wissen, wieviel Teile Ammoniak und Schwefelwasserstoff der Mensch dem lieben Nachbar zuliebe einatmen kann, ohne rein des Teufels zu werden ob der Blüte des nationalen Wohlstandes und lieber alle Viere von sich zu strecken, als noch länger in *diese* Blume zu riechen. Guten Abend, Ebert.«

Er nahm hiermit nach seiner Art einen kurzen Abschied, und ich sah ihn wirklich nicht eher wieder als bis am Tage Adam und Eva und ließ ihn bis dahin ungestört bei seinen mysteriösen Studien und Arbeiten. Der vierundzwanzigste Dezember dämmerte dann ganz wie ein Tag nach seinem Wunsche – dunkel und windig vom ersten grauen Schein – über den Dächern an; nur daß wir den Wind, einen recht wackern Nordost, nicht im Rücken, sondern gradeaus im Gesicht und nur hie und da an einer Wendung der Landstraße scharf in der Seite haben sollten.

Ich holte ihn ab und hatte das Vergnügen, ihm beim Packen seines Reisebündels behülflich zu sein und auch sonst für die Tage seiner Abwesenheit sein städtisches Heimwesen zu einem Abschluß bringen zu helfen, was auch nicht ohne seine drolligen Schwierigkeiten war. Er, der behauptete, einer der freiesten der Menschen zu sein, war nach so vielen und verschiedenen Richtungen hin gebunden und so erfinderisch den kuriosen Einzelheiten seiner Existenz gegenüber, daß es nur einem Normalphilisterkopf ein wahres Übermaß der Schadenfreude gewähren konnte, ihn sich in seinen Verlegenheiten abzappeln zu sehen. Schadenfroh war ich nicht, aber daß ich bei seinen Versuchen, die Bande und Knoten, welche ihn an die Schlehengasse fesselten, möglichst ohne arges Gezeter und sonstige Ärgernisse zu lösen, in Mitleid und Wehmut verging, kann ich freilich auch nicht sagen.

Er hatte, als ich kam, seiner Mietsherrin bereits mitgeteilt, daß er für einige Zeit vom Hause abwesend sein werde, und ich traf mehrere bei ihm anwesend, die dringend genügende Garantie für sein Wiederkommen verlangten, ehe sie ihn losließen. Merkwürdigerweise hatten die Gewerbtreibenden im Hause sämtlich ihre Frauen oder Töchter geschickt und warteten selber lieber auf ihrem Schusterschemel oder Schneidertisch das Resultat ihrer Verhandlungen ab. Und Meister Börstling hatte Weib und Kind gesendet. Mit Madame lag Fräulein Olga dem unseligen, gelehrten chemischen Wäscher auf dem Halse, und Olga hatte ganz intime Stücke weiblicher Garderobe mitgebracht und hielt sie dem Hausgenossen unter die Nase:

»Wie Zunder, Herr Doktor! Zwischen den Fingern zu

zerreiben! Und hinten und vorn versengt! Und frage ich Sie, wer steht mir nun für den Schaden, den wir in unserer Herzensgüte uns haben anrichten lassen?«

Fräulein Marie hatte nur »eine kleine Note vom Papa« gebracht, der aber doch grade auf das Fest Besseres zu tun hatte, als mit seinem Schneiderkonto faulen Kunden in die weite Welt nachzulaufen. Aber die Furchtbarste war doch die dem Doktor Nächste, seine Stubenwirtin, Witwe Pohle. »Vollständig unbezahlte Rechnung seit Anmeldung auf der Polizei«, sperrte sie uns die Tür und den Weg nach Pfisters Mühle.

Und es war ihnen allen nicht zu verdenken! Sie hatten meistens sämtlich Kinder, und zwar viele. Es war der Tag Adam und Eva, der Heilige Abend dämmerte bereits, und sie hatten sämtlich Geld nötig aufs Fest.

Mitleid mit dem Sünder konnte aber, wie schon bemerkt, dreist für dringendere Fälle aufgespart werden; guter Rat wäre gänzlich an ihn weggeworfen gewesen.

»Nur sachte, immer sachte, Kinder«, sprach mit höchstem Gleichmut Doktor Adam Asche, nur von Zeit zu Zeit beide Hände auf beide Ohren drückend. »Bin ich Orpheus, daß ihr mich zu zerreißen wünscht, ihr kikonischen Weiber? So schlimm ist's doch nicht mit dem Peplos, wie Sie's mir einbilden wollen, Olga! Einmal tut er doch noch seine Schuldigkeit mit Weinlaub und Eppich im Orpheon, liebes Kind! . . . So halten Sie mir doch die Krabben vom Leibe, Madam Börstling! Zahlung hoffen Sie und werden in Ihrer Hoffnung nicht getäuscht werden; fragen Sie den jungen Mann hier, ob er nicht noch einmal bluten wird – sein Erzeuger nämlich! Wir haben beide die besten Absichten, nicht umsonst Weihnachten in Pfisters Mühle zu begehen – Silvester feiern wir hier, und ich gebe dem ganzen Hause eine Bowle! . . . O Fräulein Marie, von Ihnen und Papa hätte ich doch etwas anderes erwartet als dieses! Haben wir – der eine wie der andere – Papa, ich und Sie, nicht höhere Bildung, nicht andere Interessen, nicht größere

Ziele? Darf ich Sie nicht noch ein einziges Mal auf unsere Ideale verweisen, Maria? Ich darf es, ich sehe es Ihnen an, daß Papa auch diesmal noch sich bis nach Neujahr gedulden wird! . . . Mit Ihnen, Mutter Pohle, sollte ich eigentlich gar nicht zu reden brauchen. Sie wissen es, daß ich es weiß, wie sicher ich Ihnen bin, und daß es Ihnen gar keinen Spaß machen kann, Ihren angenehmsten Stubenherrn, seit Sie auf dergleichen als Witwe angewiesen sind, in anderthalb Stunden an den Christbaum zu hängen. Ich setze Ihnen hier diesen Jüngling zum Pfande, daß ich zu Neujahr wieder zurück bin von Pfisters Mühle. Daß bis Ostern vielleicht sich alles – alles gewendet haben wird, Knabe Ebert, ist etwas, was ich gegenwärtig so wenig diesen Herzen hier wie dir plausibel machen könnte. Ein Poet mit der gültigsten Anweisung auf die Unsterblichkeit ist da dem vorhandenen Moment gegenüber nicht übler dran als ich, und nun, Kinder, tut mir den Gefallen und verderbt euch und mir nicht länger die Gemütlichkeit des Abends vor dem Heiligen Christ! Hier – auf den Tisch – mein letztes Zehnmarkstück! Das ist vom Onkel Asche für die *Kinder* Schlehengasse Numero eins. Da, Toni ist die Vernünftigste, die und Hermann nehmen den größten Handkorb, aber alle übrigen gehen mit in die Stadt zum Zuckerbäcker, und – euch älteres und ältestes Gesindel mache ich darauf aufmerksam, daß ich zu Neujahr wieder hier am Platze bin und fürchterliche Rechenschaft fordern werde, wenn der geringste Krakeel wegen ungerechter Verteilung im Hause entstanden sein sollte.«

Damals stand ich ob dieses Erfolges dieser Wendung der Rede A. A. Asches nur stupifiziert. Wie ich heute, bei reiferen Jahren, die Sache ansehe, kann ich mir nur sagen: Hier war der Charakter, den Durchlaucht Otto Fürst Bismarck, Kanzler des Deutschen Reiches, wenigstens so ungefähr im Sinne haben konnte, wenn er den Reichstag ersuchte, sich gütigst für einen andern Mann auf dem harten Stuhl zu sammeln.

Sie entfernten sich, und wir blieben noch einige Augenblicke. Sie liefen, und wir hörten ihren jauchzenden Tumult auf allen Treppen – Kinderjubel und Kinderkreisch treppauf, treppab: »Onkel Asche!« von oben bis unten durch das Haus Schlehengasse eins im Ödfelde. Aus der Atemlosigkeit eines Lachkrampfes, dessen ich mich heute noch schäme, riß mich das gelassene Wort Doktor Adam Asches:

»Wie ich glaube, können wir allmählich auch gehen.«

Elftes Blatt

Auf dem Stadtwege nach Pfisters Mühle

Der Tag Adams und Evas! – Fürs erste war es ein Morgen über und um Pfisters Mühle, so blau und so grün, so lau und doch so frisch, so sonnenklar und so voll lieblichen Schattens, wie vielleicht der, an welchem in dem großen Tiergarten der Erde die erste Eva verschämt-zärtlich zum erstenmal leise die Hand dem Adam auf die Schulter legte und flüsterte:

»Da bin ich, lieber Mann!«

Es steht nicht im Buch der Genesis und wird natürlich nur von der Bank stammen, auf der die Spötter sitzen – nämlich, daß unser aller Stammvater in der dem süßen Wunder vorhergehenden Nacht bedenklich schwer geträumt habe, und zwar apriorisch von unendlichen Katzbalgereien mit und unter seinesgleichen, und daß er in jener Nacht, und zwar im Traume, noch einem Dinge seinen Namen gegeben habe. Es ist unbedingt nicht wahr, daß zu dem Begriff Rippenstoß in jener Nacht das Wort gefunden worden sei. –

Was nun das Fleisch von meinem Fleisch, das Bein von meinem Bein anbetrifft, so gelang es dem an diesem schönen Morgen nicht wie sonst wohl, scherzhaft mich

durch einen Nasenstüber zu erwecken und dabei in eine
seiner wunderwollen blonden Flechten kichernd mir zu
insinuieren:

> »Drei Teile seines Lebens
> Verschläft der Dachs vergebens –

sieh doch nur die Sonne, Ebert! Wir sollten schon seit
einer Stunde draußen unter den Bäumen sein. Du bist
doch eigentlich ein zu furchtbarer Faulpelz, liebstes
Männchen!«
Seit einer Stunde schon saß ich unter den Bäumen meines
alten Mühlgartens und hatte den wonnigsten Morgen
unserer Sommerfrische für mich allein.
»Mit dem Kaffee warte ich wohl, bis unser Frauchen
kommt?« hatte Christine gemeint, und ich hatte selbstverständlich durchaus kein Bedürfnis gehabt nach dem
Kaffee in Abwesenheit meines »Fräuleins«, wie Doktor
Martin Luther übersetzt.
Endlich hatte das Fenster geklungen und der Vorhang
sich bewegt. In rosiger Verschlafenheit hatte sich mein
Kind, meine holdselige Sommerfrischlerin, herausge-
beugt in der Sicherheit, daß keine fremden Leute, keine
frühen Gäste, Brunnentrinker und Lustwandler aus der
Stadt mehr von den Tischen und Bänken des alten Gartens aus sie belauschen konnten:
»Nun seh' einer den Durchgänger! Gott, wie lange sitzest du denn da schon, Ebert? Himmel, wie spät ist's
denn eigentlich? . . . Laß dir nur den Kaffee bringen; in
fünf Minuten bin ich bei euch!«
Der weiße Vorhang war von neuem zugefallen, und
wirklich nicht länger als eine gute halbe Stunde hatte es
gedauert, bis mir meine zweite, noch lieblichere Sonne
aufging an dem neuen Lebenstage unter den Bäumen,
den verwirkten Paradiesesbäumen von Pfisters Mühle.
Sie – Emmy Pfister, geborene Schulze – trippelte daher
vom Hause im leichten, lichten Morgenkleid und verlor
einen zierlichen Pantoffel auf dem Wege und kehrte sich

um, ihn aufzuheben, hüpfte mit ihm in der Hand –
natürlich in meine Arme, und – weg hatte ich ihn – den
Klaps mit dem ersten Kuß am Tage:

»Weißt du wohl, daß du mir gestern abend ganz dumme
Geschichten erzählt haben mußt, Ebert? So unruhig wie
in vergangener Nacht habe ich lange nicht geschlafen und
so schwer geträumt auch nicht.«

»Armes Vögelchen! Na, jedenfalls kannst du sie mir
wiedererzählen.«

»Meine Träume? Ja . . . warte mal . . .«

»Nein, meine Geschichten meine ich!«

»O die! Ja natürlich! Selbstverständlich vom Anfang bis
zum Ende!«

Ich meine jetzt noch etwas. Nämlich, daß es mehr als
bloß mich gibt, die es aus Erfahrung wissen können, daß
die letzte Behauptung meines Weibes eine von der Weiber siegessichersten Lügen war und es gewesen wäre,
selbst wenn sie im Buch der Bücher auch schon von Frau
Eva vorgebracht worden wäre.

Widerstand zu leisten, war also nicht von mir zu verlangen an dem schönen Morgen. Ich nahm ihn mit allem,
was er an süßen Reizen brachte, hielt mich durchaus
nicht länger beim gestrigen Abend auf, sondern fragte
nur im logik-vergessensten Behagen:

»Herz, mein Herz, was sagst du heute zu unserm Leben
und zu Pfisters Mühle?«

»Himmlisch ist's, Männchen, und bei solchem Wetter,
ehe der Tag zu heiß wird, wirklich schade, daß es so bald
damit aus und vorbei ist – eure Pfisters Mühle meine
ich natürlich. Läge sie nur ein bißchen näher bei den
Leuten, so wär's zu hübsch, alle paar Jahre uns wieder
mal in die Stille hinzusetzen! Ja, wovon ich geträumt
habe, fragtest du? Natürlich von schlechten Gerüchen,
von ganz greulichen, und von großer Wäsche bei uns in
Berlin, und von Doktor Asche, aber wie gesagt, haupt-
sächlich von schrecklichem Gestank, grade wie du mir
vorher davon erzählt hast. Habe ich nicht geächzt im

Schlafe? Nicht? Na, dann ist es einfach zu arg darin gewesen, und ich habe nicht gekonnt. Übrigens begreife ich jetzt an diesem reizenden Morgen keinen von euch allen – deinen seligen Papa nicht, dich nicht und eure Gäste auch nicht mit ihrem Naserümpfen. Doktor Asche hatte ganz recht, daß er gar nichts auf eure Querelen gab, sondern sich bloß ganz einfach über euch lustig machte mit seinem eigenen gelehrten, scheußlichen und wissenschaftlichen Geruch zum Besten der Welt und der Industrie . . . Aber heiß wird es heute werden, und da wird es heute in Berlin schrecklich sein, und es ist wirklich himmlisch, Ebert, daß wir hier jetzt so in der wonnigen Kühle und der Sonne und dem Tau sitzen und uns auch den ganzen Tag über von einem schattigen Sitz auf den andern ziehen können. Wie schade, daß wir nicht Frau Albertine und den Doktor bei uns haben! Die werden heute auch genug von der Hitze in Berlin ausstehen müssen.«

Die Kleine hatte wie gewöhnlich recht. Es wurde sehr heiß an diesem Tage, so heiß, daß wir uns nach Mittag aus dem schwülen Garten doch ins Haus und im Hause an den kühlsten Platz verzogen.

Der kühlste Platz aber war die Mühlstube oder, wie der wissenschaftliche Mühlengelehrte das heute nennt, die Turbinenstube.

Ich bin ein ungelehrter Müllerssohn und sonst im Leben ein einfacher Schulmeister, der sich bescheiden wegduckt und in den Winkel drückt mit seinem Griechischen und Lateinischen, wenn die Tagesherrin, die reale Wissenschaft, mit ihren philosophischen Ansprüchen und gelehrten Ausdrücken kommt. Ich fand es wie Emmy ebenfalls am kühlsten in der Mühlstube von meiner Väter Mühle und ließ in uräletester Weltweisheit den Wassern draußen ihren rauschenden Weg vorbei an den nutzlosen, gestellten Rädern.

In der Mühlstube von Pfisters Mühle habe ich Emmy von Frau Albertine Asche und ihrem Mann, da wir sie in

Person leider nicht bei uns haben konnten in der Kühle, weiter erzählt und – mir auch.

Es standen die Türen aller Räume des verkauften Hauses offen, und so hatten wir von dem Tischchen aus, das wir uns in unsern Zufluchtsort getragen hatten, den Ausblick über den Flur auch in das alte, jetzt vollständig leere Gastzimmer. Das Beste war, man brauchte sich in *dieser* Sommerfrische gar keinen Zwang anzutun. Hemdärmelig ging ich im Schwatzen mit meiner Zigarre herum um Trichter und Beutelkasten, um Ober- und Untermühlstein, lehnte am Kammrad und trat auch wohl auf den Hausflur und schritt in der Gaststube auf und ab. Letzteres aber nie allzulange. Die Schritte klangen zu hohl in dem geleerten Raume.

Wo bleiben alle die Bilder?

Nun waren wir, Emmy und ich, wieder auf der Landstraße mit dem Freunde und chemischen Doktor Adam Asche, und Emmy meinte:

»Daß die Geschichte im Winter liegt, ist heute wirklich sehr angenehm bei der schrecklichen Temperatur. In der Wüste Sahara oder unter dem Äquator hielte ich es selbst in der Idee nicht aus.«

Im Winter lag freilich die Geschichte. Es war auf der Chaussee bei jener Wanderung zu meinem damaligen Christbaum in Pfisters Mühle ganz das Wetter, welches sich Freund Asche für den Weg gewünscht hatte. Der Wind pfiff uns schneidend um die Ohren, und wir hatten nicht wenig zu lavieren, um ihm die beste Seite abzugewinnen und immer querüber weiterzukommen. In der Stadt herrschte, als wir sie hinter uns ließen, all das Leben, welches der letzten Stunde vor dem Anzünden des ersten Lichtes an der Tanne voranzugehen pflegt. Sie liefen noch in den Gassen – die Landstraße hatten wir für uns allein, nachdem wir die Fabriken am Wege, die ihre Tätigkeit auch heute abend nicht aussetzten, die Region der »Bockasche«, passiert hatten.

Die Fabriken erstrecken sich heute schon so ziemlich bis

an das Dorf hin und die Region der Bockasche also ebenfalls. Damals waren zwei Drittel des Weges noch frei davon, und nur vereinzelte Häuschen kleiner Leute lagen an diesem Wege, im Rücken das freie Feld.

In dem letzten dieser Häuschen, nach dem Dorfe zu, sahen wir die ersten flimmernden Weihnachtskerzen durch das beschweißte Fenster. Als wir die Mühle erreichten, war es vollkommen Nacht.

»Schwefelwasserstoff! und . . . Gänsebraten!« ächzte A. A. Asche unter dem guten, alten Schenkzeichen, in vollster Gewißheit seines chemischen und kulinarischen Verständnisses mit erhobener Nase den Duft in der Haustür einziehend. »Keine andere Diagnose möglich am Krankenbette! . . . Vivat die Wissenschaft! . . . Gänsebraten heute gottlob vorherrschend! Pfisters Mühle mit allen ihren Gerüchen in Ewigkeit!«

»Ich danke, Doktor Adam«, sagte mein Vater auf der Schwelle seiner gastlichen Pforte.– –

Wo bleiben alle die Bilder und – die Gerüche in dieser Welt? Es riecht heute nicht nach Gänsebraten und (da es Sommer ist) auch nicht nach Schwefelwasserstoff, Ammoniak und salpetriger Säure. Ein feiner, lieblicher Wohlduft hat eben die Oberhand und stammt von Emmy, aus ihrem Nähkasten und dem Gewölk feinen Weißzeuges, das sie auf Tisch und Stuhl um sich versammelt hat, und wirkt berauschender und mächtiger als sonst ein Duft aus der alten Hexenküche, Erde genannt. Die heiße Julisonne fällt durch jeden Ritz und Spalt in die kühle aufgegebene Mühle. Die Stuben sind, wie gesagt, ausgeleert von Gerätschaften, und selbst die Fliegen haben nur ihre vertrockneten Leichname in den staubigen Fenstern der Wohn- und Gaststube zurückgelassen. Es ist ja ein Wunder, wie Christine das Notwendige für unsere wunderliche, mir so märchenhafte Villeggiatur für uns zusammengebracht hat und wie uns, meinem jungen Weibe und mir, eigentlich nichts, *gar nichts* mangelt, obgleich wir allstündlich so manches vermissen.

»Das spricht eigentlich doch für vieles, Emmy – was?«
»Du dummer Mann – natürlich! . . . aber ärgerlich ist's
doch, daß ich nicht damals schon mit dabeigewesen bin.
Jetzt erzähle nur zu, närrisches Menschenkind. Da,
fädele mir aber erst meine Nadel ein. Die Nähmaschine
hätten wir doch mit herausbringen sollen.« –
»Na, da seid ihr ja endlich! Seit Stunden guckt man nach
euch aus«, sagte mein Vater, mit einer Laterne und einem
Korb voll Flaschen eben aus der Kellertiefe und -tür
emporsteigend. »Halt mal das Licht, Junge«, sagte er,
mir die Laterne reichend und mit der freigewordenen
Hand meinen Begleiter am Oberarm packend und ihn
unter dem Tor festhaltend. »Ärger denn je! Na, was
meint Ihr, Doktor?«
»Ganz wie ich es mir gedacht habe«, meinte grinsend
Freund Asche. »Es war Gott sei Dank immer eine nahr-
hafte Hütte, Vater Pfister. Der Vogel gehört vollkommen in den heutigen Abend, und wenn ich sagen würde,
daß ich nicht auf ihn in der Bratpfanne gerechnet hätte,
so löge ich.«
»Sapperment, meine ich *den* Geruch?« brummte der alte
Herr. »Was geht in diesem Ärgernis von Gedünsten
mich das an, was aus meiner Küche kommt?«
✳ »Hm«, sprach Doktor Asche, »von dem übrigen lieber
morgen. Jaja – industrielle Blüte, nationaler Wohlstand
und – Ammoniak nicht zu verkennen, trotz aller Füllung
mit Borsdorfer Äpfeln.«
Einen Augenblick sah Vater Pfister seinen Günstling und
Gastfreund an, als wisse er nicht recht, ob er ihm nicht
noch etwas zu bemerken habe; dann aber, seine Müller-
zipfelkappe vom rechten aufs linke Ohr schiebend,
meinte er mit dem alten, behaglichen, guten breiten
Lächeln: »Na, im Grunde habt Ihr recht, und so will
ich's auch noch mal versuchen, mir den Appetit nicht
verderben zu lassen. So kommt herein in die Stube, junge
Leute, und seid willkommen in Pfisters Mühle.«
Umsprungen und umwedelt von allen Hunden des Hau-

ses traten wir in die Stube und nahmen den Flaschenkorb mit hinein. Oh wie die Mühle an jenem Abend noch voll war von allem, was zur Behaglichkeit des Lebens gehört! Und wie angenehm es war, aus der Kälte in die Wärme, aus der Dunkelheit in den Lampenschein, von der Landstraße in die Sofaecke hinter geschlossenen Fensterläden zu kommen!

Meiner Väter Hausrat noch überall an Ort und Stelle – die Kuckucksuhr im Winkel, die Bilder an den Wänden (nur die Herren Studenten und der Liederkranz hatten ja ihre Massengruppierungen in Lithographie bis jetzt weggeholt), der ausgestopfte Wildkater in seinem Glaskasten über der Kommode und die zahme Hauskatze am Ofen, sich bis über die Ohren putzend, weil Gäste kommen sollten! Es ist nicht auszusagen, wo alle die Bilder bleiben. – –

Die Gäste, die kommen sollten, waren wir – ich, der Haussohn, und Doktor Asche, der gerufen worden war, um dem Behagen von Pfisters Mühle den Puls zu fühlen; aber es waren auch schon Gäste vorhanden, derentwegen Miez am Ofen sich dreist über die Ohren putzen durfte. Der lange Tisch, der sich sonst unter gewöhnlichen Umständen die eine Wand entlang vor der Bank herzog, war in die Mitte der Gaststube gerückt, mit einem weißen Laken überzogen und mit allem versehen, was in Pfisters Mühle zu einer festlichen Tafel gehörte. Auf der Bank, die sie demnächst an den Tisch nach sich rücken sollten, saßen die Knappen und der Junge in ihren reinlichen Müllerhabitern (wie die weißen Tauben auf dem Dachfirst, meinte Asche), und hinter einer geputzten Tanne stand Samse (wie der Feuerwerker hinter der Kanone, meinte Asche), bereit, auf den ersten Wink von Vater Pfister loszubrennen, das heißt, die gelben, grünen, roten Wachslichter zwischen den vergoldeten Nüssen und Äpfeln, den Zuckerherzen und allem, was sonst Christine aus der Stadt zum Zweck mitgebracht hatte, anzuzünden. Christine selbst freilich scharwerkte in Ver-

bindung mit den beiden Mägden der Wirtschaft noch
aufgeregt in der Küche und hatte mir vorerst nur eine
feuchte und nach einem Gemisch von Zwiebeln und
Zitronen duftende Hand zum Willkommen durch die
Türspalte reichen können.

Es war ihnen gottlob allen lieb, daß wir endlich da
waren. Sie kamen sämtlich bei unserm Eintritt in Bewegung. –

»Ran mit der Lunte, Samse!« kommandierte mein Vater,
und über alles Begrüßungsgetöse von Vater Pfisters
Weihnachtsgesellschaft klang eine tiefe, klangvolle
Stimme:

»Willkommen im Hafen, meine Herren!«

Man muß sich immer erst eine Weile an das Licht gewöh-
nen, wenn man von der Landstraße, aus der Nacht und
dem scharfen Nordost kommt. Wir hielten beide noch
die Hände über die Augen; aber jene Stimme kannten wir
seit lange bei Nacht und bei Tage.

»Je, auch der Sänger! . . . Vater Pfister, Sie sind wie
immer der Meistermann! . . . Lippoldes! Natürlich – zu
dem Guten bringt er das Beste! Guten Abend, göttergeweihter – alter Freund.«

»Ich erlaube mir, Ihnen meine Tochter vorzustellen,
Asche. – Meine Tochter – Herr Doktor Asche! – Herr
Eberhard Pfister junior – meine Tochter Albertine! Ja,
Ihr Herr Vater war so freundlich, uns zu dem heutigen
Festabend einzuladen, lieber Ebert!«

Zwölftes Blatt

Unter Vater Pfisters Weihnachtsbaum

Ich habe mein Teil, und glücklicherweise ist es auch seine
oder ihre Meinung, daß das ein Glück sei! Da sitzt es
oder sie in der Turbinenstube mit dem Nähzeug im

Schoß und läßt sich von mir in Ermangelung eines Interessanteren von Pfisters Mühle erzählen in der Villeggiatur. Reizend sieht es aus, mein bescheiden lieblich Teil, neben dem Beutelkasten. Ich weiß nichts Hübscheres in aller weiten und nahen Welt als mein mir beschieden Teil, wie es dasitzt an unserm Tischchen vor dem stillen Kammrad und den unbeweglichen Mühlsteinen, mit dem heißen Tag draußen und dem Fluß, der für jetzt noch munter fort und fort rauscht durch den jetzt so nutzlosen Mühlrechen. Um den Wellbaum herum sucht sich die Sonne aber doch wieder ihren Weg in unsern kühlen Schlupfwinkel und zu meinem jungen Weibe, grad als ob auch sie mir eben mein wonniglich Teil vom Glücke dieser Erde in das beste Licht zu stellen den Auftrag erhalten habe.

Ganz unnötigerweise. Sie sind ja, Gott sei Dank, die besten Freundinnen geworden – Frau Doktor Pfister und Frau Doktor Asche. Sie (Frau Doktor Emmy) wünscht es ja, daß ich ihr von ihr (Frau Doktor Albertine) mehr und genauer Bericht tue als von irgend etwas anderm aus der Zeit des Niedergangs von Pfisters Mühle. Es ist keine Gefahr für unsern häuslichen, ehlichen Frieden dabei, daß auch andere ihr hübsches Teil von der Welt bekommen sollen. Ich kann weiter erzählen von Fräulein Albertine Lippoldes und dem armen Schelm, ihrem Papa, unter meines Vaters Christbaum und an seinem Weihnachtstische und leider auch im, trotz aller Christfestdüfte, nicht wegzuleugnenden Ammoniak- und Schwefelwasserstoff-Geruch von Pfisters Mühle. –

Ach, daß es so häufig, wenn man der nicht mehr vorhandenen Bilder gedenkt, nötig ist, so pragmatisch als möglich zu sein, sobald man von ihnen reden oder gar schreiben will! Wie strahlte Samses Visage in dem Lichte, das von ihm selber ausging – welch eine Gloriole umgab Fräulein Albertinens müdes, freundliches Gesicht vor dem grünen, leuchtenden Tannengezweig – wie hübsch war das Bild im ganzen, meines Vaters Weihnachtsstube mit allen ihren Hausgenossen und Gästen in Pfisters verstänkerter Mühle! Wie ließe sich davon singen und sagen – märchenhaft wundervoll: ich aber habe nüchtern von Felix Lippoldes und seiner Tochter zu berichten.

Nüchtern von Felix Lippoldes! Es gibt noch einige Leute, die noch wissen, wie schwer das, aller Pragmatik in der Welt zum Trotz, seinerzeit war. Am einfachsten ist's hier, ich erzähle nicht, wie ich meiner Frau erzählte, sondern ich schreibe ab aus einer andern Biographie, einem Buche, welches durchaus nicht von meines Vaters Mühle und von Felix Lippoldes handelt, in welchem aber der Name des früheren Besitzers, Doktor Felix Lippoldes, auf der ersten Seite stand und welches *nicht durch Zufall* unter die wenigen Bände meiner Reisebibliothek geraten war.

»Mittlerweile hatte einer auf die Straße gesehen und rief nun: »›Sieh, da geht er hin!‹ – ›Wo, wo?‹ Und alles drängte sich an die Fenster. Und er ging dahin, ein trauriger Aufzug. Seine Kleidung schien sehr abgetragen und saß sehr nachlässig; der braune Frackrock war hinten am Ellenbogen schon ziemlich weiß geworden, und die weite, schwarze Hose wehte sehr melancholisch um seine dünnen Beine; die dunkle Weste war bis unter dem Halse zugeknöpft, seine grobe Halsbinde ließ nichts Weißes sehen, und auf dem Kopfe trug er eine alte, grüne Mütze. In seinem ganzen Körper war kein Halt, er wankte so, daß man fast befürchten mußte, er möchte umfallen; nur langsam bewegte er sich fort nach seiner Weise, wo er die Spitzen der Füße wie zufühlend voraussetzte. –

›Gott, wie betrübt! Nein, so traurig hätt' ich mir's nicht vorgestellt!‹ sagte man. ›Der lebt keinen Monat mehr, es ist aus mit ihm. Übrigens ist es nur gut, er sehnt sich gewiß auch selbst nach dem Tode. Er hat offenbar die Schwindsucht. Der verfluchte Rum!‹ –

Inzwischen kam er an ein paar Knaben vorbei, welche

ihm aus dem Wege gingen, ihn anstaunten und die Mützen zogen.

Als er durch das Abnehmen seiner Mütze wieder grüßte, konnte man wahrnehmen, wie sehr ihm das Haar ausgegangen war, sein Kopf war beinah kahl, nur hin und wieder flatterte eine einsame Locke im Winde. Dabei lag auf seinem abgemagerten Gesichte eine tiefe Blässe, eine dicke Finsternis lagerte sich auf seiner hohen Stirne, ein Gewitter um den Olymp, aber die Blitze seiner Augen waren sehr matt.

›Sieh, er fällt vor Mattigkeit.‹ ›No, no; es geht noch einmal. Ach, grad wie ein Landläufer.‹«

Er ist ja leider keine vereinzelte Tragödie in der Welt und der Literatur, der verlorengehende Tragöde, und er hat trostloserweise nicht immer das Glück, so unbemerkt, unbeschrieen und unbeschrieben vorbeizutaumeln wie der arme Felix. Sie haben sie nur zu häufig in ihrem Spiritus aufbewahrt, in Detmold, in Leipzig, in Braunschweig und an mancher andern größern und kleinern »Kulturstätte«, diese Hohenstaufen- und Französische-Revolutions-Dramatiker – die verunglückten Terzinen- und Stanzenepiker, die unausgegorenen Lyriker – all das ruhelose, unglückseligselige Zwischenreichsvolk, von dem Annette Droste-Hülshoff meinte, daß es dann und wann viel mehr wert sei und bedeute, als – viele andere. Es konnte wahrlich nicht in meiner Absicht liegen, den Dichter der Thalatta, des Alarich in Athen usw. usw., Felix Lippoldes, in meinen Geschichten von Pfisters Mühle auch noch meiner Emmy als abschreckendes literarisches Beispiel aufzustellen; unter manchen, die das nicht leiden würden, ist eine vor allen, seine liebe Tochter Albertine, die seinetwegen aus England zurückgekommen war und mit ihm in unserm Dorfe sein letztes armseliges Obdach teilte.

Wir hatten alle, in der Stadt, an der Universität, auf den gelehrten Schulen, längst genug von ihm gewußt, aber eigentlich nicht das geringste von dieser Albertine, seiner klugen, braven, tapfern Tochter, obgleich selbst wir, die wir noch »auf Schulen gingen«, unsere Glossen sogut darüber machten wie die älteren Herrschaften, denen vor Zeiten seine Verheiratung so unendlichen Stoff zur Unterhaltung gab, sowohl im wissenschaftlichen Kränzchen wie hinter dem Bierkrug und am Tee- und Kaffeetische. Zu welchen Hoffnungen er in seinen jüngern, besseren Jahren im Kreise seiner Altersgenossen und als Dozent der klassischen Philologie an unserer Universitas litterarum berechtigt haben mochte: die schlimmsten Befürchtungen, die man in betreff eines zu gescheiten, zu nervösen und zu phantasiereichen Menschen haben kann, waren eingetroffen. Nun vegetierte er in unserm Dorfe in einer Bauernstube, die im Sommer auf den Landaufenthalt der unbemittelten Honoratioren der Stadt sich eingerichtet hatte, und seine Tochter war aus England, wohin sie als Gouvernante gegangen war, zurückgekommen, um ihm – leben zu helfen.

Ich tue mein Bestes, ihn Emmy zu schildern, wie er vor mir steht, nicht der dramatische Poet Felix Lippoldes, sondern dieser Heilige Abend, bei dem auch noch der arme Felix zugegen war. Ach, wie meine Schritte hohl widerhallen in den ausgeleerten Räumen der verkauften, verlassenen Mühle! Wie leuchtete Samses wetterfestes Gesicht unter den Lichtern, die er auf den grünen Zweigen angezündet hatte, wie gab mein Vater alles her, was er an Wohlwollen und Fröhlichkeit in seinem guten Herzen hatte! Unter der Tanne saß er, mit seinem Samse als Hofmarschall hinter sich, und um ihn her alles, was Weihnachten mitfeierte in Pfisters Mühle. Wie die Welt, wie die Zeit, die sich augenblicklich die neue nannte, andringen mochten, wie es draußen riechen mochte: in Vater Pfisters Gaststube war noch einmal alles beim alten.

Sehr merkwürdig war das Verhalten Asches.

Noch bis vor die Tür hatte er augenscheinlich die feste Absicht mitgebracht, sich so toll, ausgelassen und närrisch wie nur möglich zu behaben und den Ironiker beim Feste bis an die Grenzen des Hanswursts hinan zu agieren. Viel Gewissen hatte er seinerzeit in dieser Hinsicht eigentlich nicht, und ein erklecklich Teil von dem, was er heute in der Beziehung sein nennt, kommt vielleicht auch mit auf Rechnung jenes Weihnachtsabends.

Es kam einmal wieder ganz anders, als wie der Mensch sich's gedacht und vorgenommen hatte; der erste Anblick des Poeten aber tat wahrlich nichts, die Lust des Schalks am Spiel mit der Welt zu dämpfen. Im Gegenteil, nachdem er alle übrigen in seiner Weise begrüßt und sich von der Christine einen Rippenstoß und die Weisung geholt hatte: »Gehn Sie weiter, Nichtsnutz!« schien er fernerhin sich ganz dem Dichter widmen zu wollen.

»Ne, wie Sie mich freuen, Lippoldes!« rief er. »Sie hat mir das Christkind ganz speziell für mich unter den Baum gelegt, und den Stuhl da neben Ihrer Sofaecke kriege ich natürlich auch. Vater Pfister, Sie wissen doch immer zu dem Guten das Beste zu finden; schmerzten mich nicht noch meine Rippen so sehr, hätten Sie jetzt schon den Kuß, den Jungfer Christine eben so schnöde verschmäht hat! . . . Das hätte ich schon auf dem Wege ins Schwefelwasserstoffhaltige wissen sollen, daß ich Sie in dem Gewölke schwebend erblicken würde, Lippoldes; meine Schritte und die des Knaben an meiner Seite würden sich um ein beträchtliches beschleunigt haben. Das ist ja zum Radschlagen gemütlich! Seit einer halben Ewigkeit hat man sich nicht gesehen. Nun, Olympier, wie ging es denn während der ganzen Zeit im ewigen Blau?«

Seit er uns zu unserer glücklichen Ankunft im Hafen beglückwünscht hatte, hatte Doktor Lippoldes sich nur in seiner Sofaecke geregt, um aus dem Schatten und Tabaksrauch eine dürre, zitternde Hand nach dem dampfenden Glase auszustrecken; jetzt erwiderte er mit matter Gleichgültigkeit:

»Wenden Sie sich mit der Frage an meine Tochter, lieber Asche.«

»Mein lieber Vater!« sagte Albertine Lippoldes, auf ihrer Seite näher an den armen Mann rückend und den Arm um seinen Nacken legend. Dabei hat ein bei weitem mehr gleichgültiger als drohender Blick meinen guten Freund Asche gestreift, und von diesem Augenblick an ist der ein verlorener, das heißt gewonnener Mensch gewesen und hat sich, wie gesagt, selten an einem fidelen Festabend so anständig betragen wie an diesem. Wer dies aber gegen Mitternacht hin nicht mehr vermochte, das war Doktor Felix Lippoldes.

Um jene späte Zeit stand Felix Lippoldes nicht etwa bloß auf einem Stuhl, sondern mitten auf dem Weihnachtstische in Pfisters Mühle, das graue Haar zerwühlt, das schäbige Röcklein halb von den Schultern gestreift, und deklamierte mit finsterm Pathos:

> »Einst kommt die Stunde – denkt nicht, sie sei ferne –,
> Da fallen vom Himmel die goldenen Sterne,
> Da wird gefegt das alte Haus,
> Da wird gekehrt der Plunder aus.
> Der liebe, der alte, vertraute Plunder,
> Viel tausend Geschlechter Zeichen und Wunder:
> Was sie sahen im Wachen, was sie spannen im Traum,
> Die Mutter, das Kind, die Zeit und der Raum!
> Kein Spinnweb wird im Winkel vergessen,
> Was der Körper hielt, was der Geist besessen,
> Was das Herz gefühlt, was der Magen verdaut;
> Und *Tod* heißt der Bräutigam, *Nichts* heißt die
> Braut!«

Mit offenem Munde, den Bowlenlöffel in der Hand, stand mein Vater vor seiner größten Punschschale. Sie hatten alle die Stühle zurückgeschoben oder waren von ihnen aufgesprungen und drängten sich um den leider in gewohnter Weise außer sich geratenen Poeten halb lachend, halb verblüfft – mit vollem Verständnis für das

Ganze wohl nur Asche, ich und – eine leise, klagende, bittende Stimme in dem lustigen Lärm:

»Vater! Lieber, lieber Vater!«

»Gott bewahre mich in seiner Güte«, rief *mein* Vater, »hab ich Sie darum in meiner Bedrängnis höflich um ein vergnügtes Weihnachtspoem ersucht, Doktor Lippoldes, um mir so von Ihnen den Teufel noch schwärzer an die Wand von meiner Mühle malen zu lassen? Da kommen Sie doch lieber runter vom Tische und lassen Sie ihren Kollegen in der Phantasie rauf! Adam, so reden Sie doch mit ihm! Sie haben doch sonsten das gehörige Getriebe zur Verfügung und sitzen mir heute den ganzen Abend da, als wären Ihnen Bodenstein und Laufer zugleich geborsten, der Fachbaum gebrochen und das Wasser überhaupt ausgeblieben. O Fräulein Albertine, beruhigen Sie sich: wir sind ja ganz unter uns! Das ist ja das einzige Gute jetzt, daß Pfisters Mühle meistens ganz unter sich ist und ihren Spaß in jeder Art für sich allein hat.«

Unter den Gläsern und Schüsseln des Weihnachtstisches vor der erloschenen Tanne von einem Fuße auf den andern springend, kreischte Felix Lippoldes:

> »Wie schade wird das sein! Dann kehrt man dort
> Den guten Kanzeleirat weg und seinen Stuhl,
> Auf dem er fünfzig Jahr lang kalkulierte.
> Vergeblich wartet mit der Suppe seine Alte,
> Nicht lange doch; denn plötzlich füllt ein mächt'ges
> Gestäub die Gasse, dringt in Tür und Fenster –
> Der Kehrichtstaub des Weltenuntergangs.«

»Hm«, murmelte Adam Asche, an meiner Seite beide Ellenbogen auf das Tischtuch stützend.

> »Sehr drollig wird das sein für den, der da zuletzt lacht,
> Sieht er im Wirbel fliegen, was ihn quälte,
> Bis selber ihn der letzte Kehraus faßt.«

Zwei Stunden später saß er trotz der kalten Nacht noch längere Zeit in unserer Kammer unter dem Dache auf

dem Bettrande, und einmal hörte ich ihn vor sich hin-
brummen:
»Das ist wirklich ein merkwürdig nettes Mädchen – ein
ganz liebes Kind und, wenn der erste Eindruck nicht
vollkommen täuscht, auch gar nicht dumm!«

Dreizehntes Blatt

Vater Pfisters Elend unterm Mikroskop

Am andern Morgen begannen wir (nicht Emmy und ich:
wir halfen den Bauern im Dorfe beim Heumachen und
kamen erst am Abend zu den Geschichten von Pfisters
Mühle zurück) die wissenschaftlichen Forschungen und
beschäftigten uns mit den ersten Vorbereitungen zu der
Diagnose, behufs welcher Doktor Asche von meinem
Vater an das Krankenbett seiner einst so gesunden, fröhlichen Wirtschaft berufen worden war.
»Es ist freilich arg!« sagte der sonderbare Mühlenarzt
und Wasserbeschauer, als er die Nase aus dem Fenster
unterm Dachrande in den grauen, feuchtkalten Morgen
hinausschob und sie niesend wieder zurückzog. »Hm,
und auch nur, weil die Menschheit ihre Welt nicht süß
genug haben kann!«
Wir stiegen hinab in die Weihnachtsstube und fanden sie
zwar gefegt und zurechtgerückt, aber doch auch voll
seltsamer Dünste, die nicht bloß von dem vergangenen
lustigen Abend her an ihr hafteten. Die Tanne war
bereits in den Winkel geschoben, und am Tische saß
mein Vater in seiner Hausjacke, wenig festtäglich gestimmt.
»Die Leute und die Weibsleute gehen ins Dorf in die
Kirche, und ich würde auch hineingehen und euch zwei
Heiden mitnehmen, wenn es mir noch so wäre wie vor
Jahren und als deine selige Mutter noch bei uns war,

Ebert; aber das Gemüte ist mir nicht mehr darnach, und ändern kann ich's leider nicht. Setzt euch und trinkt Kaffee. Wir haben seit Jahrhunderten in unserer Mühle unsern Stolz an unserm Oster-, Pfingst- und Weihnachtskuchen gehabt, aber auch er ist mir nicht mehr derselbige, sondern riecht und schmeckt mir nach Vergiftung und Verwesung; und alle blutigen Tränen, die mir die Christine hinweint, wenn ich ihr den Teller zurückschieben muß, helfen nichts dagegen. Freßt euch hinein, liebe Jungen, und Gott segne euch einen bessern Appetit und eure grünere Hoffnung! Nachher wollen wir dann in Teufels Namen in der Mühlstube die Nase so voll als möglich nehmen und sehen, ob es wirklich von Nutzen ist, was Sie gelernt und getrieben haben die langen Jahre durch, Adam. Uh, das wäre dann *meine* Weihnachtsbescherung!«

Über unsere Würdigung ihres Feiertagsgebäcks hatte unsere Christine keine Tränen zu vergießen. Wir fraßen uns tief genug hinein in die Berge, die sie vor uns aufgehäuft hatte und – hoffentlich wird sie mir noch zu manchem Feste in Berlin denselben Kuchen backen, wegen dessen Pfisters Mühle vordem so berühmt war.

In der Turbinenstube hatten wir dann mit Vater Pfister das Reich und den Geruch ungestört zu unserer gelehrten Disposition. Ob die Knappen wirklich sich in der Kirche befanden, wie der alte Mühlherr voraussetzte, kann ich nicht sagen; aber gegenwärtig waren sie nicht, und das Rad stand, und wir standen auch und schüttelten die Häupter.

Es war sehr arg!

»Mit der Nase brauche ich keinen draufzustoßen«, ächzte mein Vater; »aber die Augen und das Gefühl sollen ja auch das Ihrige haben! Ja, sehen Sie sich nur um, Doktor, und dann seien Sie hier mal der Müller, der seit Jahrhunderten das klar wie 'nen Kristall und reinlich wie 'ne Brautwäsche gekannt hat! Da, guck, Junge, und streif mir meinetwegen den Ärmel auf und greif in das Einflußgerinne und fühle, was für einen Schleim und Schmier deiner Vorfahren hell und ehrlich Mühlwasser mir heute in meinem Gewerk und Leben absetzt. Ja, holen Sie sich dreist eine Handvoll vom Rade; es ist mehr davon vorhanden und wird gern vermißt. Und, junges Volk, ihr lacht darüber, oder wenn ihr das jetzt nicht wagt, so haltet ihr mich für einen alten Narren; aber mir ist das doch wie ein Lebendiges, zu dem ich den Doktor habe rufen müssen, um ihm den Puls zu fühlen. Und der Puls von Pfisters Mühle geht langsam, Ebert Pfister! Und wer weiß, wie bald er ganz stille steht!«

Bei Gott, mir war nicht lächerlich zumute diesem alten, vor Ingrimm und Betrübnis zitternden braven Manne und noch dazu meinem Vater gegenüber und auf meiner Väter in Ehren, Leiden und Freuden von Geschlecht zu Geschlecht vererbtem Grund und Boden! Da rauschte milchigtrübe, schleimige Fäden absetzend, übelduftend der kleine Fluß unbeschäftigt weiter in den ersten Christtag. Christtäglich, weihnachtsfestlich war mir nicht zu Sinne, und in Spannung und fast in Angst sah ich auf meinen chemisch und mikroskopisch gelehrten Freund und Exmentor, der eben die schleimschlüpfrige Masse, die er aus dem Getriebe entnommen hatte, von der Hand abspülte.

»Asche, du weißt offensichtlich, an was und an wen wir uns zu halten haben?« rief ich. »Ich bitte dich, Adam, treibe keinen Spaß zur unrechten Zeit«, flüsterte ich ihm zu.

»Liegt durchaus nicht in meiner Absicht. Weniger weil, sondern obgleich ich der Sohn eines Schönfärbers bin«, meinte der Doktor mit der vollen Ruhe und Gelassenheit des Mannes der Wissenschaft, des an ein Krankenbett gerufenen sichern Operators. »Das Ding kommt mir viel zu gelegen, um es scherzhaft aufzufassen. Vater Pfister, vielleicht hätten Sie mich nicht gerufen und zum Christbaum eingeladen, wenn Sie eine Ahnung davon hätten, wie sehr ich Partei bin diesen trüben Wellen und kurio-

sen Düften gegenüber. Aber ich habe Pfisters Mühle vi
zu lieb, um nicht völlig objektiv meine Meinung über ihr
Wohl und Wehe begründen zu können. Augenblicklich
erkenne ich in der Tat eine beträchtliche Ablagerung
niederer pflanzlicher Gebilde, worüber das Weitere im
Verlaufe der Festtage das Vergrößerungsglas ergeben
wird. Pilzmassen mit Algen überzogen und durchwach-
sen, lehrt die wissenschaftliche Erfahrung. Aber was für
Pilze und welche Algen bei gegebener Verunreinigung
der Adern unserer gemeinsamen Mutter? *Das* herauszu-
kriegen im eigenen industriellen Interesse, würde dann
wohl *meine* Weihnachtsbescherung sein, mein Sohn
Eberhard!« –
Wir stellten das Mikroskop in die wenigen, hellen Stunden des ersten Christtages, und der Doktor begab sich an
die genauere Untersuchung des Unflats mit der Hingebung, welche Vater Pfister aus früherm, schönerm Verkehr mit der Universitas litterarum nur als »Biereifer«
bezeichnen konnte. Und begreiflicherweise taten Vater
Pfister und sein Stammhalter nicht das geringste, diesen
Eifer zu dämpfen. Sie hielten sogar die Stubentür verrie-
gelt und saßen stumm, mit den Händen auf den Knieen,
und hielten dann und wann sogar den Atem an, wenn der
Mann der Wissenschaft zu einem neuen Resultate gelangt
war und uns daran teilnehmen ließ.
»Wie ich es mir gedacht habe, was das interessante
Geschlecht der Algen anbetrifft, meistens kieselschalige
Diatomeen. Gattungen Melosira, Encyonema, Navicula
und Pleurosigma. Hier auch eine Zygnemacee. Nicht
wahr, Meister, die Namen allein genügen schon, um ein
Mühlrad anzuhalten?«
»Das weiß der liebe Gott«, ächzte mein Vater.
»Jawohl, groß ist sein Tiergarten«, meinte ruhig Adam
Asche. »Was die Pilze anbetrifft, so kann ich leider nicht
umhin, Ihnen mitzuteilen, daß sie den Geruch, über den
Sie sich beklagen, Vater Pfister, durch ihre Angehörig-
keit zu den Saprophyten, auf deutsch: Fäulnisbewoh-

lkommen rechtfertigen. Was wollen Sie denn
alter Schoppenwirt? Ein ewig Kommen und
Gehen! Haben die Familien Schulze, Meier und
den Verkehr in Pfisters Mühle eingestellt, so
haben Sie dafür die Familien der Schizomyceten und
Saprolegniaceen in fröhlichster Menge, sämtlich mit der
löblichen Fähigkeit, statt Kaffee in Pfisters Mühle zu
kochen, aus den in Pfisters Mühlwasser vorhandenen
schwefelsauren Salzen in kürzester Frist den angenehmsten Schwefelwasserstoff zu brauen. Lauter alte gute
Bekannte – Septothrix, Ascococcus Billrothii, Cladothrix Cohn und hier –«
Er richtete sich auf von seinem Instrument und seinen
Vergrößerungsobjekten. Er fuhr mit beiden Händen
durch die Haare. Er blickte von dem Vater auf den Sohn,
legte lächelnd dem Vater Pfister die Hand auf die Schulter und sprach, was ihn selber anbetraf, vollkommen
befriedigt und seiner Sache gewiß:
»Beggiatoa alba!«
»Was?« fragte mein Vater. »Wer?« fragte er.
»Krickerode!« sagte Doktor Adam Asche, und der alte
Herr faßte seine Stuhllehne, daß der Sitz unter ihm fast
aus den Fugen ging:
»Und daran kann ich mich halten mit meiner Väter Erbe
und unseres Herrgotts verunreinigter freier Natur? Und
darauf darf ich mich stellen mit meinem Elend? Ich zahle
Ihnen alle Ihre Schulden für das Wort, Adam! . . . Wie
nannten Sie es doch?«
»Beggiatoa alba. Von einem von uns ganz speziell für Sie
erst neulich zu Ihrer Beruhigung in den Ausflüssen der
Zuckerfabriken entdeckt, alter Freund. Was wollen Sie?
Pilze wollen auch leben, und das Lebende hat Recht oder
nimmt es sich. Dieses Geschöpfe ist nun mal mit seiner
Existenz auf organische Substanzen in möglichst faulenden Flüssigkeiten angewiesen, und was hat es sich um
Pfisters Mühle und Kruggerechtsame zu kümmern? Ihm
ist recht wohl in Ihrem Mühlgerinne und Rädern, Mei-

ster, auch das gebe ich Ihnen schriftlich, wenn Sie es wünschen; und Kollege Kühn, der zuerst auf das nichtsnutzige Gebilde aufmerksam wurde und machte, setzt Ihnen gern seinen Namen mit unter das Attest.«

»Und die Krickeroder Fabrik halten Sie also wirklich und wahrhaftig einzig für das infame Lamm, so mir mein Wasser trübt? I, da soll doch –«

»Ja, was da soll, das ist freilich die Frage, welche wir Gelehrten unseres Faches nicht berufen sein können zu lösen. Übrigens habe ich bis jetzt nur das Behängsel Ihres Rades untersucht und einige Tropfen den Garten entlang aus dem Röhricht dazu entnommen. Selbstverständlich werden wir den Unrat den Bach aufwärts bis zu seiner Quelle verfolgen. Aber, Vater Pfister, was ich Ihrem Jungen da gesagt habe, wiederhole ich Ihnen jetzt: es interessiert mich ungemein, dieser Sache einmal so gründlich als möglich auf den Leib zu rücken; aber – ich bin grenzenlos Partei in dieser Angelegenheit, und der Dienst, den ich Ihnen im besondern und der Welt im allgemeinen vielleicht tue, kann mir nur das höchst Beiläufige sein. Ihren Ärger, Ihre Schmerzen und sonstigen lieben Gefühle in allen Ehren, Vater Pfister!«

»Jeder Mensch ist Partei in der Welt«, seufzte mein alter, lieber Vater, »nur ist es schlimm, wenn der Mensch das auf seine alten Tage ein bißchen zu sehr einsieht und sich zu alt fühlt, um noch mal von neuem mit mehr Aufmerksamkeit in die Schule zu gehen. Was Sie aus meinem ruinierten Mühlwasser noch zu lernen haben, weiß ich nicht, Adam Asche – für den vorliegenden Fall möchte ich, ich hätte meinen Jungen da weniger auf das Griechische und Lateinische dressieren lassen und mehr auf Ihr Vergrößerungsglas. Da könnten Sie mir denn auch nur ein angenehmer Gast sein, ohne daß ich Sie weiter um Ihre Wissenschaft zu bemühen brauchte.«

In dieser oder einer ähnlichen Weise gerieten sie bei jedem längern Zusammensein aneinander, aber es war nicht nötig, daß der nächstbeste gute Freund oder in diesem Falle der Sohn des Hauses beruhigend zwischen sie trat. Sie kamen gottlob stets bald wieder zu einem Verständnis, und zwar dem innigsten.

»Es ist heute der erste Weihnachtstag, Vater Pfister, und aus Abend und aus Morgen wird sicherlich der zweite, also meine ich, wir lassen's für heute bei den gewonnenen schändlichen Resultaten bewenden und gehen morgen der Scheußlichkeit bis zu ihrer Quelle nach«, sagte Doktor Asche, erhob sich seufzend von seinem Mikroskop, trat zu der halb geplünderten Tanne im Winkel und griff nach einem vergessenen Zuckerherzen an einem der höchsten Zweige. Sonderbarerweise aber schob er es nach einiger melancholischen Betrachtung nicht in den Mund, sondern in die Tasche. »Es ist Weihnachten, alter, lieber Vater Pfister, und ich wollte, Sie wüßten es ganz genau, wie leid mir Ihr betrübtes Gesicht tut. Wer kann denn was dagegen, daß es so viel Bitterkeit und – schmutzige Wäsche auf dieser Lumpenerde gibt? Und ich habe Ihnen noch so manche famose Geschichte aus der Stadt und der Welt mitgebracht. Sie rauchen mir auch schon viel zu lange kalt. Stopf dem Papa eine frische Pfeife, Ebert. Wir haben wahrhaftig genug für heute.« –

Auch mir schien's genug zu sein an dem Abend nach dem Heumachen am heißen Sommermorgen auf den Wiesen gegenüber von Pfisters Mühle. Tauschwer hatten sich alle Blumen, die wir auf ihren Stengeln gelassen hatten, mit denselben geneigt. Es war entzückend kühl unter meinen alten väterlichen Bäumen; aber der Tau fiel auch auf meine eigenste Herzensblume, und wer sagte mir, ob er für die nicht ungesund sei? Sie hatte mit allen ihren Schwestern – die Nachtviolen ausgenommen – die Äuglein geschlossen und in unserer Laube am murmelnden Bache das Haupt an meine Schulter gesenkt, und es hob und senkte sich auch an meiner Brust wie leise, ungestörte Wellen und dazu murmelte es:

»Erzähle nur ruhig immer weiter, ich höre genau zu, ich

höre alles; aber bitte, wenn es möglich ist, werde nur ein klein bißchen nicht noch zu gelehrter, Herz! Es ist recht schlecht von mir, aber in der Geographie- und der Naturgeschichtsstunde habe ich immer am wenigsten aufgepaßt, und vielleicht waren die Tiere in Latein, von denen du gesprochen hast, zu meiner Zeit wohl gar noch nicht erfunden. Frau Albertine weiß viel mehr in der Hinsicht, und ich nehme dir es gewiß nicht übel. Ich habe ja aber auch zu Hause bei Papa eigentlich nur mit ihm auf seinem Kirchhofe botanisieren können, und da – da – du weißt ja selber, wie auch du mir dazwischen gekommen bist!«

Vierzehntes Blatt

Krickerode

Ich trug mein sommertagsmüdes, schlaftrunkenes Weiblein mehr, als daß ich's führte, in unser Sommernest, das noch vor Sommersende wie ein ander Schwalben- oder sonstiges Wandervögelnest mit einer dummen, langen Stange unterm Dachrande weg für alle Zeit herabgestoßen werden sollte. Und nun ist es mir heute auf dem langweiligen Papier, als trage ich sie in den Herzpunkt, die volle Mitte meiner acta registrata, der Regesten von Pfisters Mühle.

Es wurde aus Abend und Morgen der zweite Weihnachtstag, und Felix Lippoldes, der sich und uns versprochen hatte, dem Greuel mit auf den Grund zu kommen, das heißt uns auf unserer unheimlichen Entdeckungsfahrt stromauf von Vater Pfisters Mühlwasser zu begleiten, ging wirklich mit.

Er kam unter dem dritten Glockengeläut durch einen dichten Nebel nach der Mühle und wartete, an meines Vaters Schenktische auf einem Faß sitzend, blödselig in

Geduld oder Stumpfsinn darauf, daß der Nebel sich lege, und wir, Doktor Adam Asche und ich, bereit seien.

Das letztere war bald der Fall, auf das erstere hätten wir den ganzen Tag vergeblich warten können. Der graue Dunst stieg weder, noch fiel er. Er blieb liegen, wie er lag, und es war ihm kein Ende abzusehen; ich aber habe selten ein verdrossener, grimmiger Gesicht erblickt als das meines Freundes Adam bei seiner ersten Begrüßung, sowohl mit dem armen Poeten drinnen wie mit der grauen, feuchtfrostigen Welt draußen.

»Das sage ich Ihnen, Dichter, Denker und Doktor«, brummte er, »auf den Tisch steigen wir heute morgen nicht. Und du, Junge, bilde dir ja nicht ein, daß ich nach Pfisters Mühle herausgekommen sei, um mir Weltuntergangsgefühle aus deines Vaters verstänkerter Kneipidylle herauszudestillieren. Idylle hin, Idylle her; trotz Weihnachten, Ostern und Pfingsten in *einer* Wehmutsträne habe ich jetzt die Absicht, ruhig unter den Philistern auf gegebenem, bitter realem Erdboden so gemütlich als möglich mit zu schmatzen, zu schlucken, zu prosperieren und möglicherweise auch zu propagieren. Zum Henker, am liebsten wär mir's jetzt, ihr zwei Phantasienarren säßet mit Vater Pfister im Gotteshause, lobtet den Herrn und alle seine Werke und hättet mir allein diese gegenwärtige Auseinandersetzung mit den Lebens- und Kulturbedingungen des Moments überlassen. Da ihr aber einmal da seid, also vorwärts – hinein in den Schmaratz! Nehmen Sie die Rumflasche und das Glas da fort, Samse, und geben Sie mir Ihren Arm, Don Feliciano. Das Mikroskop brauchen wir heute nicht, Ebert; aber da, Samse, den Flaschenkorb können Sie schleppen – Sie, Lippoldes, brauchen aber nicht aufzuhorchen, die Pullen sind leer, und der Stoff, mit dem ich sie jetzt zu füllen gedenke, stammt nicht aus dem Brunnen Melusinens, auch nicht aus dem fons Bandusius und am wenigsten aus Ihrer Hippokrene.«

Wir verließen den Mühlgarten nunmehr durch ein mir

seit meinen frühesten Lebensjahren wohlbekanntes Loch in der Hecke und wanderten am Uferröhricht über feuchtes Wiesen- und holperichtes Ackerland den Fluß aufwärts. Drei oder vier Anbauerhäuser des Dorfes lagen noch etwas weiter hinauf und reichten mit ihren Gärten bis an den Bach.

Das eigentliche Dorf liegt, wie jeder weiß, der Pfisters Mühle kennt oder kannte, einige Büchsenschüsse weit unterhalb derselben. Hoffentlich wird es noch ungezählte Jahre länger als meines Vaters liebes Haus an seiner Stelle zu finden sein.

»Ist denn das Ihr Fräulein Tochter, Doktor Lippoldes?« fragte plötzlich Asche, eine Flasche blaugrauen, schleimigen Flußwassers, die ihm Samse eben zwischen dem dürren, mit »chlorophyllfreien Organismen« behängten Uferschilf gefüllt hatte, in unsern Flaschenkorb versenkend.

Eine weibliche Gestalt war's, die im graublauen Nebel in dem vor der letzten Häuslingswohnung sich herziehenden übelzerzausten winterlichen Kohlgarten unter einem Baume stand.

»Singt Weide, grüne Weide!« schrillte der Poet. »Seid Ihr es, Fräulein, mit Fenchel, Raute und Aglei – mit Hahnfuß, Nesseln, Maßlieb, Kuckucksblumen – mitten im dänischen Winter? Bist du es, mein Kind Albertine?«

Die schlanke Gestalt im kümmerlichen Kleidchen, dicht gehüllt in ein graues Tuch, näherte sich durch den melancholischen Dunst, neigte sich vornehm unseren Grüßen, und Albertine Lippoldes sagte lächelnd:

»Aber, Papa, dein Husten! Nach allen vier Weltgegenden habe ich dir wieder meine Sorge um deinen Katarrh nachtragen müssen! Es ist sehr unrecht von dir.«

»Jaja«, greinte der Dichter, »ich wollte euch auch ein paar Veilchen geben, aber sie welkten alle, da mein Vater starb. Sie sagen, er nahm ein gutes Ende. Na, natürlich! Was sollte er sonst noch nehmen können? Und – da – sieh dir nur die Herren genau darauf an, Kind: sie

scheinen auch das nutzbare Ergebnis meines Menschendaseins in dieser vergnüglichen Welt in mehr als gelinden
Zweifel zu ziehen.«

»Hören Sie jetzt auf, mit diesem Unsinn wenigstens,
Doktor Lippoldes!« schnarrte Doktor Asche. »Fräulein
hat vollkommen recht, und in der warmen Stube sind Sie
am besten aufgehoben. Ihre Veranlagung zur Unsterblichkeit und zum Schnupfen ist mir seit lange zur Genüge
bekannt. Bleiben Sie mir mit Ihrem Esel von Hamlet dem
Dämel gefälligst vom Leibe, und in Ihrem eigenen Interesse auch von Vater Pfisters Mühlwasser weg. Was,
Maßlieb und Veilchen bei *der* Jahreszeit? Dänische Tropfen werde ich Ihnen morgen anzuraten haben, und deutsche Kamille wird alles von Florens Kindern sein, was
Fräulein O – Fräulein Albertine Ihnen zu bieten hat,
wenn Sie wieder einmal nicht auf den guten Rat Ihrer
besten Freunde hören und nicht auf der Stelle nach
Hause gehen.«

Die junge Dame griff mit einem fast bösen Blick auf
meinen armen Freund Asche, aber doch zugleich angst-
voll nach der Hand ihres Vaters:

»O bitte, komm mit mir! Der Herr sagt es ja auch, daß es
dir besser sein wird.«

»Nachher – mit den jungen Leuten, Kind! Sie sind
selbstverständlich zum Frühstück bei uns eingeladen.«

»Oh!« rief Fräulein Albertine leise, nun nicht zornig und
ängstlich, sondern im wirklichen Schrecken. »Aber Vater
– die Herren – du weißt –«

»Wenn die Zeit langt, Lippoldes«, brummte Adam
Asche gröblicher noch denn zuvor. »Jedenfalls drängt
sie, wenn Vater Pfister bei seiner Rückkehr aus der
Kirche *seine* Gastfreundschaft gegen mich nicht zu allen
seinen übrigen Plagen rechnen soll. Doktor Lippoldes –
lieber ein andermal! Mein Fräulein – ich habe die
Ehre!«

Er hob den zerdrückten, langgedienten Filz ein wenig
von dem seltsamen, zerzausten Haarwulst und ließ ihn

wieder darauf zurückfallen. Sodann beförderte er den ahnungslos gaffenden Samse mit seinem Flaschenkorbe vermittelst eines Winkes, der fast einem Rippenstoß glich, auf unserm Pfade stromaufwärts weiter und sich ihm nach, die handschuhlosen Fäuste tief in den Taschen seines Überrocks. Doktor Lippoldes aber nahm meinen Arm und sagte:

»Dieser Mensch ist ohne Zweifel ein Grobian! Nun, aber der erste nicht, der mir im Leben begegnete. Ich mag ihn schon seit langen Jahren ganz gern, junger Pfister; unter den Flegeln mit Gemüt ist er mir einer der liebsten, und so mag auch er unter meiner bessern Bekanntschaft weiter mitlaufen. Kommen Sie, junger Mann, daß wir ihn nicht aus dem Gesicht verlieren. Er hat selbstverständlich keine Ahnung, wie sehr ich eben res mea agitur sagen kann an Ihres Vaters vergiftetem Lebensquell. Mädchen, die Herren haben deine Einladung angenommen. Leihe mir deinen Arm, Knabe Lenker.«

Er hatte es wirklich nötig, daß er nicht nur geführt, sondern auch gelenkt wurde. Über die Schulter zurückblickend, sah ich noch, wie Fräulein Albertine die Hand an die Augen hob, ihr Tuch dichter um sich zusammenzog und dann zögernd der armseligen Behausung zuschritt.

Als wir die Vorangegangenen wieder erreicht hatten, meinte Adam:

»Sie hätten was Besseres tun können, als Ihrer armen Tochter diesen Schrecken einzujagen, Lippoldes.«

»He he he«, kicherte der unzurechnungsfähige Gastfreund der Olympier. »Es soll mich in der Tat wundern, wie sie es anfangen wird, sich nicht zu blamieren. Merken Sie sich's, Eberhard Pfister, und halten Sie sich an ein solides Kopf- und Handwerk. Kinder von meinesgleichen, und wenn es die besten, lieben Mädchen wären, sind leider nicht cour- und tafelfähig da oben – über den Wolken und Krähenschwärmen. Beim Zeus und allen seinen Redensarten nach der Teilung seiner Erde, mein

Kind und gutes Mädchen hat wenigstens auch seine Freude an reinem Wasser auf dieser Erde, und ich halte es nicht weniger als mich und Ihren Papa, Vater Pfister, berechtigt, durch die chemischen Kenntnisse des Menschen da vor uns zu erfahren, wer uns dieses hier verpestet. Da kommt wieder ein halb Dutzend toter Fische herunter, Asche.«

Der Wasserbeschauer zuckte nur verdrossener denn zuvor die Achseln, antwortete dem Poeten aber nicht. Doktor A. A. Asche hielt sich jetzt einfach an seiner Aufgabe und teilte nur dann und wann ein Minimum seiner Beobachtungen mit.

Mir aber kam es nicht zu, meinem Weibe in der Sommerfrische das Verständnis zu öffnen für saures Kalzium- und saures Magnesiumkarbonat, für Kalziumsulfat und Chlorkalzium, für Chlorkali, Kieselsäure und Chlormagnesium.

»Ich bitte dich, bester Mann, hör auf«, sagte sie, meine Emmy, nach dem ersten Versuch meinerseits. »Großer Gott, und das mußtet ihr alles riechen? Ja, da riecht es zu Weihnachten ja selbst bei uns in Berlin besser! Verliere nur weiter kein Wort mehr; ich kann mir wirklich Frau Albertine und deinen armen seligen Papa ganz genau vorstellen, auch ohne Doktor Asches gräßliche gelehrte Apothekerredensarten.«

Ich tat, offen gestanden, mir nicht weniger als ihr einen Gefallen damit, aufzuhören und uns den Sommertag nicht auch noch gar durch unverständliche termini technici einer uns doch nur vom Hörensagen bekannten unheimlichen Wissenschaft zu verderben.

Kurz, wir sahen meines Vaters Mühlwasser je höher hinauf, desto unsauberer werden, wir sahen noch mehr als einen auf der Seite liegenden Fisch an uns vorbeitreiben, und wir füllten, die Nasen zuhaltend, Samses Flaschenkorb und versahen jede einzelne Flasche mit einer genauen Bezeichnung der Stelle, wo wir die geschändete Najade um eine Probe angegangen waren.

Zweiundeinhalb Kilometer von Doktor Lippoldes Behausung gelangten wir dann nach der Welt Lauf und Entwicklung wie zu etwas ganz Selbstverständlichem zu dem Ursprung des Verderbens von Pfisters Mühle, zu der Quelle von Vater Pfisters Leiden; und Doktor Adam Asche sprach zum ersten Male an jenem Morgen freundlich ein Wort. Auf die Mündung eines winzigen Nebenbaches und über eine von einer entsetzlichen, widerwärtig gefärbten, klebrig stagnierenden Flüssigkeit überschwemmte Wiesenfläche mit der Hand deutend, sagte er mit unbeschreiblichem, gewissermaßen herzlichem Genügen: »Ici!«

Jenseits der Wiese erhob sich hoch aufgetürmt, zinnengekrönt, gigantisch beschornsteint – Krickerode! Da erhob sie sich, Krickerode, die große, industrielle Errungenschaft der Neuzeit, im wehenden Nebel, grau in grau, schwarze Rauchwolken, weiße Dämpfe auskeuchend, in voller »Kampagne« auch an einem zweiten Weihnachtstage, Krickerode!

»Der reine Zucker!« rief Asche. »Da schwatzen die Narren immerfort über die Bitterkeit der Welt. Da können sie sie niemals süß genug kriegen, und da – stehen wir, das Leid der Erde wiederkäuend, vor dem neuen Tor. Sie sind nicht Aktionär, Lippoldes – Vater Pfister auch nicht, und von dir jungem Bengel ist es ebenfalls noch nicht anzunehmen –«

»Du bist es aber auch nicht, Adam«, meinte ich, das ungeheuchelte Pathos des großen Chemikers unterbrechend; aber der – A. A. Asche – sprach ruhig: »Ich wollte, ich wäre es schon.«

Der arme Tragöde hing sich stumpfsinnig lächelnd mir fester an den Arm, und so umschritten wir den wohl zwanzig Morgen bedeckenden künstlichen Sumpf und gelangten unter der Mauer der großen Fabrik zu dem dunklen Strahl heißer, schmutzig-gelber Flüssigkeit, der erst den Bach zum Dampfen brachte und dann sich mit demselben über die weite Fläche verbreitete, die meine nächsten Vorfahren nur als Wiese gekannt hatten.

»So ist es nicht unerklärlich, daß beim Wiedereintritt des Wässerleins in deines Vaters Mühlwasser, mein Sohn Ebert, das nützliche Element trotz allem, was es auf seinem Überflutungsgebiete ablagerte, stark gefärbt, im hohen Grade übelriechend bleibt. Das, was ihr in Pfisters Mühle dann, laienhaft erbost, als eine Sünde und Schande, eine Satansbrühe, eine ganz infame Suppe aus des Teufels oder seiner Großmutter Küche bezeichnet, nenne ich ruhig und wissenschaftlich das Produkt der reduzierenden Wirkung der organischen Stoffe auf das gegebene Quantum schwefelsauren Salzes«, sagte Adam Asche. »Und nun, denke ich, können wir wieder nach Hause gehen«, fügte er hinzu, indem er die letzte Flasche aus Samses Flaschenkorb gefüllt mit warmem, leise dampfendem Naß aus der Abflußrinne von Krickerode mit fast zärtlicher Kennerhaftigkeit gegen den grauen Feiertagshimmel und vor das linke, nicht zugekniffene Auge prüfend erhob.

»Es ist freilich recht frostig und auch nicht der Humor in dem Dinge, den ich mir davon versprochen hatte«, murmelte Doktor Felix, in seinem abgetragenen Winteroberrock die Schultern zusammenziehend. »Ich habe Sie vor nicht allzu langer Zeit auch noch als einen andern gekannt, Adam, und ich werde mich auch Ihnen nicht mehr bei einer derartigen Expedition in den allzu gesunden Menschenverstand als Begleiter und Chorus anhängen. Ich hatte mich auch in dieser Angelegenheit auf Sie gefreut, Asche; aber mein Gedächtnis ist leider schwach geworden, und ich habe mich alle Tage von neuem darauf zu besinnen, wie alt ihr junges Volk und wie vernünftig und langweilig ihr seid.«

Nun krallte er sich mit der Linken in meinen Kragen und streckte den dürren rechten Arm und die Faust aus dem schäbigen Ärmel weit vor gegen das phantastischer als irgendeine Ritterburg der Vergangenheit mit seinen

Dächern und Zinnen, seinen Türmen und Schornsteinen im Nebel des Weihnachtstages aufragende große Industriewerk und rief hell und heiser:

»Sieh es dir an, Knabe, und finde auch du dich mit ihm ab, wie der da – wissenschaftlich oder als Aktionär. Kind, habe dreist wie die andern Furcht, dich ihm gegenüber lächerlich zu machen, und renne dir ja den Schädel nicht dran ein mit irgend etwas drin, was über der Zeit und dem Raume liegt. Folge du unserm Rate, so wirst du etwas vor dich bringen; nur sieh dich nicht um nach dem, was du vielleicht dabei hinter dir liegen lässest. Ich aber werde jetzt eurem Rate folgen, nach Hause gehen und unterkriechen und mich mit nützlicher Festtagsnachmittagslektüre beschäftigen. Meine eigene Bibliothek ist mir, wie du weißt, Asche, mit mehrerem andern im Laufe des Lebens abhanden gekommen, ich bin bei meinem jetzigen Landaufenthalt einzig auf die meines Bauern angewiesen, auf den Kalender vom laufenden Jahr und auf ein altes Buch im Fach über der Tür, das mir mein Mädchen herunterholen mag. Uralte jüdische Weisheit und Prophezeiung, auf die ihrerzeit auch niemand geachtet hat! Rate dir ebenfalls zu der Lektüre, wenn dir einmal alle andere abgestanden, stinkend und voll fauler Fische vorkommen wird, wie deines Vaters Mühlwasser, Ebert Pfister! Zephanja im ersten Kapitel Vers elf: ›Heulet, die ihr in der Mühlen wohnet, denn das ganze Krämervolk ist dahin, und alle, die Geld sammeln, sind ausgerottet!‹«

»Hoffentlich fürs erste noch nicht«, brummte mein Freund Adam, wie es schien, gänzlich unberührt von dem unmächtigen Pathos unseres beklagenswerten Begleiters. »Was aber das Heulen in den Mühlen anbetrifft, na, so stehen wir ja grade deswegen hier mit blauen Nasen im Erd- und Ätherqualm. Ich kann deinem Vater leider nicht zu seinem alten, fröhlichen Dasein verhelfen, Ebert; Sie aber, Lippoldes, dürfen sich schon ganz ruhig mit Ihren Idealen zum Vater Pfister auf die harte Bank in der harten Schule des Lebens setzen. Was beiläufig mich angeht, Ebert Pfister, so meine ich, der beste Mann wird immer derjenige sein, welcher sich auch mit dem schofelsten Material dem gegenüber, was über der Zeit und dem Raume liegt, zurechtzufinden weiß. Zu Ihrem ›Alarich in Athen‹ und ›Schneider in Straßburg‹ konnten Sie meinen Senf nicht gebrauchen, Doktor; der Vorschlag, in Kompanie mit mir aus Pfisters Mühle ein Gedicht zu machen, würde Ihnen heute nur lächerlich vorkommen; Sie sind mein Mann, Samse, nehmen Sie mir den Korb da in acht, und marsch nach Hause. Die unsterblichen Götter aber mögen mir meinen Willen lassen, ich – lasse ihnen ja auch den ihrigen.«

Er stiefelte dem getreuen Knecht Samse voran, flußabwärts, und ich suchte mit dem verschollenen Poeten nachzufolgen. Das Wort, daß es besser gewesen wäre, wenn der letztere zu Hause und im Warmen sich gehalten hätte, bewahrheitete sich in bedenklicher Weise immer mehr.

Ach, er paßte ganz, nur zu sehr in den Tag, die Witterung, die Beleuchtung, und deshalb um so dringlicher an den warmen Ofen und unter die lieben, hellen, sorglichen Augen seiner Tochter! Immer tiefer schien ihm der Frost in die vorzeitig mürben Knochen zu dringen, und mit zitterndem Finger wies er auf den jüngern, gesundern Mann im Nebel vor uns, und mit vor Erregung bebender Stimme rief er:

»Und ich habe ihn einmal mit zu denen gezählt, für die ich in meinen guten Stunden zu leben glaubte! Ich habe ihn, als er in deinem Alter war, mit glänzenden Augen vor meiner Tür gehabt und mit Tränen in den Augen regungslos auf seinem Stuhl an meinem Tische! Nun bin ich ihm der kindische Narr, der blöde Wirrkopf, der schwache Phantast, und er schnauzt mich an und glaubt, verständig zu mir zu reden und mich zur Vernunft zu bringen, und er überhebt sich mehr, als ich mich je in meinen besten Tagen überhoben habe. Wie es ihn heute kitzelt, wenn er sich für sein junges, dummes Pathos rächt und den alten Lippoldes unter seine Kuratel nimmt und ihn seinerseits zum Schluchzen bringt! Rufe ich ihn jetzt um und er hält es der Mühe wert, sich umzusehen, so wird er von pathologischen Vorgängen reden und ganz genau wissen, was mir auf Nerven oder Tränendrüsen wirkt, und er hat recht; recht hat er, der junge Mann! Zehn Jahre jünger – zwanzig Jahre jünger, und mit den jüngsten Erfahrungen des Lebens von vorn beginnen! O Eberhard Pfister, wenn nur nicht diese schöne Festtagslandschaft, die Welt um uns her, allerlei Staffage zur künstlerischen Vollendung nötig hätte! Und wenn es nur nicht so entsetzlich gleichgültig wäre, von welchem Hintergrunde wir uns abheben und wie wohl oder übel wir uns persönlich auf dem Bilde fühlen!« . . .

Dies war nun ganz wie Emmys tiefsinniges Wort: »Wo bleiben alle die Bilder?« – Der arme, gequälte, verloren gegangene Mann, der Poet, und mein liebes, unpoetisches, gutes kleines Mädchen standen vor derselben Frage, und – ich mit A. A. Asche und den übrigen ebenfalls, was wir uns auch sonst einbilden mochten. –

Sie hatte sich seit Stunden nicht gerührt in unserm Sommernest unter dem Dachrande von Pfisters Mühle – Emmy. Sie hatte auch im glücklichsten, unschuldigsten, gesunden Vormitternachtsschlaf gelegen, aber wer sagt es, wieviel von den Bildern, die mir nächtlicherweise am Tisch im Stübchen neben der Kammer über das Papier gegangen waren, ihr im Traum zu eben solchen Wirklichkeiten wurden, wie die wirklichsten Ergebnisse des wachen, lebendigen Tages?

Ein Faktum ist, daß sie (immer meine Frau), als bald die Hähne im Dorfe krähen wollten und der erste kühle Hauch aus Morgen den Vorhang neben mir bewegte, sich auf ihrem Bett regte und sich auf die Hand stützte und murmelte:

»Ich wollte wirklich, du brächtest ihn jetzt bald endlich

wieder an den warmen Ofen, Herz! . . . Die arme Albertine! . . . Aber so seid ihr Männer, einerlei, ob ihr unsere Väter oder ob ihr unsere Männer seid. Papa machte es gradeso improvisiert, wenn er mir am liebsten meinen höchsten Abscheu, seinen sogenannten jungen Freund Buckendahl, zum Frühstück mitbrachte. Wir hätten uns gegenseitig auffressen können, und er, Assessor Buckendahl, mich aus wirklich ernstgemeinter Zuneigung. Wie zog sich denn aber Albertine aus der entsetzlichen Verlegenheit, und was hatte sie euch vorzusetzen in ihren damaligen Umständen?«

Ich ging auf den Zehen hin und sah das Kind wieder im tiefsten, lächelndsten Schlummer liegen, und ich ging trotz dem ersten Streif grauen Morgenlichtes im Osten noch einmal zu meinem Schreibgeräte zurück. Ja, so sind wir Männer dann und wann, selbst bei den behaglichsten Verlockungen, wenn uns etwas auf den Nägeln und der Seele brennt: ich *mußte* in dieser Nacht noch mit der Geschichte von unserm Weihnachtsgange nach Krickerode zu Ende kommen, gleichviel, ob ich Emmy mündlich oder mir schriftlich davon erzählte! –

Ach, wäre es an jenem Wintertage nur so leicht gewesen, den Doktor Lippoldes zum warmen Ofen zurückzubringen, wie Emmy es sich in ihrem Sommernachtstraum vorzustellen schien! Zu meinem Schrecken merkte ich, daß ich allein den Mann nicht weiterzuführen vermochte. Er schnatterte jetzt vor Frost und sprach immer seltsamere Dinge. Es blieb mir nichts übrig, als Asche um Beistand anzurufen.

Der blieb denn auch stehen, zuckte die Achseln, sah sich den Poeten von neuem an und murmelte:

»Kann man es den Leuten verdenken, wenn sie sich was drauf zugute tun, daß sie stets ganz genau wissen, was unsereinem gegen Schluß der Komödie zu passieren pflegt?«

Er legte mit einer wahrhaft nichtswürdigen Fratze den grimmig-possierlichen Akzent auf die Worte »Leute«

und »unsereinem«, und meinte dann mit vollkommen gleichgültiger Miene:

»Wir haben ihn natürlich so rasch als möglich – lebendig oder tot – nach Hause zu schaffen; ich kann dem armen Mädchen nicht darüber weghelfen. Nur betrunken ist er diesmal nicht. Stellen Sie den verdammten Kober weg, Samse. Es wird ihn heute am heiligen Feste hoffentlich niemand uns stehlen. Laufen Sie vorauf zu Fräulein Lippoldes und bestellen Sie ein Kompliment – zum Henker, nein, warten Sie; hier bin ich doch zu wenig nütze, Ebert; – greifen Sie dem Elend unter die Arme, Samse; *ich* werde vorausgehen, das Bett zu wärmen und das Fräulein vorzubereiten.«

»Ein Wort noch, Herr Doktor!« sprach Samse. »Was meinen Sie hierzu?« fragte er, aus der Tasche seiner Zottenjacke eine flache Flasche mit einer Flüssigkeit vorlangend, die nicht meines Vaters Mühlwasser entnommen war. »Ich habe wohl gehört, Herr Doktor –«

»Recht haben Sie gehört! Alter Praktikus, weshalb haben Sie davon nicht gleich gesagt? Alle Wetter, selbstverständlich! Lassen Sie riechen – jawohl, Vater Pfisters echtester Nordhäuser. Wir brauchen ihm ja das nur zu zeigen, um ihn gegen jede See von Plagen wenigstens für den Moment mit Wehr und Waffen auf die Beine zu bringen.«

Es verhielt sich leider Gottes wirklich so. Der kranke Mensch in dem unseligen, genialen Menschenkinde griff mit einem fast tierischen Laut nach Samses »Buddel«, zog den Inhalt des letztern gierig in sich hinein und – fühlte sich wieder als Mensch, wie er sich selber ausdrückte.

»Ich gebe dir mein Wort darauf, Eberhard Pfister«, murrte Adam Asche mir ins Ohr, »der Mann geht auch nicht an Krickerode zugrunde. Ich will es keine Lüge nennen, wenn er derartiges behauptet, aber er irrt sich unbedingt. Ich wollte, ich könnte dieses auch von deinem Vater sagen. Nun, kommt jetzt ruhig mit dem

Unglück nach; ich werde doch etwas rascher voraufgehen und dem armen Mädchen ein Wort zur Beruhigung sagen.«

Er verschwand im Nebel flußabwärts, und Samse flüsterte schlau, mit dem Finger an der Nase:

»Ebert, ich bin doch nicht umsonst, seit ich vernünftig denken kann, Knappe, Sommergarten- und Winterpläsier-Garçon, und was sonst so zu unserm Meister und Anwesen gehört, gewesen! Herr Doktor, na, es ist Ihnen jetzt wohl'n bißchen besser zumute? Also denn, wenn's beliebt, die paar Schritte noch aushalten! . . . Ich denke, den Korb mit dem Giftwasser nehmen wir doch lieber mit, Ebert; – der Satan trau dem Fabriklervolk da hinter uns, selbst am hochheiligen Festtage. Es treibt sich immer was von ihnen an unserm ruinierten Nahrungsquell im Busch und Röhricht um, und wär's auch nur auf dem Anstande nach unserm krepierten Fischstande. Dem Jammervolk muß ja jedwede Viehseuche, wie Herr Doktor Asche vorhin sagte, reiner Zucker sein. Sie wären imstande und söffen uns ihre eigne Schandbrühe aus, bloß wegen Vater Pfisters alten Etiketten an den Flaschen!«

Felix Lippoldes hatte weder von dem Gemurr des Chemikers noch von Samses Zufriedenheit mit sich und seinen klugen Bedenken in betreff anderer Notiz genommen; er zitierte aus seinen Dramen und hielt meinen Arm jetzt nur deshalb fest, um eindringlicher auf mich hineinzitieren zu können. In sonoren Jamben redete er von Sonnen, Palmen, Zinnen, Türmen, Frauen, Helden und Heeren; und die Leute, von denen vorhin Adam Asche redete, würden sicherlich gesagt haben: »Wie gut er sich jetzt auf seinen Beinen hält!«, wenn sie bei uns gewesen wären unter den Weiden am faulen Strom, auf dem Rückwege von Krickerode nach Pfisters Mühle. Einige würden sich vielleicht auch des Wortes »Stelzen« bedient und sich einiges auf den witzigen Doppelsinn zugute getan haben. Ich aber gedachte meiner Kindheit und frühesten Jugend, und wie in jenen Tagen Felix Lippoldes über meinem Gesichtskreise wie eine Sonne leuchtete, wenn ich von Studiosus Asche und der Grammatik freigegeben und in meines Vaters bunten, wimmelnden, fröhlichen Lebensgarten von neuem losgelassen wurde.

Ja, er war in seinen glücklichen Tagen dann und wann auch ein Gast Vater Pfisters und hatte merkwürdig ungestört und ununterbrochen das große, phantastische Wort in Pfisters Mühle. Philister mit Frauen und Töchtern, Bürger und Bürgerinnen mit ihren Kindern wie ich damals, höhere und niedere Beamtete mit ihren Damen und Kinderwagen, selbst die Vorstände und Vorsteherinnen der respektabelsten Vereinigungen: für öffentliche Gesundheitspflege – für Verschönerung der Umgegend der Stadt – für Verbesserung des Loses entlassener Strafgefangener – gegen den Mißbrauch geistiger Getränke – gegen die Überhandnahme des Vagabundentums – für für, für und gegen, gegen gegen – ließen ihn reden, hörten ihm, wenn auch erstaunt, so doch nicht ungern zu und waren so ratlos und ungewiß in ihren Gefühlen und ihrer Stimmung gegen ihn wie ich nun als erwachsener junger Mensch im Nebel und Rauhfrost des Wintertages auf diesem Wege zum Anfang des Endes von Pfisters Mühle.

Ja, sie hatten beide ihre guten Tage hinter sich, der Müller und der Poet. Die Quellen und Ströme ihres Daseins waren ihnen beiden abschmeckend, trübe und übelriechend geworden, und es war ihnen wenig damit geholfen, daß wir wußten, womit das zusammenhing und wie es durchaus nicht etwa geschah, weil die Welt aus ihrem Geleise geraten wäre.

Das sind nun freilich Reflexionen, wie sie der Mensch beim nachträglichen Aufzeichnen seiner Erlebnisse macht, wie sie ihm aber nur selten in Begleitung der Erlebnisse selber kommen. Ich war damals ganz einfach auf dem Rückwege zu meines Vaters verödetem Haus und Garten dem armen Felix behülflich, seine Wohnung zu erreichen, und es war mir sehr angenehm, daß mir Adam und Albertine entgegenkamen, um mir die Verantwortlichkeit für das letztere von der Schulter zu nehmen.

Mein Weib in seinem Kinderschlaf und lieblichen Tagleben hat gottlob kaum eine Ahnung davon, wie gut sie es gehabt hat gegen ihre nunmehrige beste Freundin Frau Albertine. Es war grade nicht angenehm, zur Erholung mit auf Papas sonderbares Kirchhofs-Spaziervergnügen angewiesen zu sein; aber einem toten Mann selber auf seinen unheimlichen Spaziergängen durch den kalten, klappernden, rasselnden, klirrenden, mitleidlosen Werkeltag Gesellschaft leisten zu müssen, war doch noch etwas schlimmer, und Fräulein Albertine Lippoldes hatte nur dazu auf ihrem eigenen Wege durch die Welt haltgemacht und war nur deshalb aus der Fremde nach Hause zurückgekehrt.

»Da kommt Fräulein Tochter, Herr Doktor, und nun sehen Sie nur mal, welche Angst sie wieder um Sie hat!« rief Samse. »Und Herr Doktor Asche hinter ihr sollte sich wirklich die Mühe, sie zu beruhigen, gar nicht machen. Es hilft ihm ja doch ganz und gar nichts. Nun sehen Sie nur das liebe Gesicht! Ich bin gewiß für Pfisters Mühle in ihrem Jammer, aber diese Angst- und Unglücksmiene der lieben Dame geht doch noch drüber, Ebert.«

»Da bist du ja, Kind – und Sie auch, Freund Adam! Also – ein Glas Madeira und eine Gabel Hummersalat, meine Herren. Du hast vorgesorgt, Tochter deines Vaters – Hebe unter dem Strohdach? Meine Herren, wenn es der feinste und höchste Egoismus ist, sich zu sagen: Du machst ein Kunstwerk für hundertundfünfzig durch die Welt verstreute Seelen, die für dich sind, so ist's ungemein angenehm, sich nach einem Morgen wie der heutige zu vier zu Tische zu setzen. Was schneiden Sie mir wieder für eine Fratze, Adam? Es wird uns alles zugeteilt; ich habe mir mein Leben und Dasein sowenig selbst gegeben, wie Sie sich das Ihrige. Kannst dich darauf verlassen, Ebert; jeder bekommt das Kostüm und Werkzeug, das er nötig hat zu seiner Rolle in der Welt. Niemand ist da ausgenommen. Niemand! Ich auch nicht. Auch nicht die Kinder, die in limbo infantum schwimmen; nicht die flüchtigste Erscheinung und nicht die dauerndste. Es gibt nur aufgedrungene Pflichten, Genüsse und Versündigungen. Die Richter sitzen zu Gericht, aber es hat noch nie ein Tribunal oder einen Menschen gegeben, die über einen andern Menschen hätten Urteil und Recht sprechen können. Ehrbar, ehrbar, wenn ich bitten darf; – nicht zu dumm aussehen, Samse – nicht zu gescheit, ihr andern! Aber was kommt es auf eure Gesichter an? Die kleine, hülflose, offene Hand am schlafenden Kinde ist's, die die Welt von Generation zu Generation sicher weitergibt. Also ein Glas old dry, meine Herren. Da sind wir ja wohl wieder angelangt an den Grenzen unseres Reiches und fordern Euch gnädigst auf, Adam Asche, unsere Prinzessin Tochter über die Schwelle zu führen. Ei, es weiß kein Mensch genauer als ein König und ein Poet, wie wenig der Erde Pracht und Herrlichkeit bedeutet. He, he, da läge noch ein Buch, Asche: De tribus imperatoribus – Von den drei großen Herren! Der König – der Dichter und – der Vorstand der Irrenanstalt, und der letzte als der größeste! Was sind alle Weltherrschaften gegen das ungeheure Reich, das sich dem letztern in den Köpfen seiner Untertanen in Wundern, Schönheiten und Schrecknissen ausbreitet und das er zusammenhalten und regieren muß. An die Zigarren hast du hoffentlich auch gedacht, Albertine? . . .«

So ging das fort und fort unter dem frostigen, grauen Himmel und an dem trüben Fluß zwischen den Schlehenhecken und Büschen – Gemeinplätze, seltsame Gedankenblitze, Erinnerungen an vergangene üppige Tage und Genüsse. Für uns aber handelte es sich nur darum, dem alten, schlafwandelnden Kind mit der wahrlich hülflosen, offenen Hand in seinen gegenwärtigen Nöten so gut als möglich zu helfen und seiner Tochter noch mehr. Wir konnten wirklich jetzt von keiner seiner vielfachen Begabungen, das Leben »groß aufzufassen«, Gebrauch machen. Es handelte sich nur darum, ihn in der ärmlichen Bauernstube, die ihm und seinem Kinde zum letzten Unterschlupf diente, im schlechten Tagelöhnerarmstuhl hinter dem gottlob warmen Ofen niederzudrücken.

Wie seine Tochter das Leben auffaßte, davon konnte damals nicht die Rede sein; doch am Nachmittag, es fing eben an zu schneien, führte mich A. A. Asche noch einmal unter die Kastanienbäume von Pfisters Mühlengarten, faßte mich an der Schulter, schüttelte mich und sagte:

»Das ist ein prächtiges Mädchen, und es scheint mir die höchste Zeit zu sein, ein wohlhabender Mann zu werden. Entschuldige mich nachher bei deinen Leuten da drinnen; ich fahre heute abend noch ab, denn ich halte es wirklich für die Pflicht der anständigeren Menschen, die Ströme dieser Welt nicht bloß den andern zu überlassen. Deinem Vater werde ich das ihn betreffende Ergebnis der Erfahrnisse des gestrigen und heutigen Tages von Berlin aus schicken. Überlege es dir, überlege es mit ihm, ob es ihm das brave, gute Herz viel erleichtern wird, wenn er sich damit an einen Advokaten wendet.«

Fünfzehntes Blatt

In versunkenen Kriegesschanzen

Wie es trotz des Sommersonnenscheins hier schneit auf diese Blätter! Wie der Nordwind kalt herbläst trotz der Julihitze! Ich aber habe mir ja wohl vorgenommen, die

Zähne zusammenzubeißen und die Leute nichts merken zu lassen von meinem innerlichen Frösteln? –

Die Tage in der Mühle schienen immer schöner zu werden, je mehr sie sich ihrem Ende näherten. Und sie näherten sich unwiderruflich, unwiederbringlich ihrem Ende.

Von dem leeren Hause, dem toten Rade hatte ich bereits Abschied genommen, aber rundum zu beiden Seiten des jetzt im Sommer wieder so reinlichen Flüßchens lag noch mancherlei, was ich noch zum letztenmal sehen und grüßen mußte – war noch vieles vorhanden, was ich, wenn ich allein oder mit meiner Frau zu ihm ging, sicherlich auch zum letzten Male sah; denn – was konnte mich je wieder nach der Stelle locken, wo (nächsten Monat schon) Pfisters Mühle einmal gestanden hatte?

Emmy begriff es dann und wann durchaus nicht, wenn ich sie hie und dort mit hinzog, wo es – wo es ja eigentlich gar nichts zu sehen gab und wohin auch der Weg eigentlich gar nicht hübsch, zumal bei dem wolkenlosen Himmel, war.

Da gab es, zwanzig Minuten von der Mühle und eine halbe Stunde vom Dorfe entlegen, eine nur mit vereinzelten Büschen bedeckte kuriose Bodenerhöhung und Vertiefung, von wo aus man ganz gewiß noch weniger als gar keine Aussicht hatte und wo ich ganz gewiß die Verantwortung dafür auf mich nehmen mußte, wenn ich gar keine Gründe hatte, an solchen heißen Nachmittagen mein erschöpftes Lieb dort unter einem der Dornbüsche zum Sitzen einzuladen. Ich hatte wohl meine Gründe in meiner Stimmung, aber sie waren dem Kinde in der seinigen freilich ziemlich schwer begreiflich zu machen. Für die letzten Tage auf meines Vaters und meiner Väter Habe entfaltete grade dieser Ort seinen Zauber, und es gab keinen bessern, um darauf von diesem verlorenen Erbe weiterzuplaudern.

Nämlich es gab eine Zeit, wo ganz andere feindliche Mächte als die moderne Industrie sich auch nicht viel um das Wohl und Wehe von Pfisters Mühle gekümmert hatten. Der Dreißigjährige Krieg hatte grade hier in der Gegend dem Kundigen recht interessante Spuren zurückgelassen. Alte Dämme und Verschanzungen diesseits und jenseits des Flüßchens waren den Sachverständigen stellenweise noch deutlich zu erkennen zwischen den Wiesen und Ackerfeldern, und die viereckige Erdvertiefung, in der jetzt mein Weibchen zierlich in der die roten Knospen öffnenden Heide unterm Hagedorn saß, war eine solche Stelle, wo die schwedische oder kaiserliche Bellona den Fuß fest hingestellt hatte. Die einen meinten, die Schweden hätten diese »Kuhle« gegraben, diesen Wall aufgeworfen; die andern behaupteten, kaiserliches Kriegsvolk sei's gewesen; Emmy war's ganz einerlei und mir auch; denn recht behalten hatte heute doch nur der Thymian, wie Emmy meinte. Es sei sehr gleichgültig, sagte sie, wer hier gegraben und geschanzt habe, da er, der Quendel, noch lebendig vorhanden und jener Wirrwarr nur den Gelehrten dunkel gegenwärtig sei.

Wenn ich doch nur nicht selber zu sehr zu den Gelehrten zu rechnen gewesen wäre!

Noch dazu in den letzten Tagen dieser sonderbaren, süßwehmütigen, märchenhaften Sommerfrische mit meinem jungen Weibe – in den letzten Tagen von Pfisters Mühle!

Denn hier, hinter den alten, versinkenden, grasbewachsenen Böschungen und Stockaden Pikkolominis oder Torstensons, fern vom Auge meines Vaters, dem fröhlichen Lärm seines Gartens und dem Klappern seiner Mühle wie vom Turmuhrschlag unseres Dorfes, unter den Weißdornbüschen, den Feldastern, Ginstersträuchen und Steinnelken, bei den flatternden blauen Motten und den fetten Raupen des Wolfsmilchschwärmers, hatte ich mit meinem Freund und speziellsten Privatlehrer A. A. Asche, mit dem verlumpten Studenten Adam Asche, mehr Geschichte, Philosophie der Geschichte und Geschichte des Auskommens des Menschen mit seines-

gleichen und seinen Um- und Zuständen auf dieser Erde
getrieben als sonst irgendwo und mit irgendeinem an-
dern.
Nun saß ich mit meiner Frau unter demselben
Buschwerk, mit denselben Lerchen über uns, denselben
Kräutern und Blumen um uns, und so –

». . . gedacht ich nun der Ewigkeit,
Der längst entschwundnen, toten, wie der jetzigen
Lebendgen Zeit und ihres Lärms. In dieser
Unendlichkeit versank mein ganzes Denken,
Und süß war's mir, auf diesem Meer zu scheitern.«

Ich hatte die ganze Kanzone, die Hände unterm Hinterkopf, mit halbgeschlossenen Augen vor mich hingespro-
chen, und –
»Hast du das eben gemacht, Männchen?« fragte mein
unliterarisches Mädchen so freundlich und vergnüglich,
daß ich mich rasch offenen Auges auf den Ellenbogen
stützte und rief:
»Du dummes Närrchen, habe ich das eben selber gemacht? Von einem kleinen, buckligen Italiener ist's.
Recanati hieß sein Dorf, in dessen Umgebung wohl eine
ähnliche Hecke gewesen sein muß wie diese hier, hinter
welcher er es, wie deine Volksgenossen sich auszudrücken
pflegen, unter der Feder hatte. Er war sogar ein Graf,
mein Herz, wenn auch mit zu wenig Taschengeld –«
»Und er war sicher ein ebenso närrischer Patron wie du,
wenn du gottlob auch keinen Buckel hast und noch
weniger ein Graf bist, und mein Haushaltungsgeld mußt
du mir unbedingt erhöhen, Ebert, wenn wir wieder nach
Berlin kommen und zu Hause sind. Ich habe eben alles
noch einmal ganz genau zusammengerechnet und
komme wirklich für den Herbst nicht weiter aus. Und
höre mal, in den nächsten Tagen müssen wir doch wohl
anfangen, unsere Sachen zu leisekan zusammenzusuchen
in deiner Mühle. Die Herren aus der Stadt, die gestern
wieder mit ihren Maßstäben und Notizbüchern dawaren,

117

und der Wagen mit Schubkarren und Schaufeln und
Hacken, der heute morgen kam und abgeladen wurde,
deuten doch wohl darauf hin, daß unsre Stunden hier
gezählt sind.«

Und statt Giacomo Leopardi zu deklamieren in unserer
alten Schanze aus der Schwedenzeit, sang mit heller
Stimme mein fröhliches, sonniges Lebensglück von G.
K. Herloßsohn und mit Franz Abt:

»Wenn die Schwalben heimwärts ziehen«,

und alle die Schwalben, die noch in sommerlichster Lust
zwitschernd über uns und der alten Schlachtenstätte
im Kreise schwangen, schienen diese Kreise zu verengern
um meine klarstimmige Sängerin, während die Lerche ihr
zu Häupten im Blauen fest hing.

Ach und wie gut das weichmütige Abschiedslied in die
Stunde paßte! Sie hatten den Wagen mit den Schubkarren, Hacken und Schaufeln der nächstens nachrückenden
Erdarbeiter wirklich am Morgen unter unsre Kastanienbäume geschoben. Die Schaufeln, Hacken und Äxte
waren fürs erste noch in der Turbinenstube niedergelegt
worden; aber die Schubkarren waren schon draußen
geblieben und standen in zwei langen Reihen zwischen
den Gartentischen unter den lieben, dem Verhängnis
verfallenen Bäumen.

Das Kind hatte vollkommen recht: es wurde unheimlich
in der Mühle und Zeit, daß die Schwalben heimwärts
zogen; denn nicht einmal waren die Karren und Schaufeln die einzigen Anzeichen, daß es mit der Lust und dem
Behagen am Leben an dieser Stelle zu Ende ging. Der
Maurer und Zimmerleute Handwerksgerät war auch
bereits auf dem Wege nach meiner Väter lustigem Erbe,
und unbedingt war's besser, in der versunkenen Schanze
des großen Krieges von Pfisters Mühle und ihren Schick-
salen weiterzuerzählen als unter ihrem Dache in der öden
Gaststube, wo der Architekt der neuen, großen Fabrik-
gesellschaft schon seine Planrollen in den Winkel gestellt
hatte.

»Nun bist du schon wieder bei deiner dritten Zigarre und redest nichts und sagst nichts als kuriose italienische Verse«, seufzte Emmy, ihr Schwalbenlied mit dem ersten Verse endigend. »Wir stecken noch immer in euerm ungemütlichen und übelriechenden Winter damals. Wie wurde es denn nun weiter mit Albertine und Doktor Asche und dem Herrn Doktor Lippoldes und deinem seligen Vater?«

Ja, wie wurde es denn eigentlich weiter? Wie waren die Bilder, nach deren Verbleiben das Kind hinter dem Schwedenwall hier augenblicklich sich erkundigte? Freund Asche war so gut als sein Wort, das heißt, er sendete richtig sein gelehrtes Gutachten von Berlin aus ein an meinen Vater, und als es nachher in einer Berufszeitung gedruckt erschien, fand es sich, daß es eine Arbeit von höchstem wissenschaftlichem Werte war, was ihn sicherlich durchaus nicht überraschte und ihn also auch nicht in übermäßiges Erstaunen versetzte. Große Ehre legte er damit ein bei den Fachgenossen und sonstigen Kennern, bei den Poeten und sonstigen sinnigen Gemütern und vor allem bei allen den Bach- und Flußanwohnern, die in gleicher Weise wie der alte Mühlherr von Pfisters Mühle und Krugwirtschaft zu dulden hatten. Aber wenig Anerkennung und gar keinen Dank fand er bei den Leuten von Krickerode und ähnlichen Werkanstalten, die das edelste der Elemente als nur für ihren Zweck, Nutzen und Gebrauch vorhanden glaubten. Diese stellten sich selbstverständlich auf einen andern Standpunkt dem unberufenen, überstudierten Querulanten gegenüber und ließen es vor allen Dingen erst mal ruhig auf einen Prozeß ankommen.

Und das war denn der erste und der letzte Prozeß, den mein armer Vater zu führen hatte, trotzdem daß er schon eine so erkleckliche Reihe von Jahren in dieser bissigen, feindseligen Welt gelebt hatte. Er war immer gut, friedlich und vergnügt mit eben dieser Welt ausgekommen, sowohl als Müller wie als Schenkwirt, und hatte jetzt also sein ganzes freundliches, braves Wesen umzuwenden, ehe er seinerseits in den großen Kampf eintrat und im Wirbel des Übergangs der deutschen Nation aus einem Bauernvolk in einen Industriestaat seine Mülleraxt mit bitterm Grimm von der Wand herunterlangte. Noch häufig sah ich ihn damals bis Ostern, ehe er seinerseits zum Advokaten ging, in meinem Schülerstübchen und mit immer wachsendem Herzeleid. Von Woche zu Woche kam er auf müderen Füßen und in verdrießlicherer Stimmung. Zwar war, wie das immer ist, vom Februar an, wo die Zuckerkampagne beendigt wird, sein Mühlwasser wieder klar und die Luft über seinem Anwesen und in seinem Hause wieder rein; aber die Gewißheit, daß im nächsten Oktober das Elend von neuem angehe und Krickerode ihm ungestraft von jeglichem Jahr die Hälfte streichen und stehlen dürfe, nagte zu sehr an seiner Seele und an seinem Rechtsgefühl, als daß er noch in der alten Weise die alte, lustige Schenke für den Sommer hätte putzen und seinen fröhlichen, grünen Maienbaum zu Pfingsten vor ihre Tür hätte pflanzen können.

»Reden Sie ihm nur um Gottes willen jetzt nichts mehr darwider, Herr Ebert«, flüsterte mir Samse zu. »Es ist der leidige Satan, aber es ist nicht anders, der Advokate bleibt anjetzo noch das einzige, was uns in dem Jammer eine Ableitung geben kann!«

So begleitete ich nun den Alten zu dem juristischen Weisen, wie ich ihm zum chemischen das Geleit gegeben hatte; aber es war doch noch ein anderes, diesen als jenen nach Pfisters Mühle herauszuholen, und da konnte es noch für ein Glück in allem Unheil gerechnet werden, daß ich wenigstens den richtigen Mann für die Sache in Vorschlag zu bringen wußte.

Diesmal war's ein sonniger, windiger Morgen im staubigen Monat März, als ich den Vater durch die verkehrsreichsten Gassen der Stadt zum Doktor Riechei begleitete. Und der ließ auch nicht mehr seine Beine in Kanonen von einem der Baumäste in Pfisters Garten auf den

120

Zechtisch der Kommilitonen herabbaumeln, sondern hatte sie in schäbigen schwarzen Büchsen stecken und trug einen von den unberechenbaren, unbezahlten Bäuchen drin, über die ungezählte Anekdotensammlungen seit Urväterzeiten zu scherzen wissen.

»Vater Pfister!« rief er, bei unserm Eintritt besagte Lastträger immer noch mit merkwürdiger Behendigkeit von einem hohen Dreibein herabschwingend und sie in grünen Pantoffeln auf dem zerschabten, aber doch noch schreiend bunten Teppich vor uns feststellend. »Beim Zeus, der Vater Pfister – der Müller und sein Kind! Leben Sie denn wirklich noch? Ja, gottlob! Aber das ist ja riesig, das ist ja reizend, das ist wirklich ganz famos! . . . Du liebster Himmel, wie lange hängt man hier im Spinnweb, ohne zu Ihnen hinausgekommen zu sein! . . . Und beinah noch ganz unverändert – ganz die liebe, alte, heitere Kneipenseele und Kommersidylle! Vivat Pfisters Mühle –«

»Jawohl, vivat Pfisters Mühle«, seufzte mein Vater. »Hat sich was mit vivat Pfisters Mühle, Doktor. Na ja, Sie haben freilich seinerzeit mit ihren Herren Studentenbrüdern manch liebes Vivat auf mancherlei Dinge bei mir ausgebracht, und so kann ich wohl nichts dawider haben, daß Sie's noch mal tun auf das alte Lokal, Herr Doktor. Und mehr als ein Pereat haben Sie auch ertönen lassen beim Vater Pfister seinerzeit, und – das ist jetzt die Parole. Pereat, Herr Doktor! Und von wegen Pereat Pfisters Mühle sind wir heute morgen zu Ihnen gekommen, und Sie erlauben wohl, daß ich mir für einen Augenblick einen Stuhl nehme, denn es will doch nicht mehr ganz so wie früher fort mit Ihres frühern, alten Schoppenwirts unteren Beweggründen. Mein Junge da hat Ihnen die Papiere mitgebracht, lieber Herr.«

Seinen besten, weichsten Sessel schob Rechtsanwalt Doktor Riechei seinem neuesten Klienten zu, nahm ihm zärtlich Hut und Stock ab und sagte gedehnt – nicht ohne wirklich freundschaftliche Teilnahme:

»Jawohl! Ja so! Ei freilich! Hm hm – nicht die größte, aber eine von den größern Fragen der Zeit. Deutschlands Ströme und Forellenbäche gegen Deutschlands Fäkal- und andere Stoffe. Germanias grüner Rhein, blaue Donau, blaugrüner Neckar, gelbe Weser gegen Germanias sonstige Ergießungen. Pfisters Mühle gegen Kricke- rode! Und die Papiere für den Spezialfall bringt ihr sogleich mit, das ist ja sehr schön – na, dann zeigt mal her. Setze dich jedenfalls aber auch, Sohn Eberhard, so rasch wird das wohl nicht gehen – Kinder, steckt euch vor allen Dingen erst mal eine Zigarre an; – links von deinem Ellenbogen, würdiges Pennal.«

Ich hatte Asches Resumptio in die Hand Riecheis gege- ben; und sich von neuem auf seinen Dreifuß schwingend, fing er an zu blättern.

Eine gute Viertelstunde blätterte er, dann wickelte er plötzlich das Schriftstück in blauer Pappe zu einer Rolle auf, sprang, hoch sie über den etwas kahl werdenden Scheitel erhebend, in die Mitte seines »Bureaus«, klopfte meinen anscheinend teilnahmslos dasitzenden Vater auf die Schulter und rief:

»Und doch – und – abermals und zum drittenmal Vivat Pfisters Mühle, Vater Pfister! Pereat Krickerode! Das ist ja der Fall, auf den ich seit Jahren warte, um mich in die Mäuler der Leute zu bringen. Also endlich auch mal ein richtiges Fressen für mich! Wären Sie ein anderer, als Sie sind, Vater Pfister, so würde ich es Ihnen sicherlich nicht so auf die Nase binden, daß ich mich hierauf seit Lustren hingehungert habe. Kurzum, diese Sache führe ich, mit Asche in der Tasche, und zwar glänzend, glorreich und zu einem guten Ende. Vivat Pfisters Mühle!«

Wie würde mein Vater sonst in diesen Ruf eingestimmt haben! Heute sagte er nur gedrückt:

»Tun Sie wenigstens Ihr Bestes für uns, Herr Doktor – für mich und die alte Mühle! Glanz und Gloria käme wohl bei uns zwei immer an die Unrechten; aber ein gutes Ende bleibt immerdar etwas recht Wünschenswer-

tes auch für einen, der seinen Knacks für alle Zeit weggekriegt hat, wie der alte Pfister von Pfisters Mühle.«
Für alle Zeit sehe ich das Gesicht vor mir, mit welchem
Doktor Riechei jetzt die Tür seiner Schreiberstube (es
saß ein einziger drin, und der bis zu jenem Tage auch nur
mehr zur Zierde als zum Nutzen) zuzog, auf den Zehen
zu uns zurückkam und sprach:
»Das wäre denn in schönster Ordnung. Ich führe und
gewinne Ihnen Ihren Prozeß, würdiger Freund und
Gönner; aber nun auch im vollsten Vertrauen – jetzt
sagen Sie mir mal um Gottes willen, weshalb haben Sie
eigentlich Krickerode nicht mitgegründet?«

Sechzehntes Blatt

Emmy auf dem Schubkarren in meinem versinkenden
Paradies

»Ja, das wollte ich eigentlich auch schon längst einmal
fragen, Herz – wirklich, weshalb hat denn dein armer
Papa nicht mit auf die große Fabrik unterschrieben, da
alles ihm doch so bequem lag, und hat keine Aktien
genommen, sondern ist leider gestorben, obgleich die
Herren Asche und Riechei ihm doch seinen Prozeß
gewonnen haben?« fragte Emmy hinter dem alten
Kriegswall unterm Weißdornbusch.
»Weil er nicht anders konnte, Lieb.«
»Ach ja, es muß wohl so sein; obgleich es recht schade
für uns ist und obgleich auch mein Papa seine Gründe bis
heute nicht recht begriffen hat.«
»Hm, Kind, nach dessen Anhänglichkeit an seinen letzten grünen Spazierfleck inmitten seiner Umgebung von
Stein, Mörtel, Kalk und Stuck möchte ich das doch nicht
allzu fest behaupten. Jedenfalls haben er und ich einander
in dieser Hinsicht immer recht gut begriffen.«

»Ja, Gott sei Dank, in diese seine Schrullen hast du dich immer recht gut zu finden gewußt, und ich bin dir auch sehr dankbar dafür gewesen; aber daß du's nicht bloß aus Liebe zu mir, sondern wahrhaftig aus wirklicher Liebhaberei zu seinen sonderbaren Ideen getan hast, das habe ich doch erst während unseres jetzigen merkwürdigen Sommeraufenthaltes in eurer merkwürdigen Mühle erfahren. Nun ja, es ist ja auch so recht schön, und es hat sich ja auch, gottlob, alles nach des Himmels Willen recht passend zusammengeschickt, und die Vorsehung weiß eben alles doch am besten, wenn ihr Gelehrten das auch manchmal leugnen wollt. Erzähle nur weiter. Eine Weile dauert es wohl noch, ehe die Sonne auf deinem schrecklichen Feldwege erträglich wird und du deinen spaßhaften, langen Schatten auf dem Felde vor dir her wirfst auf dem Rückwege nach deiner närrischen, lieben, armen Mühle. Ja, ihr seid richtig Vögel aus einem Nest, du und mein armer, lieber Papa! ›Schnurren, Miezchen, müßte der Mensch können und dabei wiederkäuen; nachher wäre mein Ideal von ihm fertig‹, pflegte er dann und wann zu bemerken, wenn er mich nach Tische am Kinn nahm. Ach, ich fühle seine liebe, arme Hand noch immer um die Mittagszeit, obgleich ich jetzt freilich dir zuliebe meine eigene Küche habe in Berlin!«

Selbstverständlich erzählte ich nicht weiter. Spinnen und schnurren wie Miez am Ofen oder in der Sonne und wiederkäuen konnte auch ich noch nicht, obgleich ich das Ideal meines klugen und vernünftigen Schwiegervaters wohl begriff und es wirklich vielleicht dann und wann nicht ungern zur Darstellung gebracht haben würde. Aber am Kinn konnte ich sein liebes Kind, mein liebstes Weibchen, auch nehmen; und am Kinn fassen mußte ich es jetzt beim Heimchengezirp, im Thymianduft, in der blühenden Heide im Hagedornschatten, allem verjährten Verdruß und Elend und allen gegenwärtigen Schubkarren, Äxten, Schaufeln, Hämmern und

Sägen unter den Kastanienbäumen und in der leeren Wirtsstube von Pfisters Mühle zum Trotz.

Es waren ja doch auch noch andere Dinge zu besprechen als die überwundenen Erlebnisse der Leute in und um Pfisters Mühle! Hatten wir denn nicht in der lebendigen Wirklichkeit dort in der Ferne, jenseits des grünen Schanzenwalls, jenseits des Friedens von Wiese und Ackerfeld unser selbstgebautes Nest nicht nur so weich als möglich auszufüttern, sondern auch zuzeiten mit Schnabel und Klaue im bittersten Sinne des Wortes gegen die große, unruhige Stadt Berlin zu verteidigen? Waren wir nicht bereits mehrfach mit unserm Hauswirt und einmal sogar auch mit der Polizei in Konflikt geraten, und hatte nicht Emmy schon das innigste Verlangen, mal ganz persönlich mit dem Präsidenten der letztern zu reden und ihm ihren und seinen Standpunkt zum Besten der allgemeinen Behaglichkeit klarzumachen? Und war vor allem nicht noch die große Frage zu lösen, wo wir »bei unsern beschränkten Räumen« einen Zuwachs an Raum für einen (»sieh mich nicht so närrisch an, bitte, bitte, du dummer Peter!« flüsterte Emmy) einen anderen ahnungsvollen, glückseligen, wunderbaren Zuwachs hernehmen sollten?

»Da hat es Frau Albertine doch gewiß besser«, seufzte Emmy, als nun wirklich auf dem Heimwege und auf dem engen Feldpfade unsere Schatten ganz spaßhaft lang, aber glücklicherweise ineinander fielen. »Oh, die kann sich ausdehnen! Oh, wenn ich an die denke und dann an uns, so wird mir ganz schwindlig! . . . Gleich zuerst Zwillinge und jetzt bald das vierte! Aber wenn der das Gelaß nicht reicht, so baut der Doktor ganz sicher auf der Stelle an. In dieser Hinsicht hat die Frau es viel besser als ich!«

»Aber sie hat es vorher vielleicht nicht so gut gehabt wie du, mein Herz!« wagte ich meiner kleinen Melancholikerin in ihren bedrückten Umständen als einen kleinen, möglichen Trostgrund ganz heimlich zuzustecken, und glücklicherweise gelang es, und dies beruhigende Wort fand vollen, zustimmenden Widerklang.

Aus der Tiefe ihres guten, mitleidigen Herzens aufatmend, meinte meine Frau:

»Das ist freilich auch wahr! Ja, das arme Mädchen! Sie hat es recht schlimm gehabt, ehe sie es besser bekam. Komm doch mit unter meinen Sonnenschirm, Mann; die Sonne sticht noch immer recht sehr, und ich möchte dich doch nicht ganz als geschälte Zwiebel nach Hause bringen. Du hast mich auch ohne das heute schon mehrmals zu Tränen und zur Rührung gebracht. Erzähle weiter, aber zapple nicht so, sondern bleib mit unter meinem Schirm.«

Ich bemühte mich nach Kräften, beim Weiterwandern nicht zu sehr zu zappeln und in dem lieben blau-rosigen Schatten zu bleiben, den mein junges Weib auch auf diesen Weg unseres Lebens warf. –

Als der Tag im veränderlichen Monat April eintrat, der Tag, an welchem ich zum erstenmal von meinen nächsten Heimatsumgebungen für längere Zeit Abschied zu nehmen hatte, um in die Ferne und auf die Universität zu ziehen, war der Prozeß meines Vaters gegen Krickerode bereits im Gange, und wie uns um und und in Pfisters Mühle däuchte, stand das Universum auf den Zehen, das Resultat erwartend.

Asche hatte nichts mehr von sich hören lassen. Der war schon in Berlin. Aber an einem sonnigen, windigen, dann und wann von einem Regenschauer besprengten Tage kam ich in sehr seltsamer Weise doch wieder zu der Gewißheit, daß er noch in der Gegend spuke und in innigster Art mit ihr in Verbindung zu bleiben sich bemühe.

Unser Fluß im April war wie je vorher, ehe Zucker an seinem rauschenden, murmelnden Laufe gemacht wurde. Die Vorfrühlingsfluten vom Gebirge her hatten allen Schlamm und Wust aus Krickerode von seinem sonnenbeleuchteten Grund und von seinem Ufergebüsch weg-

und abgespült. Es lag der erste lenzgrüne Hauch auf Baum und Strauch, auf Wiese und Feld. Daß allerlei Blumen blühten und einige Arten bereits verblüht waren, achtete ich durchaus nicht. Ich hatte an andere Dinge zu denken, als ich nochmals jenen Pfad am Bache aufwärts hinschlenderte, den wir an jenem zweiten Weihnachtstage mit Samse und dessen ominösem Flaschenkorbe gingen.

Es gehörte zwar alles dazu, aber – im einzelnen, was waren Blumen, was Frühlingsgrün, was Krickerode, was Prozesse, ja, was Pfisters Mühle für das erlöste Pennal, für den angehenden Fuchs, für den freien, von den Göttern auf seine eigenen Füße in das unermessene Dasein hingestellten Menschen, kurz, für den demnächstigen studiosus philologiae Eberhard Pfister?

Grün mochte die Welt sein, blau mochte sie sein; so blau, so grün wie ich, Ebert Pfister, war sie nicht um diese Zeit, in diesen oder – jenen Tagen. Und es war, den Unsterblichen sei Dank, mein volles, unbestrittenes Recht, in mir grüner, blauer, bunter mich zu empfinden als irgend etwas anderes rings um mich her!

Doch da trat nun aus dem Frühling, aus dem Licht und Schatten, aus dem großen Andern um mich her eine Gestalt, die meinem unbefangenen und gleichmütigen Mitatmen im übrigen doch wenigstens für einige Zeit ein Ende machte. Albertine Lippoldes redete mich an auf dem Buschpfade an meines Vaters Mühlwasser.

In demselben abgetragenen grauen Kleide wie an jenem Weihnachtsfeiertage stand sie unter dem nämlichen Baum an der Hecke wie damals, wo sie auf ihren Vater und unsere Expedition zur Erforschung der Gründe vom Untergange von Pfisters Mühle wartete. Als ich, betroffen ob ihrer bleichen und kränklichen Erscheinung, stehenblieb und die Mütze zog, kam sie auf mich zu und reichte mir die Hand.

Sie lächelte auch dabei, aber es war das Lächeln einer, die

ein schweres Leid auf der Seele trägt und ein schwerwiegend Wort auszusprechen hat.

»Sie wollen uns nun auch verlassen, Herr Pfister? Und Sie gehen jetzt auch nach Berlin?« fragte sie, und als ich dieses stotternd bejahte, sagte sie mit leiser, beklommener Stimme:

»Dann hätte ich wohl eine Bestellung dort, Herr Ebert, und Sie würden mir einen rechten Gefallen tun, wenn Sie dieselbe ausrichten wollten.«

»Mit dem größten Vergnügen, Fräulein! Alles, was Sie wünschen. Was und an wen? Mit der Rapidität eines Mokkakäf – ja wirklich und auf Ehre, Fräulein Albertine, mein Herzblut würde ich –«

»Das nicht, Sir Childe«, sagte das Fräulein und lächelte noch einmal dabei. »Nur ein Wort an Ihren Freund, Herr Doktor Asche, auszurichten, möchte ich Sie freundlich bitten.« Und damit verschwand das Lächeln aus ihren feinen, müden Zügen, als würde es nie wieder dahin zurückkehren. Mit einer bittenden Bewegung beider Hände, doch mit einem fast zornigen Blick über mich weg in die grüne, eben wieder im Sonnenlichte glänzende Ferne, flüsterte sie mit unterdrücktem Schluchzen:

»Sagen Sie – bestellen Sie Ihrem Freunde, daß Albertine Lippoldes ihm vom ganzen Herzen dankbar sei für seine Güte gegen ihren Vater, daß er aber kein Recht – daß er es unterlassen müsse, sie so rat – sie noch ratloser zu machen durch seine – Teilnahme. Sagen Sie Ihrem Freunde, daß mein armer Vater freilich nicht mehr das Mitleid von der Anerkennung zu unterscheiden wisse, aber daß mich mein Leben, vielleicht vor der Zeit, alt und sehr klug gemacht habe und daß Albertine Lippoldes nicht mehr so leicht sich der bestgemeinten Täuschung hinzugeben verstehe. Bestellen Sie Ihrem weisen, treuen, guten Freunde –«

Ob ich es damals schon ganz genau wußte, was ich eigentlich sagen und bestellen sollte, weiß ich auch heute noch nicht, aber daß auch mir die Tränen in den Augen standen und daß ich, dieselben hinterschluckend, versprach, alles ganz genau auszurichten, weiß ich heute noch sehr genau. Ich habe in der Erinnerung ein Flimmern vor dem Gesicht, das ich vielleicht auch auf einen eben niederrauschenden Regenschauer jenes Apriltages schieben könnte. Durch dieses Flimmern sah ich, wie Fräulein Albertine ihr Tuch fröstelnd zusammen- und über ihr Haupt zog und rasch, doch unsicheren Fußes, zu dem verwahrlosten Anbauerhaus zurückeilte, zu dem kümmerlichen Dach, unter welchem Doktor Felix Lippoldes wirklich nur noch von dem Mitleiden und nicht mehr von der Anerkennung der Welt lebte oder vegetierte.

Und trotzdem, daß ich damals noch ein recht junger Mensch und sehr dumm und unerfahren in den meisten, und zwar innerlichsten Angelegenheiten des Lebens war, fühlte ich doch in aller Verblüsterung durch, weshalb ich grade dem Doktor A. A. Asche in Berlin diese mir eben von dem Fräulein aufgetragene Bestellung ausrichten sollte. Gegen Vater Pfisters hülfreiche Hand hatte Albertine Lippoldes nimmer mit ihren zwei hülflosen, tapfern Händen eine abwehrende Bewegung gemacht.

Ich sah das Fräulein vor meiner Abfahrt zur Universität nicht wieder, aber wohl den Papa Lippoldes. Diesen traf ich noch einmal in der Stadt, doch will ich nicht genauer beschreiben, in welchen Zuständen. Auf dem Hausflur des Blauen Bockes unter den Marktleuten, Ausspanngästen und städtischen Kutschern und Straßenvagabunden fand ich ihn vor dem Schnapsschank. Da hängte er sich an mich, redete mit schwerer, stammelnder Zunge auf mich ein und gab mir seinerseits Grüße an seinen liebsten Freund, seinen einzigen Freund Asche, seinen besten Freund Adam, seinen letzten Trost und seine letzte, einzige, wahre Stütze in dieser »Lausewelt« mit. Am andern Tage ging ich mit beiden Bestellungen aus Pfisters melancholischer Mühle in die so lachende, sonnige, aller

129

Wunder und Hoffnungen volle Welt hinein nach Berlin.

»Jott sei Dank, da sind wir denn endlich!« seufzte Emmy mit echtestem Berliner Akzent und erinnerte mich dadurch aufs hübscheste und vergnüglichste, daß ich nicht ohne Erfolg auf die Suche nach Abenteuern, Wundern und verzauberten Prinzessinnen von meines Vaters Hause ausgezogen sei. Ob sie aber mit ihrem Ausruf ihre Vaterstadt Berlin oder unsern Mühlgarten meinte, kann ich nicht sagen. Jedenfalls waren wir wieder unter den schattigen, grün und treu aushaltenden Kastanien und unter den stillen Tischen und Bänken des letzteren angelangt. Das Kind aber war nicht auf einer der Bänke niedergesunken; es hatte sich, mit dem Taschentuche sich Kühlung zuwehend, auf einem der Schubkarren, die man behufs der demnächst beginnenden Erdarbeiten unter den unschuldigen, lieben, vertrauensvollen Bäumen zusammengefahren hatte, hinsinken lassen.

Siebzehntes Blatt

Fräulein Albertine hat etwas nach Berlin zu bestellen

Der Architekt für den neuen Fabrikbau an Stelle von Pfisters Mühle ist gar kein übler Mann, obgleich er keineswegs jenem berühmten Kollegen in den Wahlverwandtschaften gleicht und durchaus nicht »ein Jüngling im vollen Sinne des Worts« zu nennen ist, sondern als ein weniger wohlgebautes als wohlbeleibtes Individuum mit der Veranlagung zu einer Kümmelnase sich darstellt. In Berlin hat er den Doktor Asche kennengelernt, und in unserer Stadt, am entgegengesetzten Ende unserer Pappelallee, gehört Doctor juris Riechei zu seinen behaglichsten Bekanntschaften, und der Herr Baumeister weiß ganz genau anzugeben, weshalb es gar nicht anders mög-

lich war, als daß jene beiden Herren sehr wohlhabende
Leute wurden, »wahre Fettaugen auf unsern bekannten
dünnen Bettelsuppen«.

»Es sind beide Phantasiemenschen«, meinte er, der
Architekt, »aber alle zwei mit dem richtigen Blick und
Griff fürs Praktische. Und, lieber Pfister und gnädige
Frau – das Ideale im Praktischen! Das ist auch meine
Devise. Verlassen Sie sich drauf, bester Doktor, Sie
sollen auch noch Ihre Freude an dieser Stelle erleben,
wenn Sie uns – mir noch einmal mit der Frau Gemahlin
übers Jahr hier das Vergnügen Ihres Besuches schenken
wollen. Das Schöne, das Großartige im innigen Verein
mit dem Nützlichen! So hält's auch unser gemeinschaftli-
cher Freund Asche, den ich, wie gesagt, ebenfalls in
seinen Anfängen kannte. Und Sie, Pfister, konnten gar
nichts Gescheiteres tun, als Ihr an hiesiger Stelle über-
flüssig und nutzlos gewordenes Kapital in seinem Unternehmen anzulegen. Gigantisch – einfach gigantisch das!
Und daneben – in feinster Renaissance dieses Lippoldesheim! Wundervoll! . . . Nun, ohne mir schmeicheln zu
wollen, wir werden jedenfalls unser Bestes tun, unsere
Gesellschaft und ich, Ihnen etwas ähnlich Imponierendes
auch hier auf Ihres seligen Papas idyllisches Besitztum
hinzustellen. Wir verlassen uns fest darauf, daß Sie sich
die Geschichte übers Jahr wenigstens mal flüchtig ansehen.«

»Wenn es mir möglich ist«, sagte ich müde. Der Archi-
tekt mit dem Zirkel in der Hand und der Bleifeder im
Munde beugte sich von neuem über seinen in meines
Vaters leerem Gastzimmer ausgebreiteten Plan, indem er
meine Frau, soweit ihm das möglich war, tiefer sowohl
in das Ideale wie das Praktische, das Schöne wie das
Nützliche, das Grandiose, das Imponierende und das
Idyllische desselben mit sich zog.

»Ich komme gleich wieder heraus unter die Bäume,
Ebert«, sagte Emmy über die Schulter; und unter den
Bäumen und zwischen den Schubkarren hatte ich eine

geraume Zeit allein für mich mit der erloschenen Zigarre zwischen den Zähnen auf und ab zu wandeln, ehe sich mein Weib wieder zu mir fand. –

Es läßt sich nicht leugnen, großartig ist das wasserverderbende Geschäft am Ufer der Spree, in welchem Freund Adam heute als leitende Seele waltet; als Fräulein Albertine mich mit ihrer Bestellung zu dem Phantasiemenschen mit dem merkwürdigen Blick fürs Praktische schickte, traf ich ihn freilich noch auf den unteren Stufen der Leiter des Glücks, aber doch schon im Begriff, drei Staffeln für eine nach der Höhe hinauf zu nehmen.

Nun kam es mir zutage, weshalb er sich vordem so eingehend mit der schmutzigen Wäsche des Ödfeldes im allgemeinen und der Schlehengasse im besonderen beschäftigt hatte. Schmurky und Kompanie hieß die Firma, unter der er augenblicklich noch seine wissenschaftlichen Erfahrungen im Fleckenreinigen im großen genial zur Geltung brachte. Und wenn er selber in der umfangreichen Stadt Berlin noch etwas schwierig zu finden war, so fand ich Schmurky und Kompanie doch sofort und mich, grade wie bei Krickerode, vor gotischen Toren und Mauern, hinter denen sich ganz etwas anderes tummelte als Ritter, Knappen, Edelfräulein, Falkoniere und Streitrosse.

Betäubt schon durch die sonstigen Erlebnisse meines ersten Tages in der Hauptstadt wurde ich willenlos, vom Türhüter aus, sozusagen von Hand zu Hand weitergegeben, und zwar durch den größten Tumult und die übelsten Gerüche, die jemals menschliche Sinne überwältigt hatten. Über Höfe und durch Säle – wie selber erfaßt und fortgewirbelt von dem großen Motor, dem Dampfe, der um mich her die Maschinen – Zentrifugalen, Appreturzylinder, Rollpressen, Kalander, Imprägnier-, Kräusel-, Heft-, Näh- und Plisseemaschinen – in Bewegung setzte, taumelte ich; – durch Wohldüfte, gegen welche meines Vaters Bach in seinen schlimmsten Tagen, gegen welche die Waschküchen und sonstigen Ausdünstungen der Schlehenstraße im Ödfelde gar nichts bedeuteten, mußte ich; – und in einem von dem ärgsten Getöse nur durch eine dünne Wand geschiedenen Raum fand ich den Freund, nicht mehr über Olgas Unterrock, sondern über ein zahlen-, buchstaben- und formeln-bedecktes Papierblatt mit seinem Leibe und seiner Seele, mit all seinem Wissen und Können gebeugt und – richtete ihm Albertine Lippoldes Bestellung aus! . . . Ich darf ihm aber das Zeugnis geben, daß er alles ihm eben Vorliegende beiseite und über den Haufen warf, als die letzte führende Hand mich ihm in das Allerheiligste seiner großen – *chemischen Waschanstalt* schob. –

»Mein Telemachos! . . . Ebert – mein Sohn Ebert Pfister von Pfisters Mühle! . . . Bengel – Knabe – Jüngling, welch ein Hauch und Licht aus bessern, besten Tagen! Was zum Henker, richtig – seit 'nem halben Jahre schon angemeldet hier im Morast, im Pechsumpf, in Malebolge. Na, so kann ich dir nur wiederum raten, stehe nicht so dumm da, sondern stürze in meine Arme, Kind.«

Ich stürzte, warf mich in seine Arme, das heißt, wir schüttelten herzhaft und mit wahrhaftiger Freude einander die Hände, und dann zog mein Exmentor vor allen Dingen seinen Rock an und meinte:

»Du kommst im Fleisch aus einem Reiche, in dem ich mich eben im Traum temporär aufhielt. Du wirst mir allerlei erzählen wollen, und wir können dann ja unsere Notizen vergleichen. Gefrühstückt wirst du haben, zum Mittagessen fahren wir in die Stadt – vor dem verdammten Gelärm nebenan hört man sein eigen Wort nicht und noch weniger das eines andern: vielleicht würdest du vorziehen, bei etwas geringerem Getöse und etwas reinerer Luft von euch zu berichten?«

»Ja, es riecht hier in der Tat wie bei uns im Winter nach allerlei, aber vorzüglich nach Benzin, wie damals in deiner Schlehengasse.«

»In der Tat? Merkst du das wirklich?« schmunzelte

Asche geschmeichelt. »Benzin! Grandioser Fortschritt, riesige Errungenschaften, stupifizierende Neuerungen! Ich hoffe, dir an deiner eigenen Garderobe demnächst zu beweisen, welche Gigantenschritte wir auf dem Wege zur höchstmöglichen Vollkommenheit in unserm Fache gemacht haben! Dreh dich mal um; – wie wär's, wenn du auf der Stelle deinen Rock auszögest und ihn in jene Klappe reichtest? Wir stellen dir sofort die allein aus dem Kragen extrahierten Fetteile als Rosenpomade und Kokusnußölsodaseife wieder zu! Du möchtest lieber nicht? Nun, so rede mir jedenfalls mit Achtung von allem bei siebenzig bis hundert Grad destillierendem flüssigen Kohlenwasserstoff; aber da die Verwendung desselben freilich mit einigem Lärm verknüpft ist, so komm mit. Wandeln wir auch hier ein wenig an *unserm* Wasserlauf auf und ab, denke dich völlig nach Pfisters Mühle und erzähle mir so viel als möglich von – *euch*!«

Er führte mich durch eine zweite Tür seines Arbeitsgemachs merkwürdigerweise durch ein von gotischen Kreuzgängen im Viereck umgebenes Klostergärtchen in einen andern Korridor, zu einem andern Flügel des ungeistlichen Fabrikgebäudekomplexes und von da aus platt auf die Landstraße an der, wie es schien, halb ohnmächtig vor Ekel auf niedergetretenen »Parisern« gen Spandau schlurfenden Spree.

»Es hindert dich durchaus nichts, dir einzubilden, wir schritten wiederum still und friedlich, wenn auch mit einiger Sehnsucht nach der Ferne, an den Bächen deiner Heimat. Nun singe mir dein Lied von Pfisters Mühle! Was macht der alte Herr? Gedenkt die Jungfer Christine meiner noch mit dem alten Wohlwollen? Und vor allen Dingen, wie steht der große Prozeß Pfisters Mühle gegen Krickerode?«

Ich dankte für alle diese gütigen Nachfragen und war aus eigenem Bedürfnis ziemlich ausführlich. Mein Exmentor nahm alles mit Gleichmut hin und machte mir den Eindruck, als ob er stellenweise bei meinem Berichte abwesend sei, und zwar in dem kleinen Kabinett, dem Maschinenlärm, dem destillierten Kohlenwasserstoff und über den Bogen mit den Zahlen, Buchstaben, Formeln und Figuren von Schmurky und Kompanie auf der andern Seite der Straße.

»Und dann habe ich zuletzt noch eine Bestellung an dich, Asche.«

»Die wäre? . . . Schwach opalisierend . . . nicht flüchtige Substanzen . . . 11,36 Prozent Chlor – du weißt, wie du mir durch die kleinste Notiz aus dem alten, lieben Leben das Herz erregst –«

»Von Fräulein Albertine Lippoldes nämlich.«

Da tat der Mann an meiner Seite und am Ufer des graufarbigen Stromes einen Schritt zur Seite, um mich besser ansehen zu können. Er packte mich auch am Arm, und zwar gar nicht sanft, und schnarrte:

»Was sagst du? Was hat sie gesagt? Was hatte sie mir durch dich dummen Jungen zu bestellen? Menschenkind, bei den unzählbaren Wohltaten, die ich dir vordem erwiesen habe –«

»Sie läßt dir sagen, Adam – o, ich wollte, ich könnte dir malen, wie sie dabei aussah –«

»Gar nicht nötig; aber ich tauche dich sofort dort in die schleichende Brühe, wenn du mir das Geringste von dem Deinigen zu ihrer Meinung tust!«

»Nun, sie läßt dir, zitternd, ich weiß nicht, ob vor Verdruß oder Unglück, aber jedenfalls mit verschluckten Tränen bestellen, daß sie dir von Herzen dankbar sei, daß du aber doch lieber unterlassen mögest, sie ferner so sehr zu kränken. Sie wisse noch das Mitleid von der Anerkennung zu unterscheiden, aber ihr Papa nicht mehr. Und sie sagt, daß es sie recht elend mache, dir auch noch und nicht bloß meinem Vater und anderen verpflichtet zu werden. Wir standen an der Hecke, grade an der Stelle, wo du die erste Flasche aus Samses Flaschenkorb mit dem Wasser aus Krickerode fülltest; und sie, wie gesagt, mit Frösteln, und ich weiß nicht, ob sehr zornig auf dich oder sehr dankbar. Dann fing es wieder an zu regnen, und sie ging auf unsichern Füßen nach Hause, grade wie an dem Morgen, wo du mit uns ihr so zweifelhaft nachsahst, nachdem ihr Vater uns zum Frühstück eingeladen hatte. Und den Papa Lippoldes habe ich kurz vor meiner Abreise auch noch gesprochen, und zwar im Blauen Bock. Du seist sein letzter und einzigster Trost, läßt er dir bestellen, und er halte dich auch für den einzigen, der ihn je begriffen, verstanden und vor allem seinen ›Eulogius Schneider‹ gewürdigt habe, und die Nachwelt werde das dir anerkennen, und er werde in seinem literarischen Nachlaß auch auf dich hinweisen und dich in das Gedächtnis des kommenden Menschengeschlechts mit hinübernehmen.«

»Den lauten, schreiigen Hals hätte man dem Narren bei seiner Geburt umdrehen sollen. Das wäre eine Wohltat für mich, für ihn und für die Welt und Nachwelt gewesen! Zum Henker mit seinem Bombast, Quark und quäkigen Egoismus. Na, die Seife, die ich mir daraus koche! Ebert Pfister, mein lieber Sohn, du wirst heute und noch manch ein andermal mein Gast sein, aber den Appetit hast du mir für diesmal gründlich verdorben. Komm mit und laß sehen, wo du in dem räudigen Nest dort unter der Rauchwolke untergekrochen bist. Es ist mir ein Trost, daß ich wenigstens dich aus den alten, besseren Tagen wieder in der Nähe habe. Daß ich mein Mentoramt unter veränderten Umständen hie und da von neuem aufnehme, wird dich nicht hindern, deine eigenen Wege zu gehen. Hm, diese albernen, braven Frauenzimmer – diese Weiber – diese dummen, guten Mädchen mit ihren verschluckten Tränen und – sonstigem Unsinn. O Krickerode, Felix Lippoldes und Pfisters Mühle – o Schmurky und Kompanie!«

Das letztere murrte er kaum verständlich in sich hinein. Wir fuhren sodann in die Stadt, und der Freund machte sein Wort gleich wahr und nahm seine Mentorschaft mit der alten, närrisch versteckten Hingebung auf. Er führte mich auch in seine dermalige Privatwohnung, die sich um ein beträchtliches in Ansehung menschlichen Behagens von der in der Schlehenstraße unterschied. Ich ließ einige Bemerkungen darüber fallen, in wie verhältnismäßig kurzer Zeit jeglicher Duft und Schein von Vagabundentum um ihn her verschwunden sei, und er meinte ruhig:

»Es ist besser, nie und nirgend zu laut von dem zu reden, was man auf der Spindel hat. Merke dir das für kommende, verständigere Jahre, Kind. Beiläufig, du wirst wahrscheinlich bald nach Hause schreiben, um deine glückliche Ankunft und deinen ersten Eindruck hier zu melden?«

»Ich täte jedenfalls meinem Vater eine Liebe damit.«

»Dann tue sie ihm ja, und von mir laß einfließen, du habest deine Botschaft richtig ausgerichtet.«

»Weiter nichts, Asche?«

»Stelle keine überflüssigen Fragen in betreff der Schicksale anderer an die Zukunft, sondern beschäftige dich fürs erste möglichst intensiv mit dem, was vor deiner eigenen Nase liegt, vir juvenis.« – – –

»Du, dem Herrn Baumeister seine neue Anlage imponiert mir aber doch wirklich sehr!« sagte Emmy, unter den Kastanien von Pfisters Mühle wieder ihren Arm in den meinigen hängend.

Achtzehntes Blatt

Ausführlicher über Jungfer Christine Voigt

»Es ist doch heute eigentlich recht sonderbar, daß du so lange dich in Berlin aufhieltest, ohne daß ich eine Ahnung davon hatte und wahrscheinlich auch ohne daß wir uns je einmal auf unsern Schulwegen begegneten«, sagte Emmy.

»Einige Semester war ich ja auch auf andern Schulen«, meinte ich. »Aber –«

»Aber das Schicksal legte es dir doch vor die Nase, daß es in Berlin am besten für dich zum Studieren sei – was?«

Es ging nicht anders; ich mußte dem Kinde mit einem Kuß die Versicherung geben, daß sie wie in vielen andern Sachen meines Lebens, so auch in diesem Dinge vollständig recht habe. Das geschah in unserm Stübchen unterm Dach, während es draußen wieder einmal regnete, und unter den ersten Vorbereitungen zum Packen und zur Abfahrt von Pfisters Mühle.

Die Zeichen, daß unsere flüchtige Sommerlust hier zu Ende sei, mehrten sich zu sehr. Der Architekt in der Gaststube unter uns pfiff Tag für Tag über seinen Plänen das Beliebteste aus den neuesten Sommertheateroperetten. Bruchsteine wurden ununterbrochen angefahren und in Quadraten aufgeschichtet. Es war ein ewiges Kommen und Gehen, Schimpfen und Lärmen von allerlei Volk, und meine alte Christine war zu nichts mehr zu gebrauchen in der alten, verlorenen Mühle! . . .

Ach, es ist eigentlich viel zu wenig die Rede gewesen in diesen Blättern von der alten Christine. Ach, wenn was mit in die Bilder gehörte, die ich hier von Pfisters gewesener Mühle malte, so ist das meine arme, greise, liebe Wärterin und Pflegemutter, so ist das die harte, arbeitsselige Hand, die traute, treue, weibliche Seele von meines Vaters Haus und Hof, Küche und Keller, Feld und Garten, die letzte »schöne Müllermaid« des Ortes.

Ich hatte Latein, Griechisch, moderne Sprachen und sonst allerlei erlernt. Ich war in Berlin, Jena und Heidelberg auf Schulen gewesen und auch sonst noch ein gut Stück in die Welt hinein, in Ländern, wo Menschen die modernen Sprachen zum Hausgebrauch haben. Ich hatte mir ein ander Hauswesen in der großen Stadt Berlin gegründet und ein jung Weib hineingenommen – und ich und mein Weib, wir waren, wenn ich gleich der juristisch unanfechtbare Erbe meines Vaters war, doch nur die letzten Gäste, wenn auch Stammgäste, von Pfisters Mühle.

Aber die alte Christine hatte nichts weiter in der Welt gehabt und kannte nichts weiter als die Mühle, und so hatte sie nun, da es bitterer, blutiger Ernst auch mit ihrem Abschiednehmen wurde, so ziemlich alles verloren, und wenn ein Mensch in der Wüste um sie her sanft und vorsichtig mit ihr umgehen mußte, so war ich das – ich, Ebert Pfister, meines verstorbenen Vaters Sohn und Erbe.

Nun waren die Tage, wo ich sie hier und da sitzend fand, zusammengekauert auf einer Treppenstufe, in einer Bodenkammer, am leeren Mühlkasten oder am Fluß, trotz des warmen Sommers fröstelnd, die beschäftigungslosen Hände in die Schürze gewickelt. So manches Jahr durch hatte sie die lustigen Bänke und Tische unter den Kastanien ihres Meisters fröhlichen Gästen überlassen: jetzt hatte sie dieselben für sich allein, und so fand ich sie eben wieder auf einem der Sitze in einer der Lauben am Bach, während der linde Sommerschauer leise auf das dichte Blätterdach niederrieselte.

Und den schweren, alten Kopf mit beiden Händen fassend und den Oberkörper in Angst und Ruhelosigkeit hin- und herwiegend, schluchzte sie, als ich zu ihr trat: »O Ebert, daß ich das auszustehen habe! Daß ich dieses erleben muß! . . .«

> »Da öffnet sich ein Fensterlein,
> Das einzige noch ganze,
> Ein schönes, bleiches Mägdelein
> Zeigt sich im Mondenglanze
> Und ruft vernehmlich durchs Gebraus
> Mit süßer Stimme Klang hinaus:
> Nun habt ihr doch, ihr Leute,
> Genug des Mehls für heute!«

so summte es mir schauerlich aus dem Liede des untergegangenen Dichters, aus der schönen Allegorie, in der sich

Gleichnis und Dichtung so vollkommen decken, durch den Sinn. In seinem Liede meint der Sänger mit dem bleichen, schönen Mädchen die Poesie selber, die ihre Mühle im romantischen Walde in die Hand der Tagesspekulanten übergehen sieht; und ich bin Philologe genug, um mich hier darüber auszulassen, aber ich war auch Poet genug, um auch bei grauem Tageshimmel und leisem Regenfall den wundervollen, innersten Herzschlag des Erdenlebens da zu erhorchen, von wo er mir in diesem Augenblicke wirklich herklang. Ich hielt die dürre, harte Hand, ließ das trostlose Greisenhaupt an meiner Schulter lehnen und horchte kaum hin, als hinter uns in Pfisters Mühle sich eines der heute noch ganzen Fenster öffnete und mein junges, rosiges Mägdelein sich vorbeugte und rief:

»Aber Kinder, ihr werdet ja bis auf die Haut naß bei dem Regen. Was sitzt ihr denn da auf der Bank am Wasser und rührt euch seit einer halben Stunde nicht?«

Ich hatte während dieser halben Stunde das alte Weiblein neben mir zu trösten gesucht, so gut ich konnte, und was das Naßwerden betraf, so boten ja an diesem Abend noch die alten Bäume ihren Schutz der Poesie und dem juridischen Rechtsnachfolger in Pfisters Mühle. –

»O Ebert, laß mich hier! Ich möchte doch hierbleiben und mich in den Grund, den sie übermorgen ausheben wollen, verschaufeln lassen! In meiner Kinderzeit erzählten sie, daß sie immer ein lebendiges Kind mit vermauert hätten, um ein festes Haus zu haben: ich möchte mich nun als ein altes Weib mit vergraben lassen, um ihnen allmählich an ihrem Mauerwerk zu rütteln. Ach Ebert, lieber Ebert, so habe ich es mir doch nicht vorgestellt, und überleben tu ich es nicht und will es auch nicht!«

»Samse hat es aber ja auch überlebt, arme, liebe Christine.«

»Ja, der auch! Aber dein seliger Vater nicht! Und dem wurde ja noch nicht einmal das Dach über dem Kopfe und der Boden unter den Füßen weggerissen, sondern er hatte nur seinen Ärger und Kummer an den bösen Gerüchen von Krickerode und unseres Doktor Asches dummen Pilzen mit den grausamen lateinischen Namen.«

»Christine, es müssen die Menschen so vieles ertragen und kommen mit ihren Schmerzen durch. Denke nur an Fräulein Albertine, unsre liebe Freundin, wie schlimm es der in Pfisters Mühle und mit Pfisters Mühlwasser ging und was sie Schreckliches dadurch erlebte, und nun wohnt sie ja auch in Berlin, und es geht ihr dort recht gut, und du wirst viel Vergnügen an ihren hübschen, gesunden Kindern haben, und – höre, Christine, wir, als wie Emmy und ich, wir können dich ja gar nicht entbehren in unserer jungen, unerfahrenen Haushaltung! Hast mich ja von meiner Mutter Armen genommen und großgepäppelt, und – wer weiß, was die Familie Pfister in dieser Hinsicht noch alles von dir erwartet, und wer alles auf deine Gegenwart an seiner Wiege fest rechnet!«

Ich mochte wohl die richtige Saite in der Alten betrübtem Gemüte angeschlagen haben. Sie trocknete sich die Tränen mit der Schürze ab und seufzte und rückte sich zurecht auf der Bank. Der Regen rauschte immer heftiger auf unser Blätterschutzdach nieder und fing doch an nun durchzuschlagen.

»Wir werden wirklich wohl noch naß, wenn wir noch länger hier sitzenbleiben, Ebert. Und dein kleines Frauchen wird wunders denken, was für Geheimnisse wir uns hier anzuvertrauen haben. Und das, was du eben von Fräulein Albertine gesagt hast, hat ja leider seine Berechtigung. Viel Schmerz und Elend seit, wie sie sagen, manchen hundert Jahren hat Pfisters Mühle auch gesehen, trotz aller Lust und guter Kost und Liedersingen und Gläseranklingen rundum. O Gott ja, es ist dies ja derselbige Ort, wo wir ihn fanden, den armen Herrn! Dort der Busch halb im Wasser, an dem er sich gefangen hatte, ist auch noch vorhanden, und hier in diese Laube zogen ihn dein seliger Vater und Doktor Asche zuerst, nachdem sie ihn aus dem Wasser gezogen hatten. Und hier zu unsern Füßen lag er, bis Samse und die Knappen kamen, um ihn in die Gaststube tragen zu helfen. Gütiger Himmel, der Gast da und der Abend und die Nacht und die darauffolgenden Tage könnten einen freilich schon mit dem Abbruch von Pfisters Mühle aussöhnen! Hast du denn eigentlich deiner kleinen Frau schon das Nähere davon erzählt, wie es kam, daß der berühmte Herr Doktor Lippoldes von unserer Wirtschaft aus begraben wurde, und wie es kam, daß Fräulein Albertine von der Mühle aus Hochzeit machte?«

Ich schüttelte den Kopf:

»Wir sind hier in der Sommerfrische, wie man das in der Stadt nennt, gewesen, Christine. Ich habe Emmy hergebracht, um ihr die Sonne, die Bäume, die Wiesen und den Bach von Pfisters Mühle und meiner Jugend noch zu zeigen. Sie würde nicht so harmlos und vergnüglich diese Wochen durch in der für sie doch schon so sonderbaren Mühle gewohnt haben, wenn ihr dieses Trauerspiel drin gespukt hätte. Aber unsere Zeit hier zählt ja nun nur noch nach Stunden. Das Kind wird nicht fortgehen, ohne auch dieses Letzte von dem guten, alten Hause und Garten an Ort und Stelle zu wissen bekommen zu haben.«

»Es gehört auch wohl dazu«, meinte die Greisin, und dann liefen wir doch ein wenig, um das altersschwarze Ziegeldach unseres verlorenen Erbes zwischen uns und den feuchten Segen vom Himmel zu bringen. –

Gegen sechs Uhr hörte es auf mit diesem Segen, und die Abendsonne kam herrlich hervor. Es war zwar ein wenig naß auf den Wegen um das Dorf, aber die Chaussee nach der Stadt binnen kurzem wieder vollkommen trocken. Dorthin richteten wir unsern Abendspaziergang, allen Lustwandlern, die aus der Stadt kamen, entgegen. Es begegnete uns der Architekt, diesmal in Begleitung einiger der vermöglichen Herren, die das neue, »lukrativere, zeitgemäßere« Unternehmen an Stelle von meines Vaters Haus aufrichten wollten. Selbstverständlich standen wir

einige Augenblicke zusammen, die gebräuchlichen Höf-
lichkeiten auszutauschen.

»Es tut uns wirklich sehr leid, die Frau Doktor nunmehr
aus ihrer hiesigen, hoffentlich recht heitern Dorfgeschichte mit feurigem Schwert vertreiben zu müssen«,
sagte freundlich einer der Herren. »Aber da wir vor
Herbstes Ende das Etablissement jedenfalls bis unter
Dach in die Höhe zu bringen haben, so läßt sich die
Sache leider nicht anders einrichten, gnädige Frau.«

»O wir sind ganz bereit, Ihnen den Platz auch ohne Ihr
feuriges Schwert, Herr Stadtrat, zu räumen!« rief meine
gnädige Frau fröhlich. »Schon heute habe ich alle unsere
Siebensachen so ziemlich gepackt, und es war wirklich
sehr hübsch und behaglich, und ich sage Ihnen, und auch
sicherlich im Namen meines Mannes, unsern besten
Dank für diese angenehmen Wochen. Und so ruhig! . . .
und so gesund! . . . Ich bin ganz gewiß dieses Jahr viel
lieber in Ihrer Mühle als in Thüringen, im Harz oder in
der Ramsau gewesen. Das Wetter war ja auch meistens
ganz prächtig, und, Herr Baumeister, wenn Sie wieder
einmal nach Berlin kommen, müssen Sie jetzt auch uns
jedenfalls in unserm dortigen Heimwesen aufsuchen.«

»Werde gewiß nicht verfehlen, gnädige Frau«, sagte der
Herr Baumeister.

Sie wanderten weiter nach *ihrer* Mühle, wir gingen in die
Stadt, um einige Einkäufe zu machen. Auf dem Heimwege begegneten wir einander nochmals in der Dämmerung, grüßten uns jedoch bloß, ohne uns nochmals miteinander aufzuhalten. Emmy meinte:

»Es sind doch recht nette Leute, und es freut mich, daß
ich nun in Berlin doch wissen werde, wer eigentlich hier
sitzt und deiner oder unserer lieben, kuriosen Mühle ein
Ende gemacht hat.«

»Mich auch!« seufzte ich. –

Unter den Bäumen im Garten war's an diesem Abend
natürlich zu feucht für uns. Die Mühlstube war schon
vollgepfropft mit Handwerksgerät; in der Gaststube

hatte, wie berichtet, der Architekt seine Pläne ausgebrei-
tet liegen, und – ich kann nicht sagen, daß ich nicht
gewußt hätte, wie es zuging, daß es sich grade jetzt mit
schärfster Deutlichkeit in die Erinnerung drängte, wie
Doktor Felix Lippoldes da gelegen hatte; – es war das
beste, daß wir uns wieder an unser Stübchen im Oberstock hielten und nur die laue Luft und, wieder einmal,
das Wetterleuchten von ferne zu uns ließen durch die
weit offenen Fenster.

Ich hielt meine alte, melancholische Pflegerin in diesen
unsern letzten Tagen und Nächten in Pfisters Mühle so
viel als möglich in meiner Nähe. Sie saß also auch jetzt
am Tisch mit ihrem Strickzeug. Ich und mein Weibchen
lagen wieder Seite an Seite im Fenster und atmeten den
wohligen Duft der Nacht ein.

Es war, als rauschte der kleine Fluß munterer denn je,
und auch Emmy fand das und stieß mich an und sagte:
»Hör nur, wie lebhaft dein Bach diesen Abend ist! Es
muß im Gebirge wohl noch stärker als hier im flachen
Lande gegossen haben.«

»Das müßte dort gestern oder vorige Nacht gewesen
sein«, meinte Christine. »So lange dauert es wohl an, ehe
so ein Wolkenbruch aus den Bergen bei Pfisters Mühle
anlangt.«

»Die Zeitung heute abend weiß schon davon«, sagte
ich.

»Ja die Zeitung, die Zeitung«, murmelte die Alte am
Tische. »Was wissen die Zeitungen alles! Wie schnell
oder wie viel zu spät wissen sie alles und schreiben über
alles, was sie wissen und nicht wissen. Erinnerst du dich
wohl noch, Ebert, wie sie damals nach geschehenem
Unglück über den armen Papa von Frau Albertine redeten? Dein seliger Vater las es uns vor, und uns allen
standen die Tränen in den Augen, die blutigen Reueträ-
nen, daß wir ihn in der Welt so wenig ästimiert hatten, da
er es doch so sehr verdiente. Selber ich in meiner armen,
dummen Seele mußte mit in Wehmut in das Gefühl

einstimmen, daß wir alle so sehr zu der schlechten, unverständigen, undankbaren Welt gehörten, die keinen großmächtigen, berühmten Menschen zu taxieren wüßte.«

»Was sagten denn diese dummen Zeitungen, Christine?« fragte Emmy, lächelnd sich umwendend.

»Nun, im Grunde wuschen sie nachträglich sich nur selber die Hände in Unschuld und schoben alles auf uns, die schlechte, unvernünftige Welt, daß er bei Pfisters Mühle aus dem Wasser gezogen worden sei.«

»Barmherziger Himmel – Ebert?!« stammelte die arme Kleine. »Aus *unserm* hübschen Bache da? *Hier* aus dem Wasser? Oh das mußt du mir auf der Stelle ganz genau erzählen. Das ist ja zu schrecklich interessant! Mein Gott, dann hat er aber auch wohl hier in eurer Mühle auf dem Stroh gelegen? Ich habe bei Berlin auch einmal ein junges Ding von Mädchen auf dem Stroh liegen sehen. Ich hatte den Papa endlich auch einmal von seinem Kirchhofe weggekriegt, und wir hatten eine Pfingsttour nach Pichelswerder gemacht, und ich vergesse das in meinem ganzen Leben nicht!«

Ich hatte doch wohl die Nerven der Großstädterin und der lieben Weiberchen überhaupt ein wenig zu sehr unterschätzt, da ich ihr wie alle andern den unheimlichen Spuk von Pfisters Mühle verheimlichte. Nun durfte ich schon mit ziemlichem Gleichmut sagen: »Es hängt mit dem übrigen zusammen, Liebste, – ganz genau mit der Geschichte von Adam Asche und Albertine, und da Christine und du einmal daran gerührt habt, so kann ich die Tragödie Felix Lippoldes' wohl auch zu Ende erzählen, ohne dich zum Gruseln zu bringen in den letzten Nächten auf meines Vaters Erbe.«

»Na, na, Närrchen! Bist du nicht bei mir? Etwas andres wäre es wohl, wenn ich hier ganz allein säße mit deinen Gespenstern. Und dann, erinnere dich nur, Papa hat mich doch lange genug auf seinem lächerlichen Kirchhofe spazieren geführt, als daß ich nicht mit den Geistern auf dem besten Fuße und du und du stehen sollte. Und noch dazu als geborene vernünftige Berlinerin!«

Sie nahm meine Hand von der Fensterbank auf, hob sie zu ihrem Munde und ließ ihren lieblichen, warmen, lebendigen Atem drüberwehen und lächelte:

»Erzähle nur dreist zu. Grade weil es unsere letzten Stunden hier bei euch sind, paßt es um so besser drein. Und erzähle im einzelnen – halte mich nicht für zu dumm in euern Wissenschafts- und Literaturgeschichten; im großen ganzen wußte ich ja auch schon ohne dich und die Christine davon. Papa las ja auch die Zeitungen und manchmal ein Stück laut, und ich gab darauf hin und wieder acht, wenn ich damals auch nur ein albernes Schulkind war und an andere Dinge zu denken hatte. Nur daß es grade eure Mühle war, die durch Frau Albertinens armen Papa so romantisch und interessant werden sollte, wußte ich nicht.« – –

Ich weiß nicht, ob die Geschichte vom armen Felix Lippoldes so romantisch gewesen ist wie die des jungen Mädchens bei Pichelswerder; jedenfalls erzählte ich sehr gelassen weiter, und auch mir selber rede ich hier auf diesen Blättern noch einmal davon. –

Ich hatte in Berlin die ersten Semester meiner Studienzeit zugebracht, und ich war auf andern Universitäten Studierens halber gewesen. Nun saß ich wiederum ernstlicher über den Büchern in Berlin und verkehrte wieder mit meinem frühern Mentor A. A. Asche. Und wie früher verschwand er auch jetzt dann und wann aus der Mitte seines energischen Tun und Treibens, wenn auch auf kürzere Zeit. Aber er verschwand nicht mehr in die weite Welt, sondern ich wußte stets genau, wohin er ging, nämlich nach Pfisters Mühle.

Ich habe es nachher mit tiefer Rührung sehr eingehend erfahren, wie die beiden, der Vater und der Freund, nicht nur ihre klugen Köpfe, sondern auch ihre braven Herzen zusammengelegt haben, und zwar nicht bloß zum Besten des großen Prozesses Pfisters Mühle contra Krickerode.

Letztern betrieb Doktor Riechei von Instanz zu Instanz mit wechselndem Erfolg, und es ging wieder einmal gegen Weihnachten, als wir vor der letzten standen und ihn gewannen, ohne daß das Abendrot über Pfisters vordem so fröhlicher Mühle dadurch eine Stunde länger am Himmel hätte festgehalten werden können.

Es war ein Nachmittag, wie ich schon einmal beschrieben habe in diesem Sommerferienheft: Schnee in der Luft, Wind in den Gassen, die Gedanken in der Ferne und mancherlei unbestimmt Bangen und allerlei übler Geruch nahebei und umher. Wie damals meine Schuljahre, so lag jetzt meine Studentenzeit so ziemlich hinter mir. Am Fenster saß ich wieder, wenn auch nicht das Kinn auf beide Fäuste stützend und an den Schulrat Pottgießer in Verbindung mit all den vergangenen lustigen Christbäumen von Pfisters Mühle denkend. Aber an Pfisters Mühle, Vater Pfister und seine fröhlichen Weihnachtstannen dachte ich, und – wieder – wie damals – kam ein Schritt die Treppe herauf, und jemand klopfte an meine Tür – und beinahe hätte ich im Zwischenlichtshalbtraum wieder gerufen:

»Alle Wetter, das ist ja der Alte! Was will denn der Alte heute noch und so spät am Tage in der Stadt?«

»Ich bin's, mein Junge«, sagte Doktor A. A. Asche, und er legte mir seine Hand fast so schwer auf die Schulter wie damals mein verdrußgequälter, sorgen- und kummervoller Vater. »Eberhard Pfister, du bist ein belesener junger Mensch, Philologe noch dazu, – erinnerst du dich vielleicht eines der kleinern Meisterwerke erzählender deutscher Dichtung, welches beginnt: Ein Knabe aß, wie viele Knaben, die Datteln für sein Leben gern –«

> »Und um der Datteln viel zu haben,
> Pflanzt er sich einen Dattelkern«,

stammelte ich.

»Ganz richtig, Telemachos, oder so ungefähr. Nun denn, jener Knabe war ich, aber wenn auch nicht ethisch aufgepusteter, so doch um ein erkleckliches schlauer, als mir der Fabulist in seinen Reimen nachsagte.«

»Du redest wahrlich in Rätseln, Adam.«

»Keineswegs für den nur mit einigem Weltverständnis Begabten. Wer nicht seiner Palmen Keime in ein Mistbeet pflanzt, wird sehr selten Datteln davon in seine eigene Tasche, für sein eigen Maul herunterholen. Non olet, wie der römische Allezeitmehrer sagte. Ich werde es durchsetzen, und wie Mr. François Marie Arouet, genannt de Voltaire, werde ich Geld machen, um meine Meinung und jedem Lumpen das, was er wert ist, sagen zu können. Im nächsten Frühjahr legen wir den Grundstein zu A. A. Asches eigenem Erdenlappenlumpenundfetzenreinigungsinstitut am Ufer der grauen Spree. Du reisest morgen nach Hause, und ich fahre mit dir und feiere noch einmal, mit gewaschenen Händen, mit euch Weihnachten in Pfisters Mühle.«

Ich tat einen jauchzenden Schrei:

»Asche, das ist ja wundervoll!«

»Durchaus nicht«, seufzte der Freund und Exmentor. »Mir ist ziemlich öde und katzenjämmerlich zumute.« – –

Man kann nicht immer auf den Ellenbogen in der Fensterbank liegen, wenn die Nacht draußen auch noch so schön und duftig ist. So traten wir in den Lichtkreis von Christinens kleiner Lampe zurück; aber wir saßen nicht nieder am Tisch, wir saßen auf unsern Reisekoffern einander gegenüber und verplauderten so den Rest des Abends.

Neunzehntes Blatt

Felix Lippoldes' erste durchschlagende Tragödie

»Höre mal, Ebert«, meinte Emmy, »es ist ein wahres Glück, daß ich meinen Freund, den Doktor Asche, so sehr genau kenne. Im Grunde hast du doch während unseres hiesigen Aufenthalts dein allermöglichstes getan, ihn mir recht zuwider zu machen mit seinen ewigen, gräßlichen Redensarten und alledem, was ihr Männer unter euch und auch nur viel zuviel gegen uns arme, weiche Seelen eure Philosophien zu nennen pflegt. Na, an einer guten Vorschule hat es mir freilich gottlob ja auch nicht gefehlt: Papa in Berlin ist in dieser Hinsicht das Seinige vollkommen wert.«

»Kind, wir leben eben in einer Welt, in der ein jeglicher bei weitem mehr auf die Schwächen, Untugenden und Laster des andern angewiesen ist als auf seine Tugenden. Und bedenke, was konnte es für einen fahrigen, unerfahrenen jungen Menschen, der demnächst aus innigstem Herzensgrunde die intimste Bekanntschaft deines Papas zu machen wünschen sollte, außerdem Wünschenswertes geben, als einen Patron zur Seite zu haben, der ihn so eines andern lieben Mädchens wegen (denn darauf lief es doch hinaus) zu der letzten Weihnachtsfeier in Pfisters Mühle abholte?«

»Da magst du recht haben«, sagte Frau Emmy Pfister nach einem längern Nachdenken, und ich – fahre fort, wie ich angefangen habe und wie mich diese guten Sommertage so zwischen Traum und Wachen, zwischen Gegenwart und Vergangenheit gleich leise schaukelnden Wellen getragen haben bis an das Ende meiner Schulferien und den Beschluß der Geschichte von Pfisters Mühle – und so gehe ich noch einmal unsern kleinen Fluß aufwärts den Weg nach Krickerode, und zwar mit meinem frühern Lehrmeister und jetzigen Freunde A. A. Asche. –

Meinen Vater fanden wir kränkelnd, kümmerlich, apathisch trotz Riechei und Riecheis vollständigem Siege in Sachen Vater Pfister contra Krickerode. Vielleicht auch grade darum. Es ist schon recht viel auf der Erde, wenn der Mensch für einen zu spät kommenden Triumph noch ein sauersüßes Lächeln übrigbehalten hat.

»Jawohl, wie es beliebt, wenn es dir Vergnügen macht, ziehe wieder in den Oberstock, Adam«, sagte mein Vater, mit einem Male seinen Schützling wieder mit dem vertraulichen Du aus den Kinderjahren desselben beehrend. »Aber mit der Weihnachtsfeier wird es wohl wenig werden. Wenn der Mensch seinen Knick und Knacks weg hat, soll er keine Vergnügungskomödie spielen, wenn er's nicht absolut nötig hat.«

So wohnten wir, der angehende Kapitalist und der Student der Schulweisheit dieser Erde, noch einmal beim ersten Schneefall in Pfisters Mühle, jeder in seiner Weise an den Bildern dieser Welt weiter malend. Was Adam Asche anbetraf, so erklärte er sich selber für den größten Pinsel des Universums, und zwar in seinem Verhältnis zu der armen Albertine Lippoldes und ohne im geringsten damit renommieren zu wollen.

»Sie will mir keine Last sein, gibt sie als offiziellen Grund an, indem sie mir den Stuhl vor die Tür setzt!« murrte er grimmig. »Ist es nicht zu dumm? . . . Mir eine Last? Mehr Ballast, Kind, oder Fräulein, oder Gänschen, oder gnädiges Fräulein, wenn die Brigg nicht beim ersten Umsegeln von Landsend kentern soll! – Hilft alles nichts! Nichts bockbeiniger als Lottchen, Laura oder Beatrice, oder wie sie sonst heißen, die lieben Seelen, diese kleinen, braven Feminina, wenn sie das Bedürfnis fühlen, in weiße Schleier drapiert, über unsereinem im Blau dahinzusegeln, wenn sie, um in ihre guten, dummen Herzen hineinzuweinen, ihren Kopf aufsetzen zu müssen glauben! . . . Da stehe ich nun mit meiner innigsten Überzeugung, auch einen Schwiegervater zu einer Frau und Familie ernähren zu können. Du hast mich in der Schlehengasse waschen sehen – ich bitte dich um alles in der Welt, du Tropf, sieh mich nicht so sekundanerhaft an! – Du hast mich bei Schmurky & Kompanie am Werk gefunden, und da sitze ich nun von neuem in Pfisters Mühle, abermals abgeblitzt, und würde ein Königreich mit Vergnügen geben für die Gefühle von Adalbert von Chamissos alter Waschfrau. Ich versichere dir, Bursche: ohne dieses Mädchen wird mir das Resultat meines Lebens so stinkend, so widerwärtig, so über alle Maßen abgeschmackt sein, daß mir nichts übrig bliebe, als eines schönen Morgens mich mittellos wie Papa Lippoldes und seelenlos wie seine sämtlichen tragischen Helden im fünften Akt in Monaco an einem Öl- oder Lorbeerbaum hängend oder an der Riviera mit ›nichts im Herzen als einer Kugel‹ finden zu lassen. Sie muß, sie muß! Und nun frage ich dich um Gottes willen, weshalb sollte sie nicht müssen? Habe ich es denn besser als sie in dieser infamen Lappen-, Lumpen- und Fetzenwirtschaft der Mutter Erde? Bei dem reinen Äther über dem rauchver-stänkerten Dunstkreis über Pfisters Mühle und Umge-gend von Pol zu Pol, ich liebe dieses Frauenzimmer und will es bei mir haben und es so gut als möglich halten in dieser Welt des Benzins und der vergifteten Brunnen, Forellenbäche und schiffbaren Flüsse. Und die Närrin fürchtet sich bloß, mir das Ideal meiner Jugend, das Pathos, die Tränen und das Herzklopfen meiner Kna-bennächte, ihren Papa zur Aussteuer mit in den Haushalt aus der Schlehengasse und dem Ödfelde zu bringen! 's ist, um das Herze durchzuprügeln, da es sich nicht abküssen lassen will! Komm mit an deines Vaters Bach, Ebert; man spürt immer die Neigung, draußen Atem zu holen, wenn man innerhalb von vier Wänden dem, was man sein Herz nennt, Luft gemacht hat.« – – –

Nun hatte ich Emmy von dem schlimmsten Tage, den Pfisters Mühle, wenigstens bei Menschengedenken, erlebt hatte, zu berichten, und zwar auf Wunsch der teilnahmvollen Schönen »so genau und so ins einzelnste

wie nur möglich«. Es hatte Mühe gekostet, unsere etwas
zu vollen Koffer zu schließen, und nun saßen wir ein
wenig erschöpft auf ihnen einander gegenüber und plau-
derten weiter über vergangene Bilder und Tage, und
Jungfer Christine Voigt gab auch ihr kunst- und lebens-
verständiges Wort darein in der lauen Sommernacht. In
meiner Seele und im Rauch meiner Zigarre war es wieder
der Tag Adam und Eva, der Tag vor dem Heiligen
Christ, und ich stand wieder im dichten Nebel an dem
Mühlwasser meines Vaters und wieder mit Adam
Asche.

Es war zwischen drei und vier Uhr nachmittags; die
Abenddämmerung kroch schon leise heran; zu unserer
Linken ragte das Dach, unter dem Albertine ihre Tage
kümmerlich verlebte, über das kahle Buschwerk, und
Asche sagte:

»Hindern kann sie uns wohl nicht, ihrem Vater einen
Besuch zu machen. Sie wird dies zwar von meiner Seite
taktlos finden; aber bin ich in die Welt gekommen, um
feine Gefühle oder mit Feingefühl zu poussieren? Ich,
der Ismaelit – unter den Büschen aufgehungert? Der
wirkliche geflickte Lumpenkönig mit diesen Pfoten des
Kehrichtfegers? Ich, dem man sein stänkrig Handwerk
auf eine Stunde Weges anriecht? Komm mit, Knabe, es
ist mir jedenfalls lieb, daß ich dich vorangehen lassen
kann. Es ist lächerlich, aber ich habe eine schändliche
Angst vor jedem Nasenrümpfen des lieben, nobeln Her-
zensmädels!«

Der Nebel war wieder so dicht wie an jenem zweiten
Weihnachtstage, wo wir ausgingen, um Krickerode in
ihm zu suchen; und zwanzig Schritte weiter flußaufwärts
blieb der Freund von neuem stehen und brummte:

»Was war denn das eben? Dieser Qualm liegt einem nicht
bloß vor dem Auge, sondern auch im Ohr. Kam das aus
der Luft, vom Lande oder aus dem Wasser? . . . Du hast
es doch auch gehört?«

»Gewiß. Es war ein kurioser Laut und schien mir von

dort her aus der Richtung der Gärten und Anbauerhäuser zu kommen.«

»Mir nicht!« murmelte Asche, mich hastig weiter aufwärts am Bach durch das Ufergebüsch mit sich ziehend; – das Bett von Vater Pfisters Mühlwasser war wie gewöhnlich um diese Jahreszeit bis zum Rande voll, und die trübe Flut stand an manchen Stellen bis in den engen Fußpfad hinein.

Noch einmal hielten wir an und horchten –

»Dummes Zeug!« meinte Asche, und einige Augenblicke später klopften wir an Doktor Felix Lippoldes' Tür in seinem letzten, kläglichen Aufenthaltsort unter den Lebendigen auf dieser Erde. –

Fräulein Albertine erhob sich von ihrem Stuhl am Fenster, und wenn mein Exmentor sich vor der jungen Dame so sehr fürchtete, so geschah doch augenblicklich nicht das geringste, was ihm fernerhin Gründe dazu hätte geben können.

Ruhig reichte das Fräulein *uns beiden* ihre Hand:

»Sie sind dem Vater nicht begegnet, Herr Doktor? Er hatte die Absicht, Sie in der Mühle aufzusuchen, Herr Pfister – wollen die Herren sich nicht ein wenig setzen?«

Sie wies uns an die zwei schlechten Bauerschemel mit der Handbewegung einer königlichen Prinzessin, die sie auch war. So unbefangen, wie nur die vornehmste Dame unter den bänglichsten gesellschaftlichen Umständen sein kann, nahm sie selber wieder Platz. Ihre schöne, mutige Seelenkraft trat in der ärmlichsten, kahlsten, trostlosesten Umgebung nur um so glorreicher hervor, und sogar lächelnd wiederholte sie ihre Handbewegung.

Aber Adam Asche, der vor Minuten noch alles, was er in der Welt bedeutete, für einen dieser Stühle hingegeben haben würde, zögerte jetzt in sonderbarer Unruhe, Besitz zu nehmen.

Er fingerte nervös an der Lehne des seinigen.

»Nach Pfisters Mühle? . . . Dann müßte er uns doch begegnet sein! . . . Sollte er nicht wieder einmal den Weg nach Krickerode gegangen sein, Fräulein A – gnädiges Fräulein?« . . .

Nun war es eine Tatsache, daß der arme Tragödiendichter seit längerer Zeit mit Krickerode auf dem vertrautesten Fuße lebte. Unter dem jüngern Beamtenpersonal der großen Fabrik, den Kommis, Buchhaltern und Technikern, hatte er Freunde gefunden, die, wenn nicht zu seinem Wohlergehen, so doch zu seinem Wohlbehagen, wie er das jetzt leider verstand, ein Erkleckliches beizutragen vermochten. Mit einer gewissen respektvollen Scheu noch machten sich die Herren über ihn lustig; denn noch immer kamen Momente, in denen er die jungen Leute durch sein Pathos, seinen grimmigen Witz und Sarkasmus und vor allem durch sein Talent, seine Dichtungen selber vorzutragen, in Enthusiasmus und auch Rührung versetzen konnte. Und da die Herren fast sämtlich Lebemänner im kleinen Stil waren, so fand er auch immer in ihrer Gesellschaft das, was er jetzt allem übrigen vorzog, trotz ästhetischer Leidenschaft, Erhabenheit, Empfindung und hoher Ironie, nämlich eine Flasche mit feinem Rum oder dergleichen. Es war auch in dieser Hinsicht nicht gut, daß Krickerode sich so nahe bei Pfisters Mühle angesiedelt hatte, und schon der Name des gewinnbringenden Institutes aus Asches Munde wirkte beängstigend auf die Tochter von Felix Lippoldes.

Selbst zu einem gleichgültigen Gespräch über das Wetter und das nahe Fest, wie es sich der Freund vorgestellt haben mochte, kam es nun nicht mehr mit der jungen Dame. Adam setzte sich endlich wohl, aber er rückte unruhig auf dem Stuhle hin und her, und bald sagte er, hastig von neuem aufspringend:

»Es liegt mir doch daran, den Papa heute noch zu sprechen, Fräulein. Seien Sie unbesorgt – nur eine Feuilletonredaktionsangelegenheit, eine Zeitungsverlegersache, Fräulein Albertine. Die Leute machen Reklame für A. A. Asche & Kompanie, und kurz – was meinst du, Ebert, wenn wir dem Doktor ein wenig nach Krickerode entgegenliefen?«

»O tun Sie es, meine Herren!« rief Albertine mit gefalteten Händen und mit einem Dankesblick auf meinen Exmentor, für den sie nicht verantwortlich war, weil sie nichts dafür konnte, der aber wie ein Blitz aus dem Reiche alles Lichtes auf die Firma A. A. Asche & Kompanie fallen mußte.

»So gehen wir, Knabe!« rief der »eminente« Gewerbschemiker mit merkwürdig erstickter Stimme und sich nach der Gurgel greifend, wie um dem Organ auch von außen zu Hülfe zu kommen. Vor der Haustür sah er sich scheu nach dem Fenster des Fräuleins um, und als wir so weit von dem Hause im Garten entfernt standen, daß der Nebel uns jedem möglichen Nachblicken entzog, packte er mich an der Schulter, schüttelte mich und rief:

»Mensch, hast du jemals etwas an oder in mir bemerkt, was auf das hindeutete, so man zweites Gesicht, Ahnungen nennt, oder wie die Altweiberhirngespinste sonst heißen mögen?«

»Nicht, daß ich wüßte!«

»Nun, so nenne du mich jetzo, wie du willst; aber seit einer Viertelstunde fühle ich mich auch diesem Menschlichen nicht mehr fremd. Ebert, es wäre nicht unfolgerichtig, aber doch greulich, wenn da eine menschliche Tragikomödie in einer Weise zum Abschluß gelangt sein sollte, die freilich diesmal sensationell genug wäre, um das Publikum für längere Zeit mit Felix Lippoldes zu beschäftigen!«

»Ich begreife dich nicht –«

»Etwa ich mich? . . . Es ist ja wohl auch nur eine verrückte Einbildung von mir, der nichtsnutzige Nebel wird mir auf den Nerven liegen, aber eine Wohltat würde es unbedingt sein, wenn ich jemand persönlich für diesen neuen Zug in meiner Seele verantwortlich machen könnte. Nun, die Genugtuung, mich selber in fünf Minuten zu maulschellieren, bleibt mir wenigstens; aber es hilft in diesem Moment nichts, komm also rasch mit an den Fluß, euern verteufelten Provinzialstyx. Zum Henker, ich würde viel drum geben, wenn wir auch diesmal Samse wieder zur Begleitung hätten.«

»Aber –«

»Der Ruf von vorhin klingt mir jetzt von Sekunde zu Sekunde mehr wie seine Stimme auf dem Trommelfell nach.«

»Samses Stimme?«

»Ärgere mich nicht!« schrie der wunderliche Mann grimmig. Felix Lippoldes' Gekräh, ohne Pathos, aber in wirklicher dramatischer Not. Beim Zeus, ich bin ein Narr, ein Esel, meine selige Tante Kassandra, aber ich wollte, wir begegneten der Unglückskreatur bald – einerlei, in welchem Zustande.«

»Asche?«

»Ja, Asche, Asche! Komm jetzt mit hinaus, gegen Krikkerode zu und möglichst rasch und so dicht als möglich am Wasser. Ich traue jetzt diesem Pfisterschen Familien-Phlegethon durchaus nicht. Ich habe mich wohl vordem ein wenig zu unbefangen, familiär gegen seine heimtückischen Nymphen und Nixen benommen – bis an den Hals steigt mir die unheimliche Brühe. Vorwärts!«

Wir drangen nun durch das Buschwerk, dann und wann in den in den Weg getretenen Sümpfen steckenbleibend, einer den andern in seiner Aufregung steigernd. Und plötzlich hatte ich einen Schreckenslaut auszustoßen. Unter einer steil abfallenden Böschung, an der das Wasser wie in einem Miniatur-Hafen sich lautlos im Kreise drehte, wurde in diesen winzigen Wirbeln ein mir seit Jahren bekannter, zerdrückter, abgetragener, weitkrempiger Filzhut mit herumgezogen. Und ein Arbeiter aus Krickerode, der von der Fabrik her grade im Nebel uns entgegenkam, gab uns dazu die Nachricht, daß der Herr Doktor an diesem Nachmittag wohl in Krickerode und mit den Herren sehr laut und lustig gewesen sei, daß er aber vor mehr als einer Stunde schon Abschied genommen habe, und zwar nicht auf recht gesunden Füßen: »Na, na, Sie werden schon wissen, was ich meine . . .«

»Es ist einfach entsetzlich«, sagte Emmy auf ihrem Koffer, die Hände im Schoße zusammendrückend. »Und die Art und Weise, wie wir uns das jetzt so hier an unserm vorletzten Tage, hier in deiner Mühle erzählen, macht mich auch wirklich ganz nervös. Und du malst das alles so deutlich, wie du da in Hemdsärmeln auf unserm Gepäck sitzest, daß es dadurch fast noch schrecklicher wird. O Gott, wie froh mußte die arme Albertine sein, als sie endlich auch so weit war, wie wir heute, nämlich fertig zur Abreise aus Pfisters Mühle! Sie hat doch, trotz aller Schönheit der Gegend und Lieblichkeit der Natur rund umher fast zu viel hier erleben und ertragen müssen, und es war sehr lieb vom Doktor Asche, daß er sie endlich doch daraus wegnahm, und zwar – so bald als möglich!«

»Und, Kinder, nun nehmt doch einen Rat von der Alten an«, sagte Christine, die Hände über ihrem Strickzeug faltend. »Laßt die Sonne oder wenigstens den hellen Tag auf den Rest von der Geschichte scheinen. Die junge Frau hat ganz recht: Herr Doktor Asche hat seine Sache wohl recht schön gemacht; aber du bist nun daran, deinem lieben Frauchen zu berichten, was dein seliger Vater von dem Seinigen dazu getan hat, Ebert; und dazu solltest du die Morgensonne abwarten – wir kriegen gewiß morgen das beste Wetter! – und unsern letzten Tag in Pfisters Mühle dazu anwenden. Der Wächter im Dorf hat schon längst gerufen, und es hat auch schon elf vom Kirchturm geschlagen, o Gott, o du mitleidiger Herrgott, und ich werde nun nimmer und nimmermehr darauf zuhorchen können!«

Ich ließ den Hut des auf dem Wege von Krickerode her verlorengegangenen genialen Dramatikers auf meines

Vaters trübem Mühlwasser im Kreise sich drehen, und –
gottlob, mein junges, weichherziges Weib sprang leben-
digst empor, legte bestürzt, zärtlich der Alten den Arm
um den Nacken, küßte töchterlich sie auf die gebeugte
Stirn und trocknete ihr mit dem Taschentuch, immer
liebe, abgebrochene Trostworte flüsternd, die Tränen
aus den Augen und von den runzligen Backen.

Zwanzigstes Blatt

Alte, schöne Lieder von ferne; die letzte schöne, alte
Müllerin auf dem Haustürtritt

Es ist in Wahrheit ein Sommerferienheft, zu dessen losen
Blättern ich jetzt die letzten zusammensuche, ehe ich es
mit einem blauen Umschlag versehe, zusammenrolle,
von meiner jungen Hausehre ein rotes Bändchen drum-
binden lasse und es in die tiefsten Tiefen meines Hausar-
chivs versenke. Wie ist das Gekritzel zusammengekom-
men? Die Buchstaben, die Kleckse, die Gedankenstriche
und Ausrufungszeichen müssen selber ihr blaues Wunder in der Dunkelheit ihrer Truhe unter meinem Schreibtisch in der großen Stadt Berlin haben! Das wurde
unterm Dach geschrieben, das unterm Busch auf der
Wiese; auf diese Seite fiel der helle, heiße Julisonnen-
schein, hier ist die Schrift ineinander geflossen und trägt,
solange das Papier halten will, die Spuren, daß das Ding
mit Not aus einem plötzlichen Platzregenschauer in
Emmys Handkörbchen gerettet wurde. Gar glatt liegen
die Bogen nicht aufeinander; der Wind hat dann und
wann allzu lustig damit gespielt; und – hier ist eine Seite,
auf der ich alles mitnehme, was mir von dem Erdboden
auf meines Vaters Erbe übriggeblieben ist. Der Wind
trieb es vor sich her durch Vater Pfisters Mühlgarten,
und ich hatte ihm lange genug um die Kastanienbäume

158

nachzujagen, bis ich es unter der letzten Bank am Wasser wiederhaschte.

Wo bleiben alle die Bilder?

Wie ich die Sache im »Spiel der Gedanken« angefangen habe, so muß ich sie nun beenden, und der bitterste Ernst wird sich auch auf diesen letzten Blättern in die seltsame Form finden müssen, welche ihm nur eine solche ungewöhnliche Sommerfrische geben konnte.

Die Morgensonne, auf welche uns Jungfer Christine hingewiesen hatte, fiel lachend in unser Gemach, und wir hatten den letzten Tag unseres Aufenthalts in Pfisters Mühle vor uns. Noch einmal *diese* Welt in voller Schöne!

Der nächste Morgen sah uns mit unseren kuriosen Vagabunden-Haushalts-Habseligkeiten auf der Fahrt, zurück in den Alltag, zu dem »eigenen Herd«, den lateinischen Exerzitien und regelrechten deutschen Aufsätzen – kurz, allen normalen Stilübungen und soliden Lebensbedingungen, und wie Emmy sich ganz richtig ausdrückte, zu »unserm jetzigen eigentlichen Dasein auf dieser Erde«. Es ging nicht, es ging nicht an, es war eine Unmöglichkeit, diesen letzten Heimatsonnentag, wie ich es mir vorgenommen hatte, ganz den vergangenen, verblichenen Bildern zu widmen! Blieb uns doch auch noch der letzte Abend, wenn nichts dazwischen kam und mich hinderte, die Geschichten vom Ausgang von Pfisters Mühle meiner Frau zu Ende zu erzählen.

Es ging, solange diese letzte Sonne mir über meines Vaters Hause stand, nicht an, von neuem mit Adam Asche nach dem Hut in der trüben Schlammflut von Vater Pfisters Mühlwasser fischen zu gehen. Emmy kannte ein Gehölz, wo »wundervoller Efeu« wuchs, und wir waren schon im Tau dort, einen Busch mit Wurzeln für unsern Fenstergarten in Berlin auszugraben.

»Laß es mit Albertines armem Papa, bis wir zum letztenmal wieder zu Tisch hier nach Hause kommen«, meinte das Kind. »Dieser Morgen ist noch einmal zu wonnig und die Geschichte zu traurig. O, und ich hoffe, dies soll gut anwachsen, und dann ziehen wir die Ranken um deinen dummen, langweiligen Schreibtisch und haben so immer etwas Grünes aus deiner so lustigen und traurigen Heimat und von deines Vaters Mühle um uns; und ich werde dabei ganz gewiß noch manch liebes Mal an diese im ganzen doch so reizenden Wochen hier denken.«

Wir kamen mit dem Busch nach Hause, das heißt diesmal noch nach Pfisters Mühle heim und fanden den Garten voll Lärm und Gezänk und den Architekten sehr erbost inmitten seiner Fuhrleute und Bauführer. Wie war es da möglich, unter den Kastanien, selbst auf der entlegensten Bank, zu einem stillen, letzten Worte über die vergangenen Bilder des Ortes zu gelangen? Der Nachmittag wäre vielleicht geeignet gewesen, doch den verschlief mein Weibchen, ermüdet von dem frühen Ausflug in den Wald, vom Blumenpflücken und Efeuausgraben, zum größten Teil.

So blieb uns nur der letzte Abend in Pfisters Mühle übrig, wenn nicht wiederum etwas dazwischen gekommen wäre; nämlich gegen fünf Uhr ein Billett vom Doktor Riechei, der sich darin, wie er sich ausdrückte, uns zur Gesellschaft für die uns vielleicht sonst ziemlich ungemütlichen, letzten Stunden auf Vater Pfisters vielbedrängtem und seinerzeit glorreich in integrum restituiertem Erbe anmeldete.

»Famos!« meinte der Baumeister. »Da bleibe ich auch! Und das beste ist in diesem Falle, da hier doch wohl schon Schmalhans ein wenig Küchenmeister ist, wir machen ein Picknick draus, Frau Doktor. Ich jage einen Boten in die Stadt mit einer Notiz an unsern Advocatus diaboli, einen anständigen Tropfen mit herauszubringen. Im übrigen begnügen wir uns mit dem, was das Dorf liefert, und damit werden sich die gnädige Frau und Jungfer Christine gern beschäftigen. So, meine ich, kann Ihnen, lieber Eberhard, der Seiger allhier die letzten Sandkörner noch am behaglichsten ausrinnen lassen.

Morgen, wenn Sie und Frau Gemahlin uns verlassen haben, werde ich die Uhr sofort umkehren, und der Sand mag von neuem laufen; – und aber nach fünfhundert Jahren will ich desselbigen Weges fahren. So sagt ja wohl der selige Rückert?«

»So sagt er!« sagte ich. –

Wie hatte ich mich im tiefsten Grunde meines Herzens vor diesem allerletzten Abend unter dem Dache meines Vaters und meiner Väter gefürchtet! Und nun war er da und ging vorüber in der trivialsten Weise, bei der angenehmsten, aber auch allergewöhnlichsten Unterhaltung. Die beiden Herren, meine sehr guten Freunde, taten das Ihrige, daß das kuriose Abschiedspicknick so vergnüglich als möglich ausfiel. Sonst begnügten sie sich gern mit dem, was wir zu geben hatten, und waren vor allen Dingen noch mal gesprächig heiter in der Gewißheit, daß ich damals doch ein recht gutes Geschäft bei dem Verkauf von meines Vaters Anwesen gemacht hätte und daß ich, eins ins andere genommen, heute im innersten Gemüte herzlich froh sei, es von der Seele und aus der Hand los zu sein. Die Bereitwilligkeit des »Konsortiums«, mir und meiner Frau noch einmal einige Wochen einer vergnügten Villeggiatura in Pfisters Mühle zu gestatten, wurde denn auch von mir von neuem gebührend anerkannt und von Emmy aufs sehr gewürdigt. Dann redeten wir Bismarck, Kulturkampf, soziale Frage und was sonst so dazu gehört, um einen Abschiedsabend unter guten Freunden hinzubringen, ohne zu sehr zu merken, wie die Zeit läuft.

Ich tat wahrlich nichts dazu, die Unterhaltung wieder auf Pfisters Mühle zu bringen. Die alten Baumkronen über unserm vergnügten, letzten Gartentisch waren auch ganz still. Viel Sterne flimmerten am dunkeln Himmel. Nicht der leiseste Lufthauch bewegte die Flamme unter der Glaskuppel unserer aus dem Dorfe entliehenen Lampe. Ich hörte in die Unterhaltung hinein wie in das Rauschen des Flusses, der immer noch von Krickerode herkam, aber nächste Woche schon zum letzten Male an Pfisters Mühle vorbeirauschen sollte.

»Das sind die Teutonen drüben in der neuen Schenke jenseits des Dorfes«, sagte Riechei. »Wie oft haben wir das hier unter diesen Bäumen – auch an diesem Tische – bei deinem Vater – dem guten, alten Vater Pfister – gesungen, Ebert –

>Und dem Wandersmann erscheinen
Auf den altbemoosten Steinen
Oft Gestalten zart und mild!<«

»Gaudeamus igitur«, summte der Architekt. »Krambambuli, das ist der Titel –

Die Mühlen können nichts erwerben,
Sobald das Wasser sie nicht treibt –«

Ich aber hielt es bei dem fernen Singen der alten Couleur und bei dem nahen Potpourri des Baumeisters nicht länger aus in der Gemütlichkeit der Stunde. Ich schlich vom Tische dem Hause zu, wo auf dem Türtritt der alten Mühle, die das Wasser nicht mehr trieb, noch jemand kauerte und den letzten Abend auf Vater Pfisters Anwesen zu überwinden suchte.

Wenn sie nichts mehr im Hause zu schaffen und sorgen hatte und die Gartenbewirtung ihr ebenfalls freie Hand ließ, pflegte an schönen Abenden Christine Voigt immer da zu sitzen und die müden Hände in die Schürze zu wickeln. Und ich saß jetzt nieder zu ihr, wieder wie sonst als Kind und als Knabe, als das Lied von der Saale hellem Strande und das Gaudeamus noch unter *unsern* Kastanien im vollen Chor erklang und ich mit klopfendem Herzen horchte.

Nun hatte ich die alte, blaue Schürze der alten Pflegerin von den Augen zu ziehen:

»Mutter, wir bleiben ja zusammen! . . . Ich wollte mein Herzblut darum geben, wenn ich's hätte ändern können! Aber selbst der Vater sah es, daß es nicht anders ging,

und es war so sein Wille, wie es gekommen ist heute! Er
wußte es ja auch, daß wir noch übrigblieben und beiein-
ander – auch in fremdem Lande, wo es auch sei!«
»Wohl bis zu Ende, wenn du mich mitnehmen willst,
Ebert; aber, o Gott, wenn ich nicht gedächte, daß deine
liebe Frau und du mich doch noch wenigstens als Aus-
hülfe gebrauchen könntet, ließe ich mich am liebsten hier
vergraben. Der Kirchhof, wo dein Vater und deine Mutter liegen, wäre mir nicht lieber.«
»Natürlich, hier sitzt er wieder bei seiner Alten, Frau
Doktor!« rief Riechei, von dem Tisch am Wasser mit den
Händen in den Hosentaschen auf uns zuschreitend, vergnüglich über die Schulter zurück. »Wenn ich an Ihrer
Stelle wäre, Frau Pfister, würde ich doch allgemach ein
wenig eifersüchtig. Na, wo steckst du denn, Pfister? Man
vermißt dich ungewöhnlich lange mit deinem Pfropfen-
zieher. Den solltest du zum Angedenken an diese urge-
mütlichen Abschiedsstunden doch von deinem Reisegepäck zurück- und mit dem Grundstein von Neu-Pfisteria
verscharren lassen. Ich werde dann jedenfalls eine vidimierte Abschrift des Schlußerkenntnisses in Sachen Vater
Pfister contra Krickerode beilegen und der Baumeister
dort seine Visitenkarte.«
»Geh nur hin, geh nur wieder zu deiner kleinen, guten
Frau, Ebert«, flüsterte mir meine Pflegemutter zu. »Ja,
der Meister, dein seliger Vater, hatte ganz recht, als er
einsah, daß es nicht anders ging. Die Herren haben auch
ganz recht, daß sie sich nicht mehr, als nötig ist, aus dem
letzten Abend von Pfisters Mühle machen.«
Ich nahm ziemlich fest den lustig dargebotenen Arm des
wohlberufenen Advokaten und rechtsgelehrten Beistan-
des und Siegers in unserem Prozeß gegen Krickerode –

> »Schön Müllerin schließt's Fenster zu,
> Und alles liegt in tiefer Ruh,
> Des Morgens Nebel haben
> Die Mühle ganz begraben«; – – – –

– – – – – – – der nächste Morgen sah uns auf dem Bahn-
hofe.

»Den Rest mußt du mir nun doch lieber im Eisenbahnwagen erzählen, oder noch besser zu Hause im ganzen
und der Ordnung nach vorlesen«, meinte Emmy, als wir
in meines Vaters Hause uns zum allerletzten Male schla-
fen legten. Sie erinnerte sich, todmüde von dem fröhlichen Abend, nicht daran, daß sie im Eisenbahnwagen
stets leicht Kopfweh bekommt und unfähig wird, auf das
Interessanteste hinzuhorchen.

Einundzwanzigstes Blatt

Auf dem Schub und im Frieden

Wir stiegen grade in den Wagen, der uns mit unsern
Hutschachteln und Koffern und meiner alten Christine
nach der Stadt und dem Bahnhof bringen sollte, als die
erste Kastanie unter der Axt fiel. Der Architekt stand am
teilweise schon niedergelegten Zaun von Pfisters Garten
und winkte uns mit dem Hute vergnügt nach. Nun hatte
ich nur noch am Bahnhof den schönen Strauß zu überwinden, den Dr. jur. Riechei, welcher den berühmten
Prozeß Pfister gegen Krickerode so glänzend ausfocht
und gewann, meiner Frau ins Coupé reichte, und dann –
war Pfisters Mühle nur noch in dem, was ich mit mir
führte auf diesem rasselnden, klirrenden, klappernden
Eilzuge, vorbei an dem Raum und an der Zeit.
Da brauchte ich dann wohl nicht mehr zu fragen: Wo
bleiben alle die Bilder? . . . Die von ihnen, welche bleiben, lassen sich am besten wohl betrachten im Halb-
traum vom Fenster eines an der bunten, wechselnden
Welt vorüberfliegenden Eisenbahnwagens.–
Wie unauslöschlich fest steht Pfisters Mühle gemalt in
meiner Seele!

Mir gegenüber hatte ich die geröteten Augen meiner alten Pflegemutter; meine junge Frau lehnte meistens ihr Häuptlein an meine Schulter. Von den wechselnden Wagengenossen und den kleinen Abenteuern der Reise ist mir diesmal nichts in der Erinnerung hängen geblieben: ich begrub den armen tragischen Poeten, Doktor Felix Lippoldes, noch einmal von Pfisters Mühle aus; ich trug meinen lieben Vater – den guten Vater Pfister – von seiner Mühle aus zu Grabe und hatte nicht zu suchen und zu fragen, wo die Bilder geblieben waren. Wie könnte ich zum Exempel den Ton vergessen, mit dem mein Vater, als wir die Leiche des Poeten dicht vor unserm Wehr fanden, sagte:

»Kinder, es stimmt ganz mit mir!«

Aber er sagte auch, und zwar mit einem ganz andern Ton und Ausdruck:

»Doch das arme Mädchen gehört mir auch an. Ihr zwei, du, Ebert, und du, Adam, vor allem, werdet euch am besten wohl aus dem Hause scheren und euch wo anders unterbringen, im Dorf, in der Stadt, und wenn ihr mir in den nächsten paar Tagen mit dem Schriftlichen zur Hand gegangen seid, auch wieder in euerm Berlin. Ich hab es Ihnen wohl vorausgesagt, Doktor Asche, daß es nichts mehr werden würde mit den Weihnachten in Pfisters Mühle.«

Nun war es rührend, auch von fern aus anzusehen und halb zu ahnen, wie zart der alte Mann, Müller und Schenkwirt mit der jungen Dame in seinem Haus und winterlichen Garten umging.

In dem Anbauerhause, in dem Albertine Lippoldes ihren Vater bei Tag und Nacht in Dürftigkeit und Scham mit ihren klugen, unruhigen Augen bewacht hatte, ohne ihn vor seinem endlichen Schicksal bewahren zu können, war nichts mehr, was ihr gehörte, wie sich sofort nach Verbreitung des Gerüchts vom Tode des berühmten Mannes durch Wort und Zeitung fand. Aber mein Vater sagte, auf mich zeigend:

»Das da ist mein Erbe; aber du, liebes Kind, bist mein letzter Gast. Hole eine Leiter und nimm das Schild von der Tür, Samse. Wir schließen mit heute die Wirtschaft; laß mir deine Hand, arm Mädchen, gute Tochter – Vater Pfisters letzter, liebster Gast in dieser lustigen Welt! . . .«

Auf dem Wege nach dem Dorfwirtshause, hinter dem Schubkarren her, der unser Reisegepäck trug, schnarrte Asche grimmig und mit dem Regenschirm an die niedere Mauer des Kirchhofes, an welchem wir eben vorbeischritten, klopfend:

»Eberhard Pfister, sie werden wieder mal keine Ahnung davon haben, welchen großen, wirklichen Dichter sie mit Rasen bedecken, wenn sie deinen Vater – den Vater Pfister hier neben dem Doktor Felix Lippoldes seinerzeit verscharren werden. Der Himmel wende es noch lange ab!«

Das hat nun der Himmel freilich nicht getan, aber er hat dem einst so fröhlichen und allezeit hülfreichen Herzen des letzten Wirtes von Pfisters Mühle Zeit gelassen, noch ein oder zwei gute Werke zu verrichten und ein heiter glänzend Licht vor die dunkle Pforte zu stellen, die sich hinter ihm so bald, leider so bald, für immerdar schließen sollte. –

»Es ist meiner Frauen Bette, das dir die Christine in der Kammer unterm Dach aufschlagen soll, Kind«, sagte der alte Meister. »Bleib bei mir, Herz; wenigstens, bis du wieder mehr Ruhe hast. Was willst du, obgleich du eine vornehme junge Dame und eine junge, schöne Gelehrte bist und alle Sprachen kannst, in der Fremde? Bleib bei mir, denn hier hast du mit keinem weiter zu schaffen als mit meiner seligen Frau und mir, der auch mit keinem mehr zu tun haben will. Die Christine da kannst du, wenn du sie erst besser kennengelernt haben wirst, auch zu uns zweien rechnen. Und sieh mal, wen findest du obendrein da draußen, der deinen Papa besser kannte und mehr ästimierte als der alte Pfister von Pfisters

Mühle? Wenn sie vor Jahren auf ihn sahen wie auf ein Wunder, wenn er uns mit seiner Gegenwart im Garten oder in der Gaststube beehrte: wer hat bei seinen hohen, fließenden Worten das Herz höher in seinem Hals gefühlt als wie ich? Da unter den kahlen Bäumen, wenn sie in Blüten, im Laube und im Mondlicht standen, und in der Winternacht, wenn er so gegen zwei Uhr morgens ging und noch keiner aus der Stadt seinetwegen die Beine unterm Tisch vorziehen konnte: wer hat da mehr als ich seinen Stolz an dem Herrn Doktor gehabt, als er selber noch seinen Stolz hatte? Wenn er so deklamierte, liebes Kind, seine Ehre und sein Ruhm ist da manch liebes Mal meine Ehre und Glorie gewesen, wenn ich hinter seinem Stuhl stand oder mit am Tische sitzen konnte. Nun hat er seinen Prozeß verloren, und mir hat Doktor Riechei den meinigen gewonnen, und es ist ganz ein und dasselbige; – weiß Gott! . . . Ich fühle mich, wie er da liegt, und du tätest ein Werk der Barmherzigkeit, wenn du bei mir bliebest. Ich weiß es ja wohl, du hast mich gar nicht nötig; – du kannst morgen schon als kluge, studierte junge Dame in die Welt gehen und findest dein Brot überall; aber – tue es deines Vaters guten Stunden in Pfisters Mühle zuliebe, bleibe hier fürs erste. Ich gebe dir mein Wort, es soll dir keiner – weder mein Junge noch – sonst wer in den Weg kommen, solange du selbst was dagegen hast. Also, bleibe bei uns für jetzt und mache mit mir den Beschluß von Pfisters Mühle, mein armes, liebes Mädchen.«

Fräulein Albertine hat da ihr schmerzendes Haupt an die Brust des alten Herrn gelegt und hat dem Vater Pfister sein Mitleid und seine Güte vergolten bis an den Tod – seinen Tod. Ja, bis zu Vater Pfisters ruhigem Abscheiden aus dieser ihm so sehr übelriechend und abschmeckend gewordenen Welt hat Albertine Lippoldes ihr Bestes getan, ihm seine letzten Tage leicht und freundlich zu machen, da sie dem eigenen Vater nicht mehr helfen konnte.

Der liegt auch in seiner Ruhe auf dem unbekannten Dorfkirchhofe unter einem grünen Hügel, auf welchem kein Epitaphium mit Namen, Jahreszahlen und sonstiger Steinmetzarbeit drückt, welchen also kein Literaturgeschichtenschreiber und Interviewer post mortem so leicht wohl finden wird.–

Mein Vater blieb fest bei seinem Wort. Er steckte, nachdem Samse sein Schild von unserer Tür herabgenommen hatte, nicht wieder einen grünen Busch über seinen Torweg. Nicht zu Ostern und auch nicht zu Pfingsten. Fräulein Albertine hatte den Mühlgarten den nächsten Sommer ganz für sich allein.

»Nur mit dir, Ebert, wenigstens während eines Teils, als du vor deinem Examen saßest, und ich hätte wohl Grund, heute noch ein wenig eifersüchtig zu sein«, sagt Emmy, fügt aber hinzu: »Nun, da ist es denn freilich ein Glück gewesen, daß Doktor Asche schon vorhanden war.« –

Doktor Adam Asche ließ sich den ganzen Sommer über nicht in Pfisters Mühle blicken. Er baute am Ufer der Spree weiter an seinem Vermögen und seiner sonstigen nähern und fernern Zukunft und ließ nur von Zeit zu Zeit in etwas unbestimmter Weise in seinen Briefen an mich »alle unter Vater Pfisters Dache freundlichst« grüßen.

Merkwürdigerweise schrieb er damals ziemlich häufig an mich, er, der sonst in dieser Hinsicht (außergeschäftlich) alles für seine Korrespondenten zu wünschen übrigließ. Ich aber häufte nun für seinerseits früher begangene Unterlassungssünden feurige Kohlen auf sein Haupt, antwortete rasch und ausführlich und unterhielt ihn stets aufs genaueste über *meine* Zustände, Hoffnungen und Befürchtungen.

Darüber wurde er dann von Brief zu Brief immer anzüglicher und gröber und schien es wirklich als ein Recht zu verlangen, daß ich ihn wenigstens dann und wann *zwischen den Zeilen* lesen lasse. Mein Vater, der »diesen

168

schnurrigen Patron und Freund Hechelmaier« fast
ebenso gern schreiben als reden hörte, ließ sich jeden
Brief vorlesen, und nicht immer nahm Fräulein Albertine
ihre Arbeit und verschwand unter dem Vorwand, daß sie
vom Hause oder aus dem Garten her gerufen werde.
Tat sie es, so stieß mich Vater Pfister jedesmal in die
Seite, rückte mir näher und meinte kopfschüttelnd, aber
doch lächelnd:
»Nun sieh mal. Soweit meine Menschenkenntnis hier
von unsrer Mühle und Pfisters Vergnügungsgarten aus
reicht (und es sind mancherlei Hochzeiten in unserer
Kundschaft hier unter diesen Bäumen und an diesen
Tischen zustande gebracht worden), meint er es doch
ungemein gut mit ihr – seelengut! Und ein so ganz übler
Bursche ist er ja auch nicht, wenngleich eine feine, junge
Dame wohl allerlei Kurioses an ihm auszusetzen haben
mag. Sieh mal, und es wäre doch sehr hübsch und eine
wahre Beruhigung für mich, wenn ihr alle dermaleinst,
so gut es gehen will, noch zusammen- und aneinander-
hieltet, wenn mit dem alten Pfister auch seine Mühle
nicht mehr auf Gottes verunreinigtem Erdboden und an
seinen verschlammten Wasserläufen gefunden wird. Was
der Mann da zum Beispiel von seinem stinkigen Berufe
und Geschäfte schreibt, braucht dich gar nicht zu hindern, dein Kapital mal mit hineinzustecken. Wie lieb
wäre es mir aber dazu, wenn dann das liebe Kind da
einen Strauß und Duft von meinen Wiesen euch mit
darzu täte! Du holst dir dann deine Frau mit ihrem
Strauß und Blumengeruch von einem andern Garten
weg; die Christine und den Samse verlaßt ihr mir auch
nicht, und so ist, wenn ich nicht mehr bin, der Schaden
vielleicht für Kinder und Kindeskinder nicht ganz so
groß, wie ich ihn mir dachte, als sie mir Krickerode auf
die Nase bauten und mir meine Lust an meinem Rade,
meinem Bach, mein Leben und Wohlsein auf deiner
Väter Erbe verekelten.« –
Und die Räder unter uns rasselten, klirrten und klapper-

ten, und es war ein Rauschen dazu, daß ich, wenn ich auch die Augen schloß wie mein Weib neben mir oder die alte Christine mir gegenüber, wohl meinen mochte, die Jahre seien nicht hingegangen, ich sei noch ein Kind in meines Vaters Mühlstube und höre das Getriebe um mich und das Wehr draußen. Ich hielt sie aber mit Gewalt offen, die Augen; ich hatte zu wenig Zeit mehr, mich dem Traum hinzugeben und mit dem Vergangenen zu spielen – die Tage in Pfisters Mühle waren vorüber, und Arbeit und Sorge der Gegenwart traten in ihr volles, hartes Recht.

Wir waren auch in Berlin viel eher, als wir es dachten. Und obgleich es heute nicht mehr die Kirchtürme der Städte sind, sondern die Fabrikschornsteine, die zuerst am Horizont auftauchen, so hindert das einen auch heute noch nicht, gesund, gesegnet und – soviel es dem Menschen auf dieser Erde möglich ist – zufrieden mit seinem Schicksale, ergeben in den Willen der Götter *nach Hause zu kommen.*

»Gott sei Dank!« seufzte Frau Emmy Pfister, sich aufrichtend und die Äuglein reibend. Gluhäugig, dann – fröhlich und glücklich blickte das Kind umher und dann mir mit einiger dunkel aufsteigenden Befangenheit und Ängstlichkeit ins Gesicht. Wie konnte ich da anders, als meinerseits so vergnügt und behaglich als möglich auszusehen?

Dichter drängte sich mein junges Weib unter dem schrillen Gepfeife der Lokomotive an mich heran und kümmerte sich gar nicht um die Leute und flüsterte:

»O Herz, liebster, bester Mann, ich kann ja nichts dafür; aber ich freue mich so sehr, so unendlich auf unsere eigenen vier Wände und deine Stube und meinen Platz am Fenster neben deinem Tische! Bist wohl manchmal recht böse auf mich gewesen, aber ich konnte ja wirklich nichts dafür und habe mir gewiß selber Vorwürfe genug gemacht, wenn ich in den letzten Wochen nicht alles gleich so mitsehen und mitwissen und mitfühlen konnte wie du. Es war ja wirklich so wunderschön und das Wetter auch und die guten Stunden unter den Hecken und auf deinen Wiesen, aber – o bitte, bitte, nicht böse sein! – auch manchmal so bänglich für dein arm, närrisches Mädchen, deine dumme, kleine Frau in deiner verzauberten Mühle, die dir gar nicht mehr gehörte, und bloß mit unsern mitgebrachten Koffern und Petroleumkocher, den wir freilich nicht gebrauchten, und den geliehenen Stühlen und Tischen und Betten aus dem Dorfe, die wir so sehr nötig hatten! Und wie wird sich mein Papa freuen, daß er mich wieder in der Nähe hat bei seinem fatalen Kirchhof, wenn er es uns auch nur auf seine Art merken läßt und ein paar schlechte Witze macht. Sieh nur gleich scharf, daß sie dir nicht die letzte Droschke wegschnappen, und ich will es dir auch so behaglich bei dir und mir machen, daß du doch denken sollst, das Beste habest du doch mitgebracht nach Berlin von Pfisters Mühle. Und wenn dein armer, lieber Papa es sehen könnte, würde er sich auch freuen, und deine gute, alte Seele, deine Christine, haben wir ja auch zu uns geholt aus deiner Verwüstung, und sie wird mir helfen in meinem jungen Hausstande – nicht wahr, Christine?!«

»Helfe mir Gott – so gut ich kann!« schluchzte meine greise Pflegerin, betäubt, willenlos in das Gewühl der Großstadt starrend.

Und mein Weib, meine Frau! War sie nicht in ihrem Rechte, wie ich vordem in Wirklichkeit in Pfisters Mühle und während der letzten vier Wochen im Traum?

Sie war während meines Sommerferientraumes nicht in ihrem Elemente gewesen, und nun fand sie sich wieder darin, und ich – wußte gottlob, weshalb ich sie auf ihres sonderlichen Papas düsterm Spazierplatz gesucht und für mich hingenommen und festgehalten hatte. Sie war wieder bei sich zu Hause und in meinem Hause (wenn es auch nur eine moderne, unstete Mietswohnung war) ganz meine Frau, mein Weib, mein Glück und Behagen. Was ging sie eigentlich mit vollkommen zureichendem

Grunde Pfisters Mühle oder gar der große, unbekannte dramatische Dichter Doktor Felix Lippoldes an, da *wir uns* hatten und »die gute Albertine ja gottlob auch ihren Adam und ihre neue, feste Heimat!« –?

Zweiundzwanzigstes Blatt

Von Vater Pfisters Testament, der Mühlen Ausgang und Fortbestehen, und wozu doch am Ende das Griechische nützt.

Und da sitze ich wieder an meinem feststehenden, soliden Arbeitstisch, den ersten Packen korrigierter blauer Schulhefte auf dem Stuhl neben mir. Nun könnte ich mich selber literarisch zusammennehmen, auf meinen eigenen Stil achten, meine Frau und alle übrigen mit ihren Bemerkungen aus dem Spiel lassen und wenigstens zum Schluß mich recht brav exerzitienhaft mit der Feder aufführen. Wenn ich wollte, könnte ich jetzt auch noch das ganze Ding über den Haufen werfen und den Versuch wagen, aus diesen losen Pfisters-Mühlen-Blättern für das nächste Jahrhundert ein wirkliches druck- und kritikgerechtes Schreibekunststück meinen Enkeln im Hausarchive zu hinterlassen.

Und es fällt mir nicht ein – es fällt mir im Traume nicht ein! Ich werde auch jetzt nur Bilder, die einst Leben, Licht, Form und Farbe hatten, mir im Nachträumen solange als möglich festhalten!

So schreibe ich weiter, während ich Emmy nebenan fröhlich lachen und meine alte Wärterin und Pflegemutter »einen wahren Trost im Dasein« betitulieren höre.

Das alte, tapfere Mädchen, die Christine! Sie hat gottlob ihre Beschäftigungen gefunden, die auch in Berlin sie nicht leicht zu Atem und vielem Nachdenken über das Vergangene kommen lassen! Wir haben alle unsere

Beschäftigung: Emmy in ihrem Haushalt und, merkwürdigerweise, in merkwürdig viel Nachdenken über die nächste Zukunft, ich in ebendem und meiner Quinta und Doktor A. A. Asche auf Lippoldesheim oder, wie er sonst sein großes »Etablissement« zu benamsen beliebt: Rhakopyrgos, arx panniculorum – Lumpenburg. Frau Albertine Asche, geborene Lippoldes, hat auch ihre Beschäftigung vom Morgen bis zum Abend in Lippoldesheim. –

»Lippoldesheim!« brummt der berühmte chemische Universalfleckenreiniger, Schön- und Neufärber. »Klingt es dir nicht auch etwas affektiert, Pfister, wenn man das deutsche Drama im allgemeinen und den wackern, armen, guten Teufel, meinen seligen Schwiegervater, im besondern dranhält? Ja, aber wie kommen Namen in die Welt!«

»Jawohl, wie kommen Namen in die Welt? Das ist eben eine solche Frage wie die: Wo bleiben alle die Bilder, Freund Adam!«

Da ist er selber, Doktor Adam Asche aus Lippoldesheim und von Rhakopyrgos. Er hat Geschäfte in der Stadt gehabt, sogar Börsengeschäfte, und ladet sich bei uns ein auf kleinbürgerlich Tagesglück und setzt Emmy und Christine glücklicherweise durchaus nicht dadurch in Verwirrung. Uns ladet er ein, am Nachmittag mit ihm hinauszufahren und den Abend und den morgenden Sonntag in der »schönen Natur« zu verbringen. Er hat die Stirn, die Umgebung seiner großindustriellen Fabrik eine »schöne Natur« zu nennen, und wir freuen uns wirklich sehr auf dieselbe und sind bereit zu der Fahrt, auch Jungfer Christine, auf die Samse sich unmenschlich freut.

Übrigens fängt mein Exmentor merkwürdig rasch an, beleibt zu werden, und das steht ihm gar nicht übel. Seine Nachmittagsruhe hält er seit lange nicht mehr unter jedem beliebigen Busch im Felde. Diesmal liegt er auf meinem Sofa nach Tisch; aber er hält die Arme noch

173

nach alter Weise dabei unterm Hinterkopf und behält die Zigarre auch im tiefsten, süßesten Schlummer zwischen den Zähnen – einem bemerkenswert intakten Gebiß.

Die Stunden des Sonnabendnachmittags gehören mir mehr als alle übrigen der Woche; nun schreibe ich in ihnen, während das Leben weiter wühlt, von *Vater Pfisters letzten Tagen.* –

Krickerode war rechtskräftig verurteilt worden. Das Erkenntnis untersagt der großen Provinzfabrik bei hundert Mark Strafe für jeden Kalendertag, das Mühlwasser von Pfisters Mühle durch ihre Abwässer zu verunreinigen und dadurch einen das Maß des Erträglichen übersteigenden üblen Geruch in der Turbinenstube und den sonstigen Hausräumen zu erzeugen, sowie das Mühlenwerk mit einer den Betrieb hindernden, schleimigen, schlingpflanzenartigen Masse in gewissen Monaten des Jahres zu überziehen.

Das ist sehr gut für andere Flußanwohner, ob sie eine Mühle haben oder nicht; aber Vater Pfister macht wenig Gebrauch mehr von dem durch Doktor Riechei für ihn erfochtenen Sieg. Das hätte früher kommen müssen – an jenem Tage schon, an welchem er sich zum erstenmal fragte, wo eigentlich sein klarer Bach – der lustige, rauschende, fröhliche Nahrungsquell seiner Väter seit Jahrhunderten – geblieben sei und wer ihm so die Fische töte und die Gäste verjage. Zu lange hat zuerst der alte Mann das widerwärtige Rätsel selber sich lösen wollen. Zu sehr hat er sich ärgern müssen innerhalb und außerhalb seines sonst so lustigen Besitzes auf dieser Erde. Der Ärger über seine Nachbarschaft, seine Knappschaft und seine Gäste hat ihm das Herz abgefressen, und so mußte es ihm sogar zu einem Troste werden, daß »sein Junge doch nicht die alte Ehre, den alten Ruhm von seiner Vorfahren wackerm Erbteil aufrecht und im Getriebe halten könne, sondern, Gott sei Dank, einen Abweg ins Gelehrte durch die Welt eingeschlagen habe«.

Und noch ein schönerer Trost ist ihm gegeben worden, daß die Sonne im Scheiden, wenn nicht so vergnüglich wie sonst, doch ebenso schön, ja noch schöner als sonst über Pfisters Mühle leuchte: des armen, untergegangenen Poeten Kind, Albertine Lippoldes!

Es war im Herbst des Jahres, das der schlimmen Weihnacht folgte, nach welcher das heimatlose Mädchen als letzter, liebster Gast unter meines Vaters freundliches Dach eingeladen und in Zartheit und Sicherheit gebettet wurde. Ich hatte eben die Bekanntschaft meines jetzigen Schwiegervaters gemacht, und zwar infolge eines andern Miteinanderbekanntwerdens, über das sich Emmy heute noch nicht wenig verwundert stellt, wenn die Rede auf jene Zeiten kommt.

»Und wir dachten doch damals noch gar nicht aneinander«, pflegt mein Liebchen zu sagen; aber – dem sei nun, wie ihm wolle – ich ging eben schon in jenem Herbst zuerst mit Rechnungsrat Schulze auf seinem sonderbaren Spazierplatze lustwandeln, dachte aber freilich dabei an ihn selber nur so viel, als unumgänglich nötig war, was der Unterhaltung jedoch nicht den geringsten Abbruch tat, sondern mich sogar bewog, so gesprächig als möglich zu sein und stets der Meinung des grauen, skurrilen Humoristen bei jedem Thema, welches er neben seinem Taxus und seinen Trauerweiden knarrend aufs Tapet brachte.

Es war zu Anfang Oktobers, und warme, sonnige Tage waren, wie die Götter sie nicht immer um diese Jahreszeit über Norddeutschland hinzubreiten belieben. Die Bäume schienen in diesem Jahre länger als sonst ihre Blätter, die Blumen, sowohl in den Gärten wie auf Vater Schulzes Friedhofe, länger ihre Blüten festzuhalten. Die Zeitungen brachten unter ihrem Vermischten in dieser Hinsicht merkwürdige Einzelheiten, und Fräulein Emmy Schulze sagte zu mir:

»Nein, Herr Doktor, Papa hat ganz recht, es ist eigentlich zu angenehm so! Und, Papa, rede nur nicht, das weiß ja jeder schon selber, daß es so hübsch nicht bleiben wird.«

Auf Vater Schulzes Kirchhofe hatte mich der Briefträger aus einem der Treppenfenster der umliegenden Häuser erspäht und kam, um mir den letzten Brief meines Vaters aus Pfisters Mühle über das Gitter zu reichen. Einen Brief in sehr veränderter Handschrift, doch im vollkommen unveränderten Stil des alten Herrn:

»Mein Junge, tust mir 'nen Gefallen, wenn Du für acht Tage Urlaub nimmst. In Familienangelegenheiten, kannst Du vorschieben. Und bring Doktern Asche möglichst mit. Hätte mit ihm auch einiges zu besprechen. Neuigkeiten nicht zu vermelden als eine Kuriosität, die ich aber auch schon öfters erlebt habe. Eine der Kastanien am Wasser, dritter Tisch in der Reihe rechts, blüht zum andernmal.

Wir grüßen Dich alle. Fräulein Albertine auch. Und sind recht gesund. Aber komm doch lieber auf ein paar Tage.

Dein Vater.«

Doktor Adam Asche hatte wie immer »alle Hände voll« in seinem merkwürdigen, aber gewinnbringenden Geschäft; als ich ihm jedoch diesen Brief aus der Heimat zu lesen gab, wunderte mich die Hast, mit der er ihn nahm, die Langsamkeit, mit der er ihn zurückreichte, und der Eifer, mit welchem er seine Bereitwilligkeit, mich zu begleiten, kundgab.

Er fragte durchaus nicht: Was kann der Alte mir zu sagen haben? Er nahm mich an der Schulter, schob mich aus seinem modernen Alchemistengewölbe und rief:

»Packen! Sofort packen! Du tust sofort die nötigen Schritte bei Abt und Prior; ich mit meinem Reisesack bin unter allen Umständen morgen abend auf dem Bahnhof und fahre ab. Wir benutzen den Nachtzug und sind bei guter Zeit in der Mühle. Jetzt halte mich und dich nicht länger auf, Mann! Packe dich und packe so rasch als möglich!« –

Wir kamen diesmal bei hellem, klarem Himmel zu Hause an. Der leichte Dunst auf der sonnigen Ferne deutete tausendmal eher auf einen neuen Frühling als auf den nahen Winter hin. Aber man hatte uns Samse mit dem Mühlenfuhrwerk nach dem Bahnhof geschickt, und obgleich der getreue Knecht niemals ein allzu fröhlich Gesicht machte, erschrak ich doch heftig, als ich ihm jetzt in es hineinsah.

»Wie steht es daheim, alter Freund?«

»Schlimm«, antwortete Samse kurzab. »Hat er denn gar nichts davon geschrieben?«

»Daß er mich und den Doktor Adam sprechen will, daß ihr alle gesund seid und daß die Kastanien in unserm Garten zum zweiten Male blühen.«

»Du lieber Himmel!« seufzte Samse. »Da bleibt uns denn wohl nichts anders übrig, als daß wir machen, daß wir möglichst bald nach Hause kommen, um ihn leider Gottes in der Hauptsache Lügen zu strafen. Vor der Apotheke muß ich doch noch mal anhalten.«

Wir warfen in aller Hast unser weniges Gepäck in den wohlbekannten Korbwagen und fuhren im Trabe rasselnd durch die wohlbekannten, auch schon in der Morgensonne lebendigen Gassen der Stadt. Vor der Apotheke ließ mir Samse die Zügel, kam mit einer giftig aussehenden Arzneiflasche aus dem Hause wieder zum Vorschein und brummte seufzend:

»Wenn *das* was helfen könnte! Ja, wenn sie es ihm vor Jahren in seinen Bach bei Krickerode hätten schütten und sein Leben und Gemüte dadurch reinlich hätten halten können! Der Doktor weiß es auch selber gut genug, daß es nur eine Komödie damit ist, und der Meister selber weiß es erst recht. Ihr Herren, fragt mich nur nicht weiter; ihr werdet ja bald selber sehen, wie es mit uns steht, trotzdem daß die Bäume in unserm Garten zum zweiten Male blühen.«

Wir kamen an in Pfisters Mühle, und wir sahen selber.
Das heißt, wir fanden den lieben alten Vater zum Sterben
krank in seinem Lehnstuhl, in heftigen Atembeschwer-
den nach Luft ringend, und doch bei unserer Ankunft
aus der Welt des Lärms, der pädagogischen Experimente,
des Lumpenreinigens und des Gelderwerbens gottlob
wieder mit dem alten, guten Lächeln um die trostlos
blauen Lippen. Wir fanden ihn reinlichst in seinem hellen
Müllerhabit in seiner Urväter altem gepolstertem Eichen-
stuhl und zu seinen Füßen auf meiner Mutter Schemel-
chen Albertine Lippoldes mit einem Buche auf den
Knieen.
Sie hatte ihm daraus vorgelesen – aus einem von ihres
Vaters Geschichtsdramen nämlich, denn – »er tat in
seiner letzten Zeit nichts Lieberes als das anzuhören«,
meinte Christine später. »Unsereinem hielt es den Atem
an, wenn man auch nur das wenigste davon verstand;
aber er atmete besser dabei, und es war ihm eine Beruhigung, daß es selten einem Kaiser und König und grausamen griechischen und römischen Soldaten und allen vor-
nehmsten Damen gegen Ende ihrer Komödien besser
ergehe als dem Müller von Pfisters Mühle.« –
Als bei unserm Eintritt das Fräulein erschreckt und
errötend sich erheben wollte, legte ihr Vater Pfister die
Hand auf die Schulter und drückte sie sanft wieder
nieder. Die andre Hand streckte er uns entgegen:
»Guck mal, so schnell seid ihr da? Das ist schön! Und du
auch, Doktor Adam – trotzdem daß man keine Zeitung
umwenden kann, ohne dich hinten drin zu finden unter
Pauken und Posaunen mit deinem Mordgeschäft von
Allerweltswäsche. Das ist brav! Und du, Junge, Ebert-
chen, nun zieh mir nur keine Gesichter; ich bin ganz
zufrieden mit mir und ebenso mit unserm klugen Herrgott, wenn der mal wieder das Beste wissen sollte und
den alten Pfister, Jacke wie Hose, in seine wirkliche,
gründliche große Wäsche nähme. Ein gar lustiges Trok-
kenwetter schickt er ja dazu schon im vorauf – die beste

Luft, die er hat, für 'nen Patienten wie ich. Offene Fenster den ganzen Tag und zu Mittag im Rollstuhl unterm blühenden Baum im Oktober! Was will da unsereiner mehr? . . . Nun legt ab und macht's euch behaglich und spielt nicht die Narren, wenn's euch auch einleuchtete, daß ihr zum letzten Kommers in Pfisters Mühle verschrieben seid, Kommilitonen! Helft mir Kontenance behalten und tragt's euerm alten Schoppenwirt nicht nach, wenn er die letzten Jahre durch zu muffig den Philister herausgekehrt hat. Willkommen denn zum letztenmal im Bund – und sieh, Ebert, das liebe Fräulein und mein liebes Kind hier hat mich noch in die Schule genommen; und dich, Adam, habe ich diesmal nicht berufen, mir meinen Mühlbach auf Krickerode zu untersuchen, sondern dich mit allen deinen Wissenschaften und Chemikalien und richtigen Begriffen von unserm Verkehr auf der Erde auch noch mal in die Schule zu geben.«

»O, wie gern kniee ich mit umgehängtem Esel auf Erbsen, Vater Pfister!« rief Adam Asche mit sehr unsicherer Stimme, und das liebe Fräulein fuhr nun doch auf und trat hinter den Stuhl des kranken Greises, wie um ihn als eine Schutzwehr oder als ein Katheder zu benutzen: ein Lachen, das ganz Pfisters Mühle in ihren besten Tagen war, verklärte das fieberheiße Gesicht des guten, schlauen letzten Wirtes von Pfisters Vergnügungsgarten. –

Zu Mittage am andern Tage, als dann wiederum diese Herbstsonne wie im vollen Sommer den leeren Garten anlachte, saßen wir am dritten Tisch in der Reihe rechts unter dem noch einmal so kurz vor dem ersten Schneefall blütentragenden Kastanienbaum, alle, die wir nach gestelltem Rade und abgenommenem Schenkenzeichen noch dazu gehörten: unser lieber Meister und Vater Bertram Pfister, Fräulein Albertine Lippoldes, Doktor A. A. Asche, Jungfer Christine Voigt, Samse und ich, Doktor Eberhard Pfister; und der Vater Pfister hielt in Atemnot und bei von den Füßen aufwärts steigender

179

Wassersucht seine letzte Tischrede in seinem Garten. Sie floß ihm leider damals nicht so leicht hin, wie mir jetzt hier aus meiner Feder.

»Kinder«, sagte er, »'s ist meine Devise gewesen: Vergnügte Gesichter! Und wenn ich meine letzte Zeit durch selber keins gemacht, sondern konträr mich als ein richtiger Narr und Brummkopf aufgeführt habe, so denkt nicht daran, sondern denkt an den alten, richtigen, fidelen Vater Pfister von Pfisters richtiger Mühle, wenn ich euch später mal bei einem Liede oder bei Tische oder in einer andern Wirtschaft, oder wenn ihr mal still bei euern lieben Frauen und Kindern sitzet, durch den Sinn gehe. Es ist manch ein Lied hier gesungen und manch eine Rede gehalten, lustig und ernsthaft; manch eine Bowle habe ich hier auf den Tisch gestellt, und manch einer ist auch mal drunter gefallen und gelegen gewesen, und die andern haben weitergesungen und Sonne und Mond ihren Weg unbesehen gehen lassen. Nun, Ebert, mein armer Junge, und ihr andern, liebste Freunde, macht euch gar nichts draus, wenn auch ich jetzo das letzte Beispiel nachahme und unter meinen eigenen Gasttisch rutsche! . . . Rede mir keiner drein; wie es gekommen ist, weiß ich in meiner jetzigen Verfassung selber nicht ganz genau anzugeben; aber 'n bißchen zuviel habe ich, und es ist ein Glück, daß ich nicht weit nach Hause habe. Der Nachwächter, der mich unterm Arm fassen soll, steht, vom Herrgott abgeschickt, mir hinterm Stuhl und hat schon mehrmals gesagt: ›Na, wenn's nun beliebt, Herr Pfister!‹ – Laß das Tuch von den Augen, Herzmädchen, dich meine ich eben nicht mit dem Wächter, mein liebes Leben! Denkt an meine Devise, ihr andern! Ja, es beliebt mir durch alle Knochen und durch die ganze Seele. Und weil ich's weiß, daß es mit mir zu Ende geht, so wird es euch ein Trost sein, zu wissen, daß es mir eine Beruhigung ist, daß kein Fremder da unter dem Dach und hier unter den Bäumen sich auf meinen Ruf und Namen setzt, sondern daß mit dem alten Pfister es auch mit der Pfister uralter Mühle aus ist. – Nun höret mein Testament. Ihr werdet's zwar auch aufgeschrieben im Pult finden, und ich hätte auch wohl den Doktor Riechei dazu berufen können, um es euch vor meinem Bett vorzulesen; aber pläsierlicher ist mir pläsierlicher, und der Baum hier über uns soll nicht vergebens zum zweitenmal seine Maienkerzen aufgesteckt haben. Es soll sein, als ob durch ihn mein Garten mir das letzte vergnügte Gesicht zu meinem letzten Willen mache! Denn sintemalen ich stets ein Mann der Ordnung gewesen bin, trotzdem daß die Welt und die Herren Studiosen mich nur als den rechten Wirt zu Pfisters Mühle ästimieret haben, so wird ja auch wohl jetzt alles nach seiner Ordnung zugehen.

> ›Wer selig will sterben,
> Soll lassen vererben
> Sein Allodegut
> Ans nächstgesippt Blut —‹

das ist ein Reim, den die juristischen Herren Studenten mir oftmals auch an diesem Tische zitieret haben, wenn unter ihnen die Rede kam auf ihrer Herren Väter Güter und so ein kleines Konto bei mir. Und so komm her, mein eigen nächstgesippt Blut, mein lieber Sohn und Philosophiedoktor Ebert Pfister, und tritt mit Verstand und Gleichmut, mit einem vergnügten Herzen, wenn auch im Moment nicht fidelen Gesichte, die Erbschaft an von Pfisters Mühle mit allem, was dazu gehört und was zu deinem Vater in Treue gehalten hat in guten und bösen Tagen, durch Sauer und Süß, durch Sommer und Winter, durch Wohlduft und Gestänke. Darauf gib deine Hand nicht mir, sondern der Christine da und dem Samse; oder, noch besser, leg jedem, wie sie da bei dir sitzen, den Arm mal um die Schulter und denke: Ich weiß, wie es der alte Mann meint!
Wollen sie am Orte, im Dorfe bleiben, was ich aber nicht vermute, so kriegt die Jungfer Christine Voigt eine volle

Altjungferaussteuer an Bett, Geschirr und Geräte nach Wahl aus ihrer Frauen, deiner seligen Mutter, Nachlaß, Samse Wagen und Pferd und item sein Bett und Notwendiges an Tisch und Gestühl und ein jegliches die Zinsen von einem Kapital, so dreihundert Mark abwirft, so lange sie leben. Das Nähere im Pulte schriftlich – deine sonstigen Verpflichtungen gegen meine zwei allergetreuesten Helfershelfer im Erdenvergnügen ungeschrieben auf deine Seele, Eberhard! Denn wie gesagt, ich glaube nicht daran, daß sie sich hier am Orte halten werden, da es aus und zu Ende sein muß mit meinem, deinem und ihrem Haus, Hof und Garten. Ich täte es auch nicht und lebte unter diesen Umständen fort im Dorfe. Und nun – den schwersten Sack in den Trichter! Nämlich, da mein eingeborner Junge, Namens- und Erbeserbe gänzlich aus meiner und seiner Väter Art schlug und kein Müller wurde, wofür ich jetzt nur dem Himmel danke, so wünsche ich, daß Herr Doktor Adam Asche, meines alten verstorbenen Freundes Schönfärber Asches aus und wieder in die Art geschlagener Sohn und meines Jungen erster Lehrmeister in der Welt, sich auch hier möglichst der Sache annimmt und Pfisters Mühle mit allen Rechten, Werk und Zeug zu einem für alle Parteien gedeihlichen Abschluß verhilft. Denn wenn auch Doktor Riechei den Prozeß gegen Krickerode recht glorreich gewonnen hat, so fällt mir doch grade jetzt des alten seligen Rektor Pottgießers öfteres Wort hier am Mittwochsnachmittagskaffeetisch ein, wenn einer zu einer Ehre gewünscht wurde, der nicht da war. ›Ist kein Dalberg da?‹ fragte er dann jedesmal im Kreise herum unter den Herren Oberlehrern und Kollaboratoren und ihren lieben Damen. Es tat dann nie einer den Mund auf und rief ›Hier!‹ und so auch in meinem Fall. Was helfen mir alle ersiegten Gerechtigkeiten, wenn kein Dalberg und kein Pfister vorhanden ist, sie auszunutzen. So meine ich, Samse und Christine halten sich hier auf dem Altenteil und Adam Asche liegt auf der Lauer und wartet ab, bis ihm die neue Welt und Zeit das Rechte honorig bietet für die Stelle und den Wasserlauf; dann schlägt er ein, und wenn der Doktor Eberhard sein Kapital in seines Freundes neuem Geschäft anlegt, ist's mir auch recht. Für seine Mühe aber vermache ich dem Adam Asche meine Mülleraxt, die er sich über meinem Bette herunterholen soll, wenn sie mich herausgehoben haben, und wobei er manchmal in seinem besagten neuen Geschäft gedenken mag, wie viele Pfister die seit vielen Jahrhunderten mit Ehren in der Faust hielten.«

»Hier, Vater Pfister!« rief mein Freund mit bebender Stimme, dabei mit merkwürdig unsicherer Hand die Hand des Greises fassend, und nun doch, als habe aus der neuen Zeit heraus jemand in eine versinkende hinein auf den fragenden Ruf: »Ist kein Dalberg da?« geantwortet.

»Gedacht hätte ich es wahrhaftig nicht, wenn ich dich in meinen Bäumen über dem Gelage hängen oder auf meiner Wiese im Heu liegen sah, und noch weniger, als ich dich mir mit deiner Wissenschaft zur Hülfe rief gegen Krickerode«, sagte mein Vater kopfschüttelnd, lächelnd.

Die Augen feucht, voll Tränen, doch auch voll wundervoll anmutigen Glänzens, legte Albertine Lippoldes das Kissen hinter dem alten, müden Haupte zurecht, und der alte Mann sah zu ihr auf und streichelte ihr leise den hülfreichen Arm und sagte:

»Ja, Kind, ich habe nicht ganz ohne Nutzen an diesen Tischen hinter meinen Gästen im Dasein gestanden. Zu meinem Vergnügen an der verschiedenen Unterhaltung ist es mir auch ein Vergnügen gewesen, zu lernen und zuzulernen. Und so ist es mir jetzt der beste Trost, daß ich genau weiß, weshalb wir nicht mehr recht aufkommen gegen Krickerode, trotz aller gewonnenen Prozesse. Aus jedweder Unterhaltung im Gastzimmer und hier unter den Kastanien zwischen alt und jung, Gelehrten und Ungelehrten, Bürger, Professor, Bauer und Bettelmann, Weib und Mann, wie das der Herrgott bis zu den Kindern mit dem Kreisel oder im Kinderwagen herunter durcheinander gehen ließ in Pfisters Mühle, habe ich allgemächlich abgemerkt, weshalb wir nicht mehr bestehen vor Krickerode. Und, Fräulein Albertine, meines seligen Freundes Schönfärber Asches Junge hat mir das letzte Verständnis dafür eröffnet. Denn das ist derjenige, von dem ich mir am festesten gedacht habe, daß er eher sein Herzblut hergeben werde, als die Wirtsstube und den Garten, die Wiesen, den Fluß und die Sonne von Pfisters Mühle! Denn ich habe ihn ja aufwachsen und hinbummeln sehen und auf meinem Konto gehabt von Kindsbeinen an, und es ist keiner gewesen, auch dein armer seliger Papa nicht, Kind, der mit solchem Sinn fürs Ideale seine Beine unter meine Tische oder sich ganz der Länge nach auf die Bänke oder in die Gräserei gestreckt hat wie meines alten Kumpans Schönfärber Aschen nachgelassener Phantastikus, Adam Asche! Da *der* Partei genommen hat für die neue Welt und Mode und hergekommen ist und den Kopf nicht nur in die Wissenschaft, sondern auch in die doppelte Buchhaltung, das Fabrikwesen gesteckt und Krickerode nicht bloß für mich ausgespüret, sondern es in anderer Art für sich selber an euerm Berliner Mühlenbach aufgepflanzet hat, so gebe ich klein bei und sage: dann wird es wohl der liebe Gott für die nächsten Jahre und Zeiten so fürs beste halten. Fräulein Albertine, wer dieses strubbelköpfige Geschöpfe in seinem seligen Schlummer am Feldwege unterm Hagedorn bekopfschüttelt und es nachher an der chemischen Wäsche gesehen hat und es heute in seinem Wesen und Treiben, Spaß und Ernst sieht, der muß sich bekennen, der richtige Mensch hat am Ende auch nicht die reine Luft, die grünen Bäume, die Blütenbüsche und das edle, klare Wasser von Quell, Bach und Fluß nötig, um ein rechter Mann zu sein.

Hast es dem Vater Pfister kurios beigebracht, Freund Adam, wie dem Menschen auf dieser Erde alles Wasser auf seine Mühle werden kann; und auf daß du siehst, daß er's dir nicht übelgenommen, wenn du auch mal in betreff von des alten, närrischen Kerls Idealem zu sehr pläsierlich den Gleichmut herauskehrtest, so will er dir jetzt zu deinem Ideal, höchstem Sehnen und schönstem Wunsch, in deinem Schornsteindampf und Waschkessel-qualm verhelfen – im heiligen Ernst! Nämlich es ist wohl von vorigen Weihnachten bis jetzt in diesen Oktober zwischen mir und meinem lieben Kinde hier so von Zeit zu Zeit die Rede auf dich gekommen, Doktor, und da habe ich denn, wie gesagt, manchmal behauptet, grade Leute von deinem Schlage würden wohl noch am ersten die Traditionen von Pfisters Mühle auch unter den höchsten Fabrikschornsteinen und an den verschlammtesten Wasserläufen aufrechterhalten; und, Doktor Asche, Fräulein Albertine hat wirklich meiner Meinung beige-pflichtet, und – na, was ist mir denn dieses? Paß auf das Geschirr, Samse; da fängt's an, heiß herzugehen unter den Kastanien – dritter Tisch, Reihe rechts! . . .«

Wenn je ein Mensch zu Stein auf einem Stuhle geworden war, so war das mein guter Freund Doktor A. A. Asche. Aber nur einen Augenblick starrte er regungslos von dem alten Vater Pfister auf das junge Fräulein; und wenn je ein Mann ein hübsches, tapferes, kluges Mädchen fest in die Arme gefaßt hatte, so war das mein närrischer Freund Adam ebenfalls.

»Ja, es war so auch meine Meinung«, flüsterte das Kind des verlorengegangenen Poeten schluchzend. »Du bist sehr gut gegen mich und meinen Vater gewesen; ich aber habe zuerst dich nicht recht gekannt und nachher nicht mehr gewußt, wie ich dir danken sollte.«

Die Stimme, mit der Adam Asche jetzt nichts weiter als: »Vater Pfister!« rief, klang nicht im Alltagston des Grün-ders von Rhakopyrgos, und Vater Pfister sagte trübe lächelnd:

»Das ist nicht die erste Hochzeit, die in Pfisters Mühle verabredet worden ist; aber es wird wohl die letzte gewesen sein. Halte dein Weib in Liebe und meine Axt in Ehren, Adam. Räum den Tisch ab, Samse, zieh mir die Decke um den Leib, Christine; und du, mein lieber Junge, schieb den letzten hiesigen Müller und Wirt aus seinem Garten, roll ihn ins Haus. Du hattest gottlob deiner Väter Ehrenstab und Waffe nicht vonnöten bei deinem Kopf- und Handwerk. Halte du in deiner Schule nur einfach diejenigen beim Rechten, zu denen von ihren Vätern her der Ruf von Pfisters Mühle im Liede kommen sollte!« . . .

Sieben Tage später ist er nach schwerem Leiden in unser aller Gegenwart sanft und friedlich eingeschlafen, mein lieber Vater, der gute, fröhliche Vater Pfister. Nachher haben Adam und Albertine geheiratet, und Vater Schulze hat seine Einwilligung zu meiner Verlobung mit Emmy, wie ich vermute, mit Vergnügen, selbstverständlich jedoch nicht ohne absonderlichstes Gesperr, Gezerr und Gespreize erteilt.

Wo bleiben alle die Bilder? – – –

Freund Asche hat wieder einmal seinen Nachmittagsschlaf auf meinem Sofa beendet; wir sind mit ihm nach Lippoldesheim hinausgefahren und sind am Sonntag abend wieder nach Hause gekommen. Wo bleiben alle die Bilder? Hier halte ich das letzte des bunten Buches fest; für das Schicksal des Blattes Papier, auf welches es gemalt wird, übernehme ich auch diesmal keine Verantwortung. – –

Die zwei Frauen sitzen in der Veranda von Lumpenburg-Lippoldesheim unter der Klematisblüte und im Kinderlärm; die beiden Männer wandern am Ufer der Spree, wie vordem zwischen dem Weidengebüsch am Ufer von Vater Pfisters Mühlbach.

Noch ein Mann wandelt von der Villa her auf uns zu und überbringt uns zarten Wunsch in nicht grade ausgelassen vergnügter Art:

»Die Herrens möchten zum Tee kommen.«

Das ist Samse. Er und Christine gehören vollständig zu

uns; wir können uns weder Lippoldesheim noch unser Heimwesen in der Stadt Berlin noch die Bilder, die einst waren, ohne die zwei vorstellen – denken.

Wir gehen zum Tee unter der Veranda. Nebenan klappert und lärmt die große Fleckenreinigungsanstalt und bläst ihr Gewölk zum Abendhimmel empor fast so arg wie Krickerode. Der größere, wenn auch nicht große Fluß ist, trotzdem daß wir auch ihn nach Kräften verunreinigen, von allerlei Ruderfahrzeugen und Segeln belebt und scheint Rhakopyrgos als etwas ganz Selbstverständliches und höchst Gleichgültiges zu nehmen.

Aus der Wiege des jüngsten Asche schallt plötzlich ein heftigeres Geschrei, und Vater Asche spricht:

»Der versteht's auch! Nun hör ihn nur und richte dich auf Ähnliches ein, Knabe Telemachos. Höre nur das intensive Bedürfnis der Krabbe, ihren Willen zu kriegen! So was hilft. Das ist kein Knüzäma oder Wimmern, keine Ololügä oder Weinen, kein Klauma, keine Oimogä, kein Odürmos – dies ist das Richtige: eine Blächä, Geblöke, ein Orügmos, Geheul, kurz eine Korkorügä, die dem Lümmel sofort zu seiner Mutter Brust verhelfen wird. Da ist sie ja schon mit aufgehobenen Armen und fliegendem Hyakinthosgelock. Na, Pfister, ich denke, der Junge wird ferner gut werden, nicht aus der Art schlagen und seinem Alten keine Schande machen.«

»Bei allen Göttern von Hellas, wie kommst du aber zu dieser Nomenklatur des Menschen- und Kindergeschreis, von den Hyakinthoslocken deiner Albertine ganz abgesehen, Adam?«

»Ja, siehst du (der junge Molch und Reklamerich hat sich an meiner Frau so fest verbissen, daß sie nicht sieht und hört), weißt du, das Handwerk ist doch zu stinkend, und selbst eine solche Hausidylle wie die unsrige reicht gegen den Überdruß nicht immer aus. Es ist eben nicht das Ganze des Daseins, alle Abend aus der Wäsche von alten Hosen, Unterröcken, Ballroben, Theatergarderobe und den Monturstücken ganzer Garderegimenter zu der besten Frau und zum Tee nach Hause zu gehen. Da habe ich mir denn das Griechische ein bißchen wieder aufgefärbt und lese so zwischendurch den Homer, ohne übrigens dir hierdurch das abgetragene Zitat von seiner unaustilgbaren Sonne über uns aus dem Desinfektionskessel heben zu wollen.« –

Anhang

Wort- und Sacherklärungen

Die Wort- und Sacherklärungen folgen dem Kommentar, den Hans Oppermann für die historisch-kritische Ausgabe von »Pfisters Mühle« zusammengestellt hat (Wilhelm Raabe, »Sämtliche Werke« [Braunschweiger Ausgabe], Bd. 16, 2., durchges. Aufl., Göttingen 1970, S. 536–544).

Da sich die Taschenbuchausgabe an einen breiteren Leserkreis wenden möchte und die Kenntnis weiterer Werke Raabes nicht voraussetzen will, wurden die Angaben weithin neu gefaßt, um ein Vielfaches ergänzt und nur dort gekürzt oder getilgt, wo die Informationen lediglich aus dem Gesamtzusammenhang der Werkausgabe zu verstehen waren oder sich angesichts des fortgeschrittenen Forschungsstandes erübrigt hatten. Druckfehler und Fehldeutungen wurden stillschweigend korrigiert.

Die mitgeteilten Zeitangaben für literarische Werke beziehen sich auf den Erstdruck. Nur in kenntlich gemachten Ausnahmefällen ist auf die Entstehungsdaten der Texte hingewiesen. *H. D.*

Motto: Lucius Annaeus Seneca (um 4 v. – 65 n. Chr.; römischer Philosoph und Tragödiendichter), »De tranquillitate animi« (»Über die Seelenruhe«) 15,3: »et uniuersa contemplanti maioris animi est, qui risum non tenet quam qui lacrimas« (»und bei der Betrachtung des Universums zeigt höhere Gesinnung, wer das Lachen nicht halten kann, als wer nicht die Tränen«).

1. Blatt

5,1 *Blatt:* Blatt des Sommerferienheftes; von Jean Paul (d. i. Johann Paul Friedrich Richter, 1763–1825) beeinflußte Kapitel-Überschrift (vgl. Jean Paul, »Komischer Anhang zum Titan«, 1800/01).

5,4–8 *Noch einmal ... haben würden:* Anspielung auf den Anfang der Verserzählung »Oberon« (1780) von Christoph Martin Wieland (1733–1813): »Noch einmal sattelt mir den Hippogryphen, ihr Musen, / Zum Ritt ins alte romantische Land!« (1. Gesang.) *Hippogryphen:* Hippogryph (ital.): von Matteo Maria Boiardo (um 1440–94) und Ludovico Ariosto (1474–1533) erdachtes geflügeltes Fabeltier mit Pferdeleib und Greifenkopf; bei neueren

Dichtern gelegentlich für ›Pegasus‹ (geflügeltes Pferd als Sinnbild dichterischer Phantasie; griechischer Mythos) gesetzt.

5,9 f. *Bagdad ... Babylon:* Die Handlung des »Oberon« spielt z. T. in Bagdad und am Hof des Sultans von Babylon.

5,14 *Kölnischen Zeitung:* liberale Tageszeitung mit überregionaler Verbreitung, 1762 gegründet als »Kayserliche Reichs-Ober-Post-Amtszeitung« in Köln, seit 1798 bis 1944 u. d. T. »Kölnische Zeitung«.

5,20 *buglahmes:* Bug: Schulterstück des Pferdes; buglahm: mit den Vorderbeinen lahmend.

5,28 *so blau:* so dumm sollte ich sein (nordostd.; umgangsspr.).

5,33 *Vogelpferd:* s. Anm. zu 5,4–8.

5,34 *denken Kinder ... Haupt:* Anspielung auf das »Parzenlied«, mit dem der 4. Aufzug von Johann Wolfgang Goethes (1749–1832) Schauspiel »Iphigenie auf Tauris« (1787) schließt: »So sangen die Parzen, / Es horcht der Verbannte / In nächtlichen Höhlen, / Der Alte, die Lieder, / Denkt Kinder und Enkel / Und schüttelt das Haupt.«

6,1–4 *Vogel Rock ... Oberon ... Hüon ... Rezia ... Scherasmin ... Amme:* Figuren aus Wielands »Oberon« (s. Anm. zu 5,4–8); Vogel Rock (oder: Roch, pers./arab.): riesiger Märchenvogel von besonderer Stärke.

6,4 f. *Eisenschienen gelegt und Telegraphenstangen aufgepflanzt:* Die Dampf-Eisenbahn, auf die sich Raabe bezieht, wurde 1825 in England und 1835 in Deutschland eingeführt; bereits 1838 verkehrte die erste deutsche Staatsbahn von Braunschweig nach Wolfenbüttel, d. h. von Raabes Alterswohnsitz nach dem Ort, an dem er entscheidende Jahre seiner Jugend verbracht hat. Die Telegraphie, seit 1809 praxiserprobt, nahm in den dreißiger Jahren aufgrund zahlreicher Erfindungen einen sprunghaften Aufschwung.

6,6 *Kidron:* (hebr.) ›Schwarzbach‹, nur zur Regenzeit Wasser führender Bach in einem Tal zwischen der Stadt Jerusalem und dem Ölberg.

6,6–8 *vier Hauptwassern ... ausging:* 1. Mose 2 und 3, besonders 2,10–14: »Und es ging aus von Eden [dem Paradies] ein Strom [...] und teilte sich [...] in vier Hauptwasser«: Pison, Gihon, Hiddekel und Euphrat.

6,8 *Etablissements:* (lat./frz.) Einrichtungen, Anlagen, Betriebe; hier: Fabriken.

6,9 f. *wer hebt ... liegt:* »Oberon« (s. Anm. zu 5,4–8), 1. Gesang:

»Wer treibt von meinen Augen den Nebel / Der auf der Vorwelt
Wundern liegt?«

6,14 *siebenzehnhundertundachtzig:* 1780 erschien Wielands
»Oberon«.

6,23 f. *Eichenkamp:* Kamp: eingehegtes Stück Land.

6,24 *Grafenbleeke:* Bleek (niederd.): kleines Stück Land, freier
Platz.

Separation: (lat./frz.) Flurbereinigung.

6,36 †††: s. 7,28–3o: *drei Kleckse [...], wo im Druck vielleicht
einmal drei Kreuze stehen.*

7,21–24 *Das Wasser ... Mühle?:* Das Gedicht »Die verlassene
Mühle« von August Ferdinand Alexander Schnezler (1809–53)
wird in »Pfisters Mühle« mehrfach leitmotivisch zitiert (s. 8,31;
27,33–36; 38,2 f.; 138,28; 139,27–34; 163,33–36); eine Textdeu-
tung versucht der Erzähler 139,35–140,5. Raabe besaß die 3.
Auflage der »Gedichte« Schnezlers (Karlsruhe: Creuzbauer, 1852)
und folgte dem Wortlaut des dort abgedruckten Textes (S.
285–287). Diese Textfassung ist identisch mit der Textwiedergabe
in der 2. Auflage (»Gedichte«, Karlsruhe: Creuzbauer und Has-
per, 1846, S. 285–287), unterscheidet sich aber vom Erstdruck
(»Gedichte«, München: Michael Lindauer'sche Hofbuchdrucke-
rei, 1833, S. 163–165). Im folgenden wird die von Raabe herange-
zogene Textversion der 3. Auflage nachgedruckt; eine nachgestell-
te Liste der davon abweichenden Formulierungen der Erstfassung,
bei der die Unterschiede in Orthographie und Interpunk-
tion unberücksichtigt bleiben, soll belegen, daß Raabe auf die
Textgestalt der 2./3. Auflage zurückgegriffen hat.

Die verlassene Mühle.

Das Wasser rauscht zum Wald hinein,
Es rauscht im Wald so kühle;
Wie mag ich wohl gekommen seyn
Vor die verlassne Mühle?
Die Räder stille, morsch, bemoost,   5
Die sonst so fröhlich herumgetos't,
Dach, Gäng' und Fenster alle
In drohendem Verfalle.

Allein bei Sonnenuntergang
Da knisterten die Aeste,   10

Da trippelten den Bach entlang
Gar wunderliche Gäste:
Viel Männlein grau, von Zwergenart,
Mit dickem Kopf und langem Bart,
Sie schleppten Müllersäcke   15
Daher aus Busch und Hecke.

Und alsobald im Müllerhaus
Beginnt ein reges Leben,
Die Räder drehen sich im Saus,
Das Glöcklein schallt daneben;   20
Die Männlein laufen ein und aus
Mit Sack hinein und Sack heraus,
Und jeder von den Kleinen
Scheint nur ein Sack mit Beinen.

Und immer voller schwärmten sie   25
Wie Bienen um die Zellen,
Und immer toller lärmten sie
Durch das Getos der Wellen;
Mit wilder Hast das Glöcklein scholl,
Bis alle Säcke waren voll,   30
Und klar am Himmel oben
Der Vollmond sich erhoben.

Da öffnet sich ein Fensterlein,
Das einzige noch ganze,
Ein schönes bleiches Mägdelein   35
Zeigt sich im Mondenglanze,
Und ruft vernehmlich durchs Gebraus
Mit süßer Stimme Klang hinaus:
»Nun habt ihr doch, ihr Leute,
Genug des Mehls für heute!«   40

Da neigt das ganze Lumpenpack
Sich vor dem holden Bildniß,
Und Jeder sitzt auf seinen Sack
Und reitet in die Wildniß;
Schön Müllerin schließt's Fenster zu,   45
Und Alles liegt in tiefer Ruh,
Des Morgens Nebel haben
Die Mühle ganz begraben. –

Und als ich kam den andern Tag,
In banger Ahnung Schauern,   50
Die Mühle ganz zerfallen lag
Bis auf die letzten Mauern.
Das Wasser rauschet neben mir hin,
Als wüßt' es, was ich fühle,
Und nimmermehr will aus dem Sinn   55
Mir die verlassne Mühle.

Anders lautende Formulierungen der 1. Auflage:
Z. 8: *Im drohenden Verfalle;* Z. 12: Gar *sonderbare* Gäste; Z. 20:
Glöcklein schellt; Z. 25: immer toller; Z. 36: Mondesglanze; Z.
46: in *alter* Ruh; Z. 50: In *trüber* Ahnung.
Daß Raabe die 2./3. Auflage benutzt hat, beweisen die folgenden
Zitatstellen: *Gar* wunderliche *Gäste* (38,3); *im Mondenglanze*
(139,30); *in tiefer Ruh* (163,34).

2. Blatt

8,31 *Schnezlers Romanze:* s. Anm. zu 7,21–24; Romanze (lat./span./
frz.): erzählendes Gedicht (romanisches Gegenstück zur germanischen Ballade).

10,30 f. *Soweit die deutsche Zunge klingt:* Anspielung auf das
Gedicht »Des Deutschen Vaterland« (1813) von Ernst Moritz
Arndt (1769–1860): »Was ist das deutsche Vaterland? / So nenne
endlich mir das Land! / So weit die deutsche Zunge klingt / Und
Gott [Dativ] im Himmel Lieder singt: / Das soll es seyn! / Das,
wackrer Deutscher, nenne dein.«

10,31 *Alte Herren:* ehemalige Verbindungsstudenten, die die Universität verlassen haben und ins Berufsleben eingetreten sind.

11,1–4 *Weende ... fühlen:* Studentenverse auf nahe bei Göttingen
gelegene Ausflugsorte, im Druck nicht nachgewiesen.

3. Blatt

11,14 *Wie Sardes:* Offb. 3,1: »Sendschreiben Christi an die Vorste-
her und Gemeinden zu Sardes [...]: Und dem Engel der Gemein-
de zu Sardes schreibe: Das sagt, der die sieben Geister Gottes hat
und die sieben Sterne: Ich weiß deine Werke; denn du hast den

Namen, daß du lebest, und bist tot.« (Vgl. 16,30: *Wie Sardes in der Offenbarung Johannis.*)

13,17 *Philister:* biblische Feinde der Israeliten; hier Studentensprache; im Berufsleben stehende ehemalige Studenten (›Alte Herren‹, s. Anm. zu 10,31).

13,28 *Magister artium:* (lat.) Meister der (Freien) Künste; akademischer Grad.

13,29 *Pistor:* (lat.) Müller, Bäcker.

13,30 *Pistorius:* (lat., Adj.) zum Bäcker gehörig.

13,30 f. *zwischen dem Schmalkaldischen und dem Dreißigjährigen Kriege:* zwischen den genannten Kriegen, die 1546/47 bzw. 1618–48 mit konfessioneller Begründung und machtpolitischer Zielsetzung geführt wurden; gemeint ist hier die Epoche des Humanismus, in der vor allem Angehörige des Gelehrtenstandes ihre deutschen Namen latinisierten.

14,6 *vier Sinne:* hier nach dem im 19. Jahrhundert üblichen Ordnungsschema gebraucht: neben dem Gesichtssinn Gefühl, Geschmack, Geruch und Gehör.

16,30 *Wie Sardes in der Offenbarung Johannis:* s. Anm. zu 11,14.

16,37 *lugubern:* lugubre (lat./ital.): traurig, düster.

4. Blatt

17,27 *Gaudeamus igitur:* (lat.) Laßt uns also fröhlich sein; Eingangszeile des Studentenliedes »De brevitate vitae«, das auf einen lateinischen Bußgesang von 1267 zurückgeht und seit 1781 in der Fassung von Christian Wilhelm Kindleben (1748–85) gesungen wird.

17,29 *Kommersbuch:* studentisches Liederbuch (erstmals 1815 in Tübingen unter diesem Titel).

17,32 *Schankgerechtsame:* das (erbliche und veräußerliche) Recht, eine Schankwirtschaft zu betreiben.

18,1 *Verbindungsmütze:* farbige Mütze als äußerlich sichtbares Zeichen für die Zugehörigkeit zu einer studentischen Verbindung (seit dem 16. Jh. überlieferte Form des studentischen Zusammenlebens an Hochschulen des deutschen Sprachgebiets).

18,2 *Schläger:* studentische Hieb- und Paradewaffe (seit Ende des 18. Jh.s).

18,34 *Kantor:* (lat.) Sänger; hier: Lehrer, dem zugleich das Amt obliegt, den evangelischen Gottesdienst musikalisch zu betreuen.

20,4 f. *Studiosus:* (lat.) der Studierende, der Student.

20,35 *Rudimente:* (lat.) die Überbleibsel, die überlieferten Reste.

21,14 *Studiosus philosophiae:* (lat.) Student an der philosophischen Fakultät; dort wurden zur Entstehungszeit von »Pfisters Mühle« neben der Philosophie und den philologischen (sprach- und literaturwissenschaftlichen) Fächern auch Naturwissenschaften gelehrt.

21,17 *philologisch:* (griech./lat.) sprach- und literaturwissenschaftlich; hier auf den lateinischen Sprachunterricht bezogen.

21,26 *Vivathoch:* (lat.) Hochruf: Lebehoch.

Verliegen: (mhd. sich verligen) durch zu langes Liegen in Trägheit erschlaffen, untauglich werden; hier wohl in Anlehnung an den Wortgebrauch in der mittelhochdeutschen Dichtung gebraucht, die mit dem Begriff private, von gesellschaftlichen Pflichtversäumnissen begleitete Triebbefriedigung umschreibt.

5. Blatt

22,2 *Beutelkasten:* mühlentechnischer Fachausdruck.

22,5 *unserm wohlgegründeten behaglichen Heim:* Anspielung auf Goethes Gedicht »Grenzen der Menschheit« (1785): »Steht er [der Mensch] mit festen, / Markigen Knochen / Auf der wohlgegründeten / Dauernden Erde, / Reicht er nicht auf, / Nur mit der Eiche / Oder der Rebe / Sich zu vergleichen.«

22,21 *Mensa:* (lat.) Tisch; traditionelles Übungsbeispiel der lateinischen sogenannten 1. (a-)Deklination, mit der der Lateinunterricht beginnt.

22,24 *insolvent:* (lat.) zahlungsunfähig.

22,34 *Despektion:* (lat.) Abschätzigkeit, Geringschätzung.

23,29 f. *corvus niger:* (lat.) lateinisches Übungsbeispiel, zugleich Anspielung auf den Namen des Autors, der von 1857 bis 1861 das Pseudonym Jakob Corvinus verwendete.

23,29–24,4 *corvus niger ... hortus amoenus ... negotium difficile ... Alvus a-vi-dus ... Vannus magna:* (lat.) Übungsbeispiele für die lateinischen Geschlechtsregeln, die 24,6–9 und 24,20–27 als Merkverse zitiert werden.

23,30 f. *Teutonen:* häufiger Name studentischer Verbindungen (s. Anm. zu 18,1).

24,13 f. *Kitharoede:* (griech./lat.) altgriechischer Kitharaspieler und -sänger (Kithara: altgriechisches Zupfinstrument); hier ironischer Bezug auf das ›Leiern‹ der Merkverse.

24,28 *Vulgus:* (lat.) Volk.

25,7 *amöner:* amön (lat.): anmutig, lieblich.

25,10 *Studio:* (lat./ital.) Studierstube.

25,16 *Pläsier:* (lat./frz.) Vergnügen, Spaß; hier: Gartenvergnügen.

26,9 f. *Studenten von allen Farben:* Studenten aller Verbindungen; die Verbindungen (s. Anm. zu 18,1) unterscheiden sich äußerlich durch die Farbkombinationen, die ihre Mitglieder an Mütze, Schulterband, Uhranhänger usw. zeigen.

26,14 *Philisterium:* hier: Gesamtheit der bereits im Berufsleben stehenden ehemaligen Studenten (s. Anm. zu 13,17).

26,34 f. *Cave canem!:* (lat.) hüte dich vor dem Hunde! (in Pompeji aufgefundene Mosaik-Inschrift).

27,20 *Glorie:* (lat.) Ruhm, Glanz.

27,33–36 *Das Wasser ... Mühle:* Schnezler (s. Anm. zu 7,21–24), V. 53–56.

28,30 *Mentor:* (griech.) väterlicher Freund, Erzieher und Lehrer (benannt nach dem Lehrer Telemachs, des Sohnes des Odysseus; s. 29,26 und Anm. zu 29,24).

28,36 *krassen Fuchs:* (Studentensprache) Angehöriger einer studentischen Verbindung (s. Anm. zu 18,1) im ersten Semester, d. h. im ersten Studienhalbjahr.

29,24 *Kalypso:* in Homers »Odyssee« (8. Jh. v. Chr.) eine Tochter des Atlas, die den schiffbrüchigen Odysseus aufnimmt und bei sich behalten will.

29,26 *Telemachos ... Mentor:* s. Anm. zu 28,30.

29,34 *aus der Brüder wildem Reihen:* Anspielung auf »Das Lied von der Glocke« (1800) von Friedrich Schiller (1759–1805): »Er [der Jüngling] flieht der Brüder wilden Reihn« (V. 68).

6. Blatt

30,20 *der alte Albrecht von Nürnberg:* Gemeint ist wohl Albrecht Dürer (1471–1528); das Zitat ist nicht nachgewiesen.

31,13 *Genre:* (lat./frz.) hier: Genrebilder, die typische Szenen aus dem Leben bestimmter Stände darstellen.

Historie: (griech./lat.) hier: Historienmalerei, die Ereignisse aus der Geschichte, der Mythologie und der Dichtung abbildet.

31,29 f. *heiligen ... Hallen:* Anspielung auf die Arie des Sarastro aus Emanuel Schikaneders (1751–1812) Libretto zu Wolfgang Amadeus Mozarts (1756–91) Oper »Die Zauberflöte« (1791): »In diesen heil'gen Hallen«.

32,37 *Fatinitza:* Operette (1876) von Franz von Suppé (1819 bis 1895).

33,18 *Aktenberge:* scherzhafte Wortbildung in Anlehnung an Ortsnamen wie Wittenberge, Altenberge usw.

34,11 *Wie sie ... seligen:* Anfangszeile eines 1780 gedruckten Gedichts von August Cornelius Stockmann (1751–1821).

34,14 *Prätensionen:* Prätentionen (lat./frz.): Ansprüche, Anmaßungen.

34,15 *Rauch ist alles irdische Wesen:* Anspielung auf Schillers Gedicht »Das Siegesfest« (1804): »Rauch ist alles irdsche Wesen« (V. 149).

34,18 *Reglement:* (lat./frz.) Vorschrift; hier: Friedhofsordnung.

34,30 *Expektorationen:* (lat.) Auswürfe (med.); Erklärungen, Äußerungen.

35,3 f. *hors de concours:* hors concours (frz.): außer Wettbewerb; hier wohl wörtlich zu verstehen: abseits vom Weg (parcours).

35,35 *Lemuria:* hier: Ort der Lemuren (lat., Totengeister, Gespenster).

36,24 f. *und der Regen regnete immerzu:* Anspielung auf das Schlußlied des Narren in der Komödie »Was ihr wollt« (Aufführung 1602, Druck 1623) von William Shakespeare (1564–1616): »Denn der Regen, der regnet jeglichen Tag« (V,1).

37,7–10 *das Buch Galeotto .. Dante Alighieri ... Paul Böskopf aus Rimini ... Fränzchen von Mehlbrei aus Ravenna:* Galeotto ist eine Person des Lanzelot-Romans (altfranzösischer Artus-Stoff, bearbeitet von Chrestien de Troyes [vor 1150 – vor 1190], in mehreren italienischen Fassungen verbreitet), bei dessen Lektüre Paolo Malatesta (*Paul Böskopf*) und Francesca da Polenta (*Fränzchen von Mehlbrei*), zwei Figuren aus Dante Alighieris »Göttlicher Komödie« (entst. 1306–21, erste erhaltene Handschrift 1336), ihrer Liebe nachgeben. Francesca berichtet: »Wir lasen eines Tages zum Vergnügen / Von Lancelot, wie ihn die Liebe drängte; / [...]. / Als wir gelesen, daß in seiner Liebe / Er das ersehnte Antlitz küssen mußte, / Hat dieser [...] / Mich auf den Mund geküßt mit tiefem Beben. / Verführer war das Buch und der's geschrieben. / An jenem Tage lasen wir nicht weiter« (»Die Göttliche Komödie«, Die Hölle, 5. Gesang, V. 127–138). Auf den letzten Vers bezieht sich 37,6 f.: *an »jenem Tage«.* Raabe besaß die Übersetzung von Friedrich Notter (Stuttgart o. J.).

37,26 f. *Daß man ... gemacht:* sprichwörtliche Wendung: »Daß die Dornen werden geacht, das haben allein die Rosen gemacht« (Karl Friedrich Wilhelm Wander, »Deutsches Sprichwörter-Lexikon«, 5 Bde., Leipzig 1867–80, Bd. 1, 1867, Sp. 678).

7. Blatt

38,2 f. *Da trippelten ... Gäste:* Schnezler (s. Anm. zu 7,21–24), V. 11 f.

39,1 *Patriarch:* biblischer Erzvater; hier: der Älteste und Ranghöchste.

39,8 *Michaelis:* Tag zu Ehren des Erzengels Michael (29. September); bezeichnete in manchen Gegenden Deutschlands Sommerende und Ernteschluß; zugleich Beginn eines Schulhalbjahrs.

39,17 *Allotriis:* Allotria (griech.): Unfug, Narretei, Dummheiten.

39,18 *Tironen:* Tiro (lat.): Anfänger.

39,23 *Quinta:* (lat., ›die fünfte‹) zweite Klasse einer höheren Lehranstalt (da von 6 bis 1 gezählt wurde, kam die Fünfer-Bezeichnung für die zweite Klasse zustande).

42,8 *Primaner:* (lat.) Schüler der Prima, d. h. der ersten, höchsten Klasse einer höheren Lehranstalt.

42,13–17 *die Jahre achtzehnhundertsechsundsechzig und -siebenzig ... Mitte der Siebenziger:* Nach dem Krieg zwischen Preußen und Österreich (1866) und der Gründung des Norddeutschen Bundes erlebten Wirtschaft und Industrie in den Bundesstaaten einen merklichen Aufschwung; der Sieg über Frankreich im Deutsch-Französischen Krieg 1870/71 und die Reichsgründung beschleunigten die wirtschaftliche Aufwärtsbewegung, die der Epoche die Bezeichnung ›Gründerzeit‹ einbrachte; nach 1873 geriet die Wirtschaft jedoch in eine schwere Krise, die sogenannte Gründerkrise.
Soll und Haben: Anspielung auf Gustav Freytags (1816–95) gleichnamigen Roman (1855), dessen bürgerlich-liberale Kaufmannsethik von der Gründerkrise widerlegt wurde.

43,4 *Contenance:* (lat./frz.) Fassung, Haltung.

43,18 *Campe:* Joachim Heinrich C. (1746–1818), Pädagoge, Sprachforscher und Verleger, reformierte als Schulrat in Braunschweig (1786–1805) das Schulwesen. Seine Jugendausgabe des »Robinson Crusoe« (1719) von Daniel Defoe (1660–1731), 1779/80 erschienen unter dem Titel »Robinson der Jüngere. Ein Lesebuch für Kinder«, wurde weltberühmt und häufig nachgedruckt. Raabe lernte anhand dieses Buches bei seiner Mutter das Lesen.

43,19 f. *unter seinem Apfelbaum:* »Robinson der Jüngere«, Ort der Rahmenerzählung am »Ersten Abend«: »Hier, Vater? – Ja, hier unter diesem Apfelbaume.«

43,20 f. *Robinson ... Freitag:* Figuren aus Defoes »Robinson Crusoe« und Campes »Robinson der Jüngere«.

8. Blatt

44,26 f. *Semester:* (lat.) Zeitraum von sechs Monaten; Studienhalbjahr.

45,1 f. *vir juvenis:* (lat.) junger Mann.

45,13 *Genien:* (lat., Pl.) (niedere) Gottheiten, (Schutz-)Geister.

46,12 *Repertorium:* (lat.) Verzeichnis, Nachschlagewerk; hier im Sinne von ›Repertoire‹ (lat./frz.): Programm.

47,11 *Scholarenstübchen:* Scholar (griech./lat.): Schüler (einer höheren Lehranstalt).

47,12 *Witib:* mhd. Nebenform von ›Witwe‹; hat sich vor allem in der Kanzleisprache lange erhalten.

47,26 *Varinas:* nach der Stadt Barinas in Venezuela benannte Tabaksorte.

48,30 *der Parfüm:* (lat./frz.) der Duft.

49,27 f. *Doppelmops ... Kardinal ... Pariser Numero zwei:* alkoholische Getränke.

50,8 *an den Laden legen:* sich große Mühe mit etwas geben; s. auch 50,20 f.

50,24 f. *odeur de Pfister:* (frz.) Duft von Pfister.

51,22 f. *Scheherezade ... Schahriar:* Figuren aus der Rahmenerzählung von »Tausendundeine Nacht« (entst. 8.–16. Jh.), in der Scheherezade dem König Schahriar Märchen erzählt, um ihr Leben zu retten (daher die Anspielung 51,18 f.: *Sie hatte zwar nicht geschworen, mich von meinem [...] Kopfe ganz zu befreien*).

51,33–35 *meines unumschränkten Herrschers ... China:* Gemeint ist Emmy, die Gattin des Erzählers; die Umschreibung bezieht sich auf Schahriar.

52,10 *a priori und a posteriori:* (lat., ›von vornherein‹, ›im nachhinein‹) aufgrund von Vernunftschlüssen und gestützt auf Erfahrungstatsachen.

53,9 *Lieblich düftevoll lag die Sommernacht:* Anspielung auf die Anfangszeile des Gedichts »Der Postillon« (1833) von Nikolaus Lenau (d. i. Nikolaus Niembsch von Strehlenau, 1802–50): »Lieblich war die Maiennacht«.

55,6 *Rotbrust:* Rotkehlchen.

55,24 f. *seit dem Kriege ... Aufschwung:* Gemeint sind der Deutsch-Französische Krieg 1870/71 und die Gründerjahre (s. Anm. zu 42,13–17).

56,3 f. *Herrgott ... zu geben:* Anspielung auf Ps. 127,2: »denn seinen Freunden gibt er's schlafend«.

56,6 *au fait:* (frz.) wohlunterrichtet.

56,23–26 *Sodom und Gomorra ... Pech und Schwefel ... im Toten Meere ... Salzsäule:* Anspielung auf den Untergang der Städte Sodom und Gomorrha (1. Mose 19,24–26), die durch Feuer zerstört sein sollen. Nach biblischer Überlieferung erstarrte Lots Frau beim Anblick dieser Katastrophe zur Salzsäule.

58,17 *Kanephore* (griech./lat.) Korbträgerin (vornehme Jungfrau mit Opfergeräten in altgriechischen Prozessionen).

58,32 *der Müller ... wie sein Kind:* Anspielung auf den Titel des ›Volksdramas‹ »Der Müller und sein Kind« (1835) von Ernst Benjamin Salomo Raupach (1784–1852).

60,5–17 *Jüngling von Sais ... Schleier der Isis ... Beutel:* Anspielungen auf Schillers Gedicht »Das verschleierte Bild zu Sais« (1795); *werde mir bleich, aber nicht besinnungslos:* »Besinnungslos und bleich, / So fanden ihn [...] die Priester« (V. 74 f.); *so geht man ... zur Wahrheit:* »Weh dem, der zu der Wahrheit geht durch Schuld« (V. 83); *Gewichtiger ... Beutel:* textidentisch (V. 39–41) mit Ausnahme der beiden letzten Wörter: *meinen – Beutel* (Raabe) – »dein Gewissen« (Schiller). Die Erzählung vom verhüllten Götterbild zu Sais, hinter dessen Schleier die Wahrheit verborgen sei, geht auf Plutarch (um 46 – nach 120 n. Chr.) zurück.

60,21 *Stein der Weisen:* Substanz, die unedle Metalle in Gold oder Silber verwandeln sollte (Alchimie); Inbegriff für die Lösungsformel, mit der alle Rätsel ergründet werden.

60,36 *alten Schlange:* hier in Anlehnung an biblische Überlieferungen Sinnbild für das Unerkannte, das die Neugier und damit auch das Forschungs- und Erkenntnisinteresse reizt (1. Mose 3,1–14; Matth. 10,16; Offb. 12,9).

60,37 *a priori und a posteriori:* s. Anm. zu 52,10.

61,3 f. *Grenzen der Menschheit:* Anspielung auf den gleichnamigen Titel eines Gedichts (1789) von Goethe.

61,4–6 *Ding ... an sich:* Raabe hebt die Worte hervor, um seine Anspielung auf den bekannten Grundbegriff der Erkenntnisphilosophie Immanuel Kants (1724–1804) kenntlich zu machen.

61,37 *Kommunewirtschaft:* sozialistische Gemeinwirtschaft, hier wohl in Erinnerung an die Pariser Commune (1871) formuliert.

62,2 *Esse:* (lat.) Sein.

62,10 *Syrakus:* sizilianische Stadt; Geburtsort, Wohnsitz und Sterbeort des griechischen Mathematikers und Physikers Archimedes (um 287–212 v. Chr.).

62,12–15 *Gib mir ... Angeln zu heben:* Nach der Entdeckung der Hebelgesetze soll Archimedes gesagt haben: »Gib mir einen Punkt, wo ich hintreten kann, und ich bewege die Erde!« Die letzten Worte werden meist in folgender Form zitiert: »und ich werde die Welt aus ihren Angeln heben«.

hier stehe ich: angebliches Bekenntnis Martin Luthers (1483–1546) auf dem Reichstag zu Worms am 18. April 1521: »Hier stehe ich, ich kann nicht anders, Gott helfe mir! Amen.« Quellenstudien haben jedoch ergeben, daß Luther nur die damals übliche Schlußformel »Gott helfe mir! Amen« gebraucht hat.

62,15 f. *allen Sambuken und Argentariern zum Trotz:* Sambuken (lat.): Spieler der Sambuka, eines schrill und schneidend klingenden Saiteninstruments; Argentarier (lat.): Geldwechsler. Hier ist wohl gemeint: allen, die mit böser Nachrede oder finanziellen Forderungen auftreten, zum Trotz.

63,15 *Störe mir meine Kreise nicht:* Während der Eroberung von Syrakus durch die Römer im Jahre 212 v. Chr. ersuchte Archimedes (s. Anm. zu 62,10) angeblich mit diesen Worten einen römischen Soldaten, ihn nicht beim Zeichnen geometrischer Figuren zu stören. Der Soldat tötete ihn.

63,29 *Odörs:* odeurs (frz.): Düfte.

63,30 *Konvivium:* (lat.) Gelage.

64,10 f. *gegenüber dem Jülichsplatz ... Eau de Cologne:* Der italienische Einwanderer Johann Maria Farina (1685–1766) produzierte seit dem Jahr 1709 in seiner Firma »Farina gegenüber dem Jülich-Platz« in Köln die älteste Kölnisch-Wasser-Marke, die zunächst als Medikament, später als Duftwasser berühmt war und dank des erfolgreichen Exports nach Frankreich den Namen »Eau de Cologne« erhielt (erstmals belegt im Jahr 1742).

65,5 *Tag Adams und Evas:* 24. Dezember.

65,18 *Ausspannwirtschaft:* Wirtschaft, wo Zugtiere ausgespannt werden konnten; Einkehr für Fuhrwerke.

65,25 *Augiasstallstudien:* Augiasstall: verschmutzter Stall des Königs von Elis, den Herakles an einem Tage reinigte, indem er einen Fluß hindurchleitete (griechischer Mythos).

65,28 *Berliner Schwindel:* bezieht sich auf Spekulationsgeist und Betriebsamkeit der Gründerjahre, die mit dem ›Gründerkrach‹ endeten (s. Anm. zu 42,13–17). Die ›Gründeraktivitäten‹ konzentrierten sich in Berlin, der Reichshauptstadt.

66,15 *das Land Arkadien der Fluß Styx:* Raabe geht von Arkadien, einer vom Styx durchflossenen Gegend im Zentrum der Peloponnes, aus, um Arkadien als fiktives Land idyllischen Hirtenlebens (seit Vergil, 70–19 v. Chr.) mit dem ebenso fiktiven Unterweltfluß Styx zu verbinden (griechischer Mythos).

66,22 *Pan:* ein aus Arkadien stammender Hirtengott, der sich den Nymphen zugesellte und dem Schwarm des Dionysos anschloß (griechischer Mythos).

66,25 *schlechten Wirklichkeit:* Anspielung auf eine philosophische Begriffsbildung Georg Wilhelm Friedrich Hegels (1770–1831).

68,26 f. *aufs Tapet gebracht:* umgspr.: zur Sprache gebracht; Tapet (lat./frz.): (Tisch-)Decke (des Beratungstisches).

72,22 f. *Orpheus ... kikonischen Weiber:* Orpheus, thrakischer Sänger und Leierspieler, wurde von Mänaden (s. Anm. zu 72,25 f.) aus Kikonien, einer Landschaft in Thrakien, zerrissen (griechischer Mythos).

72,24 *Peplos:* (griech.) unmittelbar auf dem Körper getragenes (altgriechisches) Kleidungsstück.

72,25 f. *mit Weinlaub und Eppich:* Mit Kränzen aus Blättern dieser Pflanzen schmückten sich die Mänaden, Frauen, die den altgriechischen Fruchtbarkeits-, Vegetations- und Weingott Dionysos (auch: Bakchos) ekstatisch verehrten.

72,26 *Orpheon:* (griech.) nach Orpheus benannte Tonhalle; Vergnügungsstätte.

73,12 f. *alles – alles gewendet:* Anspielung auf die refrainartige Verszeile aus dem Gedicht »Frühlingsglaube« (1815) von Ludwig Uhland (1787–1862): »Nun muß sich alles, alles wenden.«

73,31 *stupifiziert:* (lat.) in Erstarrung versetzt.

73,33–37 *Durchlaucht Otto Fürst Bismarck ... sammeln:* Während der parlamentarischen Auseinandersetzungen um die Einführung der Sozialgesetze (seit 1881) trug sich der auf heftige Opposition stoßende deutsche Reichskanzler Otto von Bismarck (1815–98; Fürst seit 1871) mit Rücktrittsabsichten aus Gesundheitsgründen. In der Reichstagsrede, die er am 15. März 1884, also zur Entstehungszeit von »Pfisters Mühle«, hielt, äußerte er: »ich bin nur unter der Bedingung dauernd gesund, daß ich dem Beruf, den ich bisher vertrete, Valet sage«.

11. Blatt

74,20 *Buch der Genesis:* (griech./lat.) 1. Buch Mose mit der Schöpfungsgeschichte.

74,21 *Bank ... auf der die Spötter sitzen:* Anspielung auf Ps. 1,1: »Wohl dem, der nicht [...] sitzt, da die Spötter sitzen«.

74,28 *Rippenstoß:* Anspielung auf die Erschaffung des Weibes (1. Mose 2,21 f.): »Da ließ Gott der Herr einen tiefen Schlaf fallen auf den Menschen, und er schlief ein. Und er nahm seiner Rippen eine und schloß die Stätte zu mit Fleisch. Und Gott der Herr baute ein Weib aus der Rippe, die er von dem Menschen nahm, und brachte sie zu ihm.«

74,30 f. *das Fleisch von meinem Fleisch, das Bein von meinem Bein:* 1. Mose 2,23: »Da sprach der Mensch: Das ist doch Bein von meinem Bein und Fleisch von meinem Fleisch«.

75,4 f. *Drei Teile ... vergebens –:* wahrscheinlich aus einem Kinderreim oder Studentenlied.

75,16 f. *meines »Fräuleins« ... übersetzt:* Luther (s. Anm. zu 62,12–15) übersetzte: »Und Gott schuff den Menschen Jm zum Bilde / zum bilde Gottes schuff er jn / Und schuff sie ein Menlin und Frewlin« (1. Mose 1,27; später verändert zu: »und schuf sie einen Mann und ein Weib«).

75,18 *hatte das Fenster geklungen:* Anspielung auf einen Vers aus Schillers Gedicht »Ritter Toggenburg« (1798): »Und so saß er viele Tage, / Saß viel Jahre lang, / Harrend ohne Schmerz und Klage, / Bis das Fenster klang« (V. 69–72).

76,18 *Buch der Bücher:* die Bibel, am häufigsten aufgelegtes und am weitesten verbreitetes Buch, das als Grundbuch des christlichen Abendlandes erachtet wurde und daher auch zu den ersten gedruckten Büchern zählt.

76,25 *Herz, mein Herz:* Anspielung auf die Anfangszeile von Goethes Gedicht »Neue Liebe, neues Leben« (1775): »Herz, mein Herz, was soll das geben«.

78,10 f. *Trichter ... Kammrad:* mühlentechnische Fachausdrücke.

78,36 *Bockasche:* in Braunschweig üblicher Ausdruck für Fabrikschlacke, die zur Wegbefestigung benutzt wird; hier Name eines Fabrikviertels am Stadtrand.

79,34 *Villeggiatur:* (lat./ital.) Landaufenthalt; Sommerfrische.

80,21 *Sapperment:* Fluch, entstellt aus ›Sakrament‹.

81,11 *Lithographie:* seit 1796/97 bekanntes Druckverfahren zur Reproduktion von Bildern; hier als Vorläufer der Photographie.

81,29 *Müllerhabitern:* Habit (lat./frz.): Kleidung, Tracht.

81,37 *scharwerkte:* scharwerken: urspr.: Frondienst leisten; dann überhaupt: harte Arbeit verrichten.

82,19 *Je:* Ausruf (Abkürzung aus ›Jesus‹).

82,19–22 *der Sänger ... göttergeweihter:* Anspielungen auf Verse aus Schillers Gedicht »Die vier Weltalter« (entst. 1803): »Es zeigt sich der Sänger, er tritt herein, / Zu dem Guten bringt er das Beste [...]. / Ihm gaben die Götter das reine Gemüt« (V. 3, 4 und 7).
Lippoldes: Kontamination aus ›Lipp[e-Detm]old‹, dem Geburts- und Sterbeort des Dramatikers Christian Dietrich Grabbe (1801–36).

12. Blatt

82,30 *Ich habe mein Teil:* Zitat aus dem Roman »Die Verlobten« (erste Fassung 1827) von Alessandro Manzoni (1785–1873); Raabe erwarb 1874 die Übersetzung von Daniel Leßmann (1827).

83,2 f. *Villeggiatur:* s. Anm. zu 79,34.

83,33 *Visage:* (lat./frz.) hier: Gesicht (ohne abwertenden Beiklang).

83,34 *Gloriole:* (lat.) Heiligenschein.

84,2 f. *davon singen und sagen:* Anspielung auf Luthers Weihnachtslied »Vom himel hoch da kom ich her« (1535): »der guten mehr bring ich so viel, / dauon ich singen und sagen wil« (V. 3 f.).

84,10 *aus einer andern Biographie:* Gemeint ist: Karl [Georg Heinrich] Ziegler, »Grabbe's Leben und Charakter«, Hamburg 1855. Raabe besaß dieses Buch; er zitiert aus ihm 84,17–85,12 unter Fortlassung eines abschweifenden Halbsatzes und mit einmaliger Hinzufügung des Artikels »das« (*durch* das *Abnehmen,* 85,3). (Vgl. Ziegler, S. 162 f.).

84,13 f. *der Name des früheren Besitzers ... auf der ersten Seite:* Eigentumsvermerk, nicht Verfasserangabe.

85,12 *Landläufer:* Landstreicher.

85,14 *Tragöde:* (griech./lat.) Schauspieler, der eine tragische Rolle spielt; hier: Tragödiendichter.

85,17 f. *in ihrem Spiritus aufbewahrt:* komische Anspielung auf das bekannte Verfahren, zoologische Präparate in Spiritus (Weingeist: Äthanol-Wasser-Gemisch) zu Lehr- und Anschauungszwecken aufzubewahren.

85,18 f. *Detmold ... Leipzig ... Braunschweig:* Grabbe (s. Anm. zu 82,19–22), geboren und gestorben zu Detmold, studierte in Leipzig (Raabe besaß seine Werke; s. auch Anm. zu 84,10); der Dramatiker Wolfgang Robert Griepenkerl (1810–68), den Raabe persönlich gekannt hatte (s. Brief an Fritz Hartmann vom 10. Januar 1907), wuchs in Braunschweig auf, lehrte und starb dort. Beide gingen zugrunde – allerdings ist wohl weniger im Alkohol als in der deutschen Misere die Ursache zu suchen.

85,20 f. *Hohenstaufen- und Französische-Revolutions-Dramatiker:* Grabbe verfaßte den Tragödienzyklus »Die Hohenstaufen« (»Kaiser Friedrich Barbarossa«, 1829; »Kaiser Heinrich der Sechste«, 1830), Griepenkerl die Trauerspiele »Maximilian Robespierre« (1851) und »Die Girondisten« (1852) sowie das ›Drama‹ »Auf Sanct Helena« (1862).

85,21 f. *Terzinen- und Stanzenepiker:* Vielleicht ist hier der Lyriker und Epiker Heinrich Leuthold (1827–79) gemeint, der nach Jahren materieller Not in geistige Umnachtung fiel. Raabe besaß eine Ausgabe von Leutholds »Gedichten« (1879).

85,22–25 *das ruhelose ... viele andere:* Bezieht sich auf das Gedicht »Einer wie viele und viele wie einer« (auch u. d. T. »Stille Größe«, 1860) von Annette von Droste-Hülshoff (1797–1848): »O, eure Zahl ist Legion! / Ihr Halbgesegneten, wo scheu / Ins Herz der Genius geflohn, / Und öde ließ die Phantasei; / Ihr, die ihr möchtet flügellos / Euch schwingen mit des Sehnens Hauch, / Und wieder an der Erde Schoß / Sinkt wie ein kranker Nebelrauch. // [...] Wenn zitternd nach dem Ideal / Ihr eure heißen Arme streckt / Und kaum für euer täglich Mahl / Den Halm der nächsten Furche weckt: // Dann seid als der Poet ihr mehr, / Der seines Herzens Blut verkauft, / Mehr als der stolze Künstler, der / Zur Heiligen die Hetäre tauft«.

85,27 *Thalatta:* »Thalatta, Thalatta!« (griech., ›Das Meer, das Meer!‹) war der Freudenruf der nach der Schlacht von Kunaxa (401 v. Chr.) heimkehrenden Griechen, als sie das Meer erblickten, das ihnen die Nähe der Heimat kündete; hier Dramentitel.

Alarich in Athen: Alarich I. (um 370–410), König der Westgoten, durchzieht 395/396 mit seinem Volk plündernd die Balkanhalbinsel bis in die Peloponnes; hier Dramentitel.

86,2 *Glossen:* (griech./lat.) hier: spöttische Randbemerkungen.

86,9 f. *Universitas litterarum:* (lat., ›Gesamtheit der Wissenschaften‹) Universität.

86,15 *Honoratioren:* (lat.) angesehene Bürger (besonders in Kleinstädten).

87,20 *zu dem Guten das Beste:* s. Anm. zu 82,19–22.

87,29 *Olympier:* (griech./lat.) Beiname der griechischen Götter, die den Götterberg Olymp bewohnen; hier bezogen auf die »göttergeweihten« (s. Anm. zu 82,19–22) Dichter.

89,13 f. *Bodenstein … Laufer … Fachbaum:* mühlentechnische Fachausdrücke.

13. Blatt

91,24 f. *zu unserer … Disposition:* (lat.) zu unserer Verfügung.

91,37–92,1 *Einflußgerinne:* mühlentechnischer Fachausdruck.

92,22 *Exmentor:* (lat./griech.) ehemaliger Mentor (s. Anm. zu 28,30).

93,10 *gemeinsamen Mutter:* Mutter Erde.

93,18 *Universitas litterarum:* s. Anm. zu 86,9 f.

93,27–94,12 *kieselschalige Diatomeen … Zygnemacee … Saprophyten … Schizomyceten und Saprolegniaceen … Septothrix … Cladothrix Cohn:* biologische Fachausdrücke, von Raabe im Kontext erklärt.

94,2 f. *Ein ewig Kommen und ein ewig Gehen!:* Anspielung auf Verse aus dem Gedicht »Am Baum der Menschheit drängt sich Blüt' an Blüte« (1844) von Ferdinand Freiligrath (1810 bis 1876): »Am Baum der Menschheit drängt sich Blüt' an Blüte, / Nach ew'gen Regeln wiegen sie sich drauf; / Wenn hier die eine matt und welk verglühte, / Springt dort die andre voll und prächtig auf. / Ein ewig Kommen und ein ewig Gehen, / Und nun und nimmer träger Stillestand! / Wir sehn sie auf-, wir sehn sie niederwehen, / Und jede Blüte ist ein Volk, ein Land!«

94,19 *Beggiatoa alba:* biologischer Fachausdruck, erläutert 94,29–35.

94,29 *Von einem von uns:* s. 95,2 *Kollege Kühn:* Gemeint ist der Botaniker Ferdinand Cohn (1828–98, s. Nachwort, S. 228 u. 233).

94,32 *das Lebende hat Recht:* Anspielung auf einen Vers aus Schillers Gedicht »An die Freunde« (1803): »Und der Lebende hat recht.«

94,36 *Kruggerechtsame:* s. Anm. zu 17,32.

95,6 f. *Lamm ... Wasser trübt:* Anspielung auf die Fabel vom Wolf und dem Lamm (älteste Fassung bei Phaedrus, dem ersten lateinischen Fabeldichter, der ungefähr bis 50 n. Chr. literarisch tätig war).

96,5 *aus Abend und aus Morgen wird sicherlich der zweite:* Anspielung auf 1. Mose 1,8: »Da ward aus Abend und Morgen der andere Tag.«

96,32 *Nachtviolen:* Blütenpflanzen (Hesperis matronalis, Frauenkilte), bereits von Plinius d. Ä. (23/24–79 n. Chr.) erwähnt.

97,10 *botanisieren:* (griech.) Pflanzen zu Studienzwecken sammeln.

14. Blatt

97,22 *acta registrata:* (lat.) Aktenbände.
Regesten: (lat.) knappe Zusammenfassungen des Inhalts von Urkunden unter Weglassung der regelmäßig wiederkehrenden, formelhaften Teile, aber mit genauer Bezeichnung des Ortes, der Personen usw.

97,24 *Es wurde aus Abend und Morgen:* s. Anm. zu 96,5.

98,21 *propagieren:* (lat.) werben; hier (dem Sprachgebrauch der Bismarckzeit gemäß): verbreiten, fortpflanzen.

98,23 f. *lobtet den Herrn und alle seine Werke:* Anspielung auf Ps. 103,22: »Lobet den Herrn, alle seine Werke«.

98,27 *Schmaratz:* Schmaranks (nordharzer Mundart): flüssiger Kot, Schmutz.

98,29 *Don Feliciano:* Don (span.): Herr; Feliciano: abgeleitet vom Vornamen Felix, Anspielung auf span. feliz ›glücklich‹, durch die Endsilbenbildung geprägt zu: der vom Glück Herkommende, d. h. hier: der einstmals Glückliche.

98,34 *Melusinens:* Das altfranzösische Sagenmotiv von der Meernixe Melusine wurde in neuerer Zeit von Ludwig Tieck (1773–1853), Goethe, Franz Grillparzer (1791–1872), Karl Simrock (1802–76), Gustav Schwab (1792–1850) aufgenommen und bearbeitet.

98,35 *fons Bandusius:* (lat. fons Bandusiae) Bandusische Quelle auf dem Landgut von Horaz (Quintus Horatius Flaccus, 65–8 v. Chr.). Horaz besang sie in einer »Ode« (»Carmina« 3[23 v. Chr.],13,1).

98,36 *Hippokrene:* (griech./lat.) ›Roßquelle‹, nach der altgriechischen Sage durch den Hufschlag des Pegasus (s. Anm. zu 5,4–8) entstanden; Musenquelle, Quelle der Inspiration für den Dichter.

99,19 *Häuslingswohnung:* Häusling: Häusler, landarmer Bauer, dessen Grundbesitz nicht ausreichte, um sich von ihm zu ernähren. Der Häusler blieb daher auf einen Nebenerwerb angewiesen, den er in nicht-industrialisierten Landgebieten vor allem bei den Gutsherren und Großbauern fand. Diese richteten Häuslerstellen oft planmäßig ein, um Arbeitskräfte zur Verfügung zu haben, die nicht als Gesinde angestellt und versorgt werden mußten.

99,22 *Singt Weide, grüne Weide!:* Anspielung auf die (variierte) Refrainzeile in Desdemonas Lied aus Shakespeares Tragödie »Othello« (aufgeführt 1604, Druck 1622): »Singt Weide, grüne Weide! [...] Singt Weide, Weide, Weide!« (IV,3).

99,23 *mit Fenchel, Raute und Aglei:* bezieht sich auf Ophelias Äußerungen in Shakespeares Tragödie »Hamlet, Prinz von Dänemark« (aufgeführt 1602, Druck 1603): »Da ist Fenchel für Euch und Aglei – da ist Raute für Euch, und hier ist welche für mich« (IV,5).

99,23 f. *mit Hahnfuß, Nesseln, Maßlieb, Kuckucksblumen:* Anspielung auf den Bericht der Königin von Ophelias Tod in Shakespeares »Hamlet«: »Es neigt ein Weidenbaum sich übern Bach / Und zeigt im klaren Strom sein graues Laub, / Mit welchem sie phantastisch Kränze wand / Von Hahnfuß, Nesseln, Maßlieb, Kuckucksblumen« (IV,7); zugleich Vorausdeutung auf Felix Lippoldes' Tod (s. 19. Blatt, S. 149–158, und S. 165).

99,24 f. *mitten im dänischen Winter:* Bezug auf das Geschehen in Shakespeares »Hamlet«.

99,33–35 *ich wollte euch ... Ende:* fast wörtliches Zitat aus Ophelias Dialogtext in Shakespeares »Hamlet«: »ich wollte Euch ein paar Veilchen geben, aber sie welkten alle, da mein Vater starb. – Sie sagen, er nahm ein gutes Ende« (IV,5).

100,9 f. *Hamlet dem Dämel:* Verballhornung der Bezeichnung ›Hamlet der Däne‹; dämeln (nordd.): nicht recht bei Sinnen, bei Verstande sein; Dämel (Dämelack): schwachsinniger Mensch.

100,12 f. *Dänische Tropfen:* Mittel gegen Erkältung.

100,14 f. *von Florens Kindern ... Fräulein O –:* nochmaliger Bezug auf Ophelias Auftritt, die »phantastisch mit Kräutern und Blumen geschmückt« erscheint (»Hamlet« IV,5); Flora: römische Göttin des blühenden Getreides und der Blumen; Florens Kinder: blühende Pflanzen.

101,15 *res mea agitur:* (lat.) meine Sache wird verhandelt; Anspielung auf Horaz (s. Anm. zu 98,35), »Episteln« 1[20 v. Chr.], 18,84: »tua res agitur«.

101,18 *Knabe Lenker:* Knabe Wagenlenker (auch: Knabe Lenker): Anspielung auf eine Figur aus Goethes »Faust« II (1832), 1, V. 5520–5708; hier ironisch im Wortsinne gebraucht.

101,29 f. *Gastfreund der Olympier:* s. Anm. zu 82,19–22 und zu 87,29.

101,35 *cour- und tafelfähig:* hoffähig und zugelassen zum gemeinsamen Mahl; cour (lat./frz.): Hof.

101,36 *Zeus:* ranghöchster der altgriechischen Götter.

101,37 *Redensarten nach der Teilung seiner Erde:* Anspielung auf Schillers Gedicht »Die Teilung der Erde« (1795): Als sich nach der Teilung der Welt der leer ausgegangene Poet bei Zeus meldete, tröstete ihn dieser mit den Worten: »Die Welt ist weggegeben, / Der Herbst, die Jagd, der Markt ist nicht mehr mein. / Willst du in meinem Himmel mit mir leben, / So oft du kommst, er soll dir offen sein.«

102,14–17 *saures Kalzium- und saures Magnesiumkarbonat ... Chlormagnesium:* chemische Verbindungen.

102,28 f. *termini technici:* (lat.) Fachwörter, -ausdrücke.

102,37 *Najade:* (griech./lat.) in Quellen und Gewässern wohnende Nymphe (Naturgottheit; griechischer Mythos); hier für ›Gewässer‹ gesetzt.

103,12 *Ici!:* (frz.) Hier!

103,18 *Kampagne:* (lat./ital./frz.) Betriebszeit in saisonbedingten Unternehmen wie Zuckerfabriken.

104,21 f. *Humor in dem Dinge:* Anspielung auf eine häufige Formulierung bei Shakespeare (»König Heinrich der Fünfte« [1600], II,1; »Die lustigen Weiber von Windsor« [1602], II,1).

104,28 *Chorus:* (griech./lat.) Chor im altgriechischen Drama; hier: kommentierender Begleiter.

105,20 f. *Uralte jüdische Weisheit und Prophezeiung:* Verweis auf eine Verkündung des Propheten Zephanja, die 105,25–28 mit genauer Quellenangabe folgt.

106,5 f. *Alarich in Athen:* s. Anm. zu 85,27.

106,6 *Schneider in Straßburg:* Der deutsche Jakobiner Eulogius Sch. (d. i. Johann Georg Sch., 1756–94), Vizepräsident des Klubs der

Konstitutionsfreunde und öffentlicher Ankläger am elsässischen Revolutionstribunal in Straßburg, wurde selbst ein Opfer der Revolutionsjustiz und 1794 hingerichtet; hier Dramentitel.

107,2 *Kuratel:* (lat.) Vormundschaft; Aufsicht.

107,11 *Staffage:* (frz./niederl.) Beiwerk, Ausstattung; auch: Nebenfiguren.

107,29 f. *zu eben solchen Wirklichkeiten wurden:* Anspielung auf die Schlußzeile von Goethes »Zueignung« (1808) zu »Faust« I: »Und was verschwand, wird mir zu Wirklichkeiten« (V. 32).

108,24 *Sommernachtstraum:* Anspielung auf den Titel von Shakespeares Komödie »Ein Sommernachtstraum« (1600).

109,6 *Kober:* (ostmd.) Korb.

109,22 *Nordhäuser:* Kornbranntwein aus Nordhausen (Harz).

109,23 *See von Plagen:* Anspielung auf ein Wortbild aus Hamlets Monolog (»Hamlet« III,1; s. Anm. zu 99,23): »Sein oder Nichtsein, das ist hier die Frage: / Ob's edler im Gemüt, die Pfeil' und Schleudern / Des wütenden Geschicks erdulden, oder, / Sich waffnend gegen eine See von Plagen, / Durch Widerstand sie enden.«

109,24 *Wehr und Waffen:* Anspielung auf eir n Vers aus Luthers Kirchenlied »Ein feste Burg« (1529): »Ein feste Burg ist unser Gott, / Ein gute Wehr und Waffen.«

110,8 *Garçon:* (frz.) Junge, Junggeselle; Kellner.

110,28 *sonoren:* sonor (lat./frz.): klangvoll, volltönend.
Jamben: hier wohl Anspielung auf den jambischen Blankvers, den beliebtesten Dramenvers der Klassiker und ihrer Epigonen.

112,32 *Hebe:* altgriechische Göttin der Jugend, Mundschenkin der Götter.

113,6 *in limbo infantum:* (lat.) im See der Kinder; nach römisch-katholischer Lehre der abgesonderte Ort neben der Hölle für ungetauft verstorbene Kinder, die hier, von der Erbsünde gereinigt, die Aufnahme in den Himmel erwarten.

113,18 *old dry:* (engl.) Bezeichnung für Wein: gereift und herb (hier auf Madeira-Wein bezogen).

15. Blatt

116,2 *Der Dreißigjährige Krieg:* s. Anm. zu 13,30 f.

116,11 *Bellona:* altrömische Kriegsgöttin; hier Sammelbegriff für ›Kriegsheer, Kriegführung‹.

116,27 *Stockaden:* Verschanzungen.

116,27 f. *Pikkolominis oder Torstensons:* Ottavio Piccolomini-Pieri (1599-1656), kaiserlicher Feldmarschall; Lennart Torstenson (1603–51), schwedischer Feldherr; Heerführer im Dreißigjährigen Krieg.

117,7–11 *»... gedacht ich ... zu scheitern«:* Zitat aus der Kanzone 12 »Das Unendliche« (1824) von Giacomo Leopardi (1798–1837); die Übersetzung von Gustav Brandes (1869) befand sich in Raabes Besitz.

117,12 *Kanzone:* romanische Gedichtform.

117,21 *Recanati:* Geburtsort Leopardis (s. Anm. zu 117,7–11).

117,26 *Patron:* (lat.) hier: Bursche.

118,5 *Giacomo Leopardi:* s. Anm. zu 117,7–11.

118,7 f. *G. K. Herloßsohn:* Georg Karl Reginald H. (1804–49), Schriftsteller und Journalist.

118,8 *Abt:* Franz A. (1819–85), Komponist, Hofkapellmeister in Braunschweig.

118,9 *Wenn ... ziehen:* Lied, verfaßt von Herloßsohn, vertont von Abt.

120,4 *Mülleraxt:* Axt, wie sie die Müller früher zur Zierde trugen; s. 183,6.

120,36 f. *in Kanonen:* in Kanonenstiefeln (Langschäftern), die zur studentischen Verbindungstracht getragen wurden.

121,2 *Büchsen:* Hosen.

121,11 *der Müller und sein Kind:* s. Anm. zu 58,32.

121,17 *Kommersidylle:* (lat./frz.; griech./lat.) idyllischer Ort für studentische Trinkgelage.
Vivat: (lat., ›er lebe‹) Lebehoch, Hochruf.

121,25 *Pereat:* (lat., ›er gehe zugrunde‹) Nieder!, Schimpfruf.

122,3 f. *Fäkal- ... Stoffe:* (lat.) Kot-Stoffe.

122,12 *Pennal:* (lat.) höhere Lehranstalt (Schülersprache); hier: Pennäler, Schüler einer höheren Lehranstalt.

122,13 *Resumptio:* (lat.) Zusammenfassung.

122,28 *Lustren:* (lat.) Pl. zu ›Lustrum‹: Zeitraum von fünf Jahren; hier: lange Zeit.

16. Blatt

127,11 *Pennal:* s. Anm. zu 122,12.

127,12 *Fuchs:* Verbindungsstudent in den beiden ersten Semestern (s. Anm. zu 18,1 und zu 28,36).

213

128,12 *Mokkakäf –:* studentischer Jargon, aus Höflichkeitsgründen halb unterdrückt.

128,14 *Sir Childe:* früher der Beiname des ältesten Sohns eines englischen Adligen, bevor er den Titel seines Vaters erhielt; hier wohl Titelanspielung auf das epische Gedicht »Childe Harold's Pilgrimage« (»Ritter Harolds Pilgerfahrt«, 1812/18) von George Gordon Noël Byron (1788–1824).

129,10 *Anbauerhause:* s. Anm. zu 99,19.

129,18 *Verblusterung:* blustern: scheu, verwirrt sein (nordharzer Mundart); hier: Verwirrung.

17. Blatt

130,23 f. *berühmten Kollegen in den Wahlverwandtschaften:* Gemeint ist der Architekt aus Goethes Roman »Die Wahlverwandtschaften« (1809), T. 2, Kap. 1.

130,24 f. *ein Jüngling ... Worts:* So wird der Architekt in den »Wahlverwandtschaften« beschrieben: »Ein Jüngling im vollen Sinne des Wortes, wohlgebaut, schlank, eher ein wenig zu groß, bescheiden ohne ängstlich, zutraulich ohne zudringend zu sein« (T. 2, Kap. 1).

130,30 *Doctor juris:* (lat.) Doktor der Rechtswissenschaften.

131,19 *Renaissance:* (lat./frz.) hier: Anspielung auf den eklektizistischen Mischstil der Gründerzeit, der Formelemente älterer Stilepochen (wie auch der Renaissance) zu Schmuckzwecken übernahm und kopierte.

131,28 *Bleifeder:* Bleistift.

132,11 *Staffeln:* (oberd.) Sprossen einer Leiter.

132,23 *Falkoniere:* Falkner; Jäger, die mit abgerichteten Falken jagen.

132,32–34 *Zentrifugalen ... Plisseemaschinen:* Fachausdrücke und Maschinenbezeichnungen aus dem Bereich der chemischen Reinigung und der Kleiderausbesserung.

133,13 *Telemachos:* s. Anm. zu 28,30.

133,17 f. *Malebolge:* (ital.) Verbrechergruben, Unheilsbuchten; Ort in der Hölle bei Dante (s. Anm. zu 37,7–10), »Die Göttliche Komödie«, Die Hölle, 18. Gesang, V. 1.

134,2 *stupifizierende:* stupifizieren (lat.): in Erstarrung versetzen (vor Erstaunen).

134,24 *auf ... »Parisern«:* auf Filzschuhen.

135,8 *opalisierend:* in Farben schillernd wie ein Opal.

136,10 *Eulogius Schneider :* s. Anm. zu 106,6.

137,21 *vir juvenis:* s. Anm. zu 45,1 f.

18. Blatt

138,28 *schöne Müllermaid:* Anspielung auf Schnezlers »Schön Müllerin« (s. Anm. zu 7,21–24), V. 45.

138,31 *Schulen:* hier: Hochschulen, Universitäten.

139,27–34 *Da öffnet ... für heute!:* Schnezler (s. Anm. zu 7,21–24), V. 33–40.

140,23 *juridischen:* (lat.) dem Recht entsprechenden.

143,4 f. *Dorfgeschichte:* Anspielung auf eine beliebte literarische Genreform des Bürgerlichen Realismus, der Berthold Auerbach (d. i. Moyses Baruch Auerbacher, 1812–82) mit seinen »Schwarzwälder Dorfgeschichten« (1843–53) zum Durchbruch verholfen hatte.

143,5 *mit feurigem Schwert vertreiben:* Redensart im Anschluß an 1. Mose 3,24: Gott »trieb Adam aus und lagerte vor den Garten Eden die Cherubim mit dem bloßen, hauenden Schwert, zu bewahren den Weg zu dem Baum des Lebens« (s. auch 143,10 f.).

143,13 *Siebensachen:* formelhafte Wendung, entstanden unter dem Einfluß der Bibel, die die Siebenzahl häufig verwendet; hier: Gepäck.

144,35 *ästimiert:* (lat./frz.) geschätzt.

145,7 f. *wuschen sie ... in Unschuld:* Redensart im Anschluß an Matth. 27,24: Pilatus »wusch die Hände vor dem Volk und sprach: Ich bin unschuldig an dem Blut dieses Gerechten; sehet ihr zu!«

145,20 *Pichelswerder:* Ausflugsort an der Havel bei Berlin.

146,37 *contra:* (lat.) gegen.

147,29–33 *eines der kleinern Meisterwerke ... Dattelkern:* Gemeint ist das Gedicht »Der Knabe und sein Vater. An den jungen Grafen von Cüstine« (entst. 1778) von Gottlieb Conrad Pfeffel (1736–1809); die Originalstelle, die Raabe hier aus dem Gedächtnis zitieren läßt (s. 147,35: *so ungefähr*), lautet: »Ein Schüler aß, wie viele Knaben, / Die Datteln für sein Leben gern; / Und um des Guten viel zu haben, / So pflanzt er einen Dattelkern / In seines Vaters Blumengarten.«

147,35 *Telemachos:* s. Anm. zu 28,30.

148,2 *Fabulist:* (lat.) Fabeldichter.

148,7 f. *Non olet:* (lat.) [Geld] stinkt nicht; überlieferter Ausspruch des römischen Kaisers Titus Flavius Vespasianus (69–79), der mit diesen Worten die Einführung einer Latrinensteuer gerechtfertigt haben soll.

148,8 *Allezeitmehrer:* Übersetzung von »semper Augustus« (lat.), seit Ludwig dem Bayern (1314–47) im Titel des römisch-deutschen Kaisers; hier also für ›Kaiser‹.

148,9 *Mr.:* M. (frz., Abkürzung von ›Monsieur‹): Herr.

148,9 f. *François Marie Arouet, genannt de Voltaire:* Der französische Dichter A. (1694–1778) nahm 1718 den Schriftstellernamen Voltaire (Anagramm nach zeitgenössischer Schreibung aus Arovet l[e] i[eune] ›der junge Arouet‹) an; durch erfolgreiche Finanzspekulationen wurde er reich und damit unabhängig.

148,13 f. *Erdenlappenlumpenundfetzenreinigungsinstitut:* Langwort nach dem Vorbild des altgriechischen Lustspieldichters Aristophanes (um 445 – um 385 v. Chr.). Raabe spielt auf Aristophanes wie auf Homer (s. 188,4) an, um die kapitalistische Gründerperspektive ironisch in Zweifel zu ziehen.

19. Blatt

150,27 *Brigg:* Abkürzung von ›brigantino‹ (ital., ›Raubschiff‹): zweimastiger Schnellsegler.

150,28 *Landsend:* Kap in Cornwall, südwestlichster Punkt Englands.

150,29 *Lottchen:* Charlotte Buff (1753–1828), Vorbild der Lotte in Goethes Roman »Die Leiden des jungen Werthers« (1774).
Laura: von Francesco Petrarca (1304–74) besungene Dame; ob es sich um eine fiktive Bezugsperson oder eine wirklich existierende Frau (Tochter eines Audibert de Noves, 1307–48) handelte, ist umstritten.

150,30 *Beatrice:* von Dante (s. Anm. zu 37,7–10) verehrt, in der »Göttlichen Komödie« seine Führerin im Himmel.

150,31 *Feminina:* (lat.) Vertreterinnen des weiblichen Geschlechts.

151,2 *sekundanerhaft:* (lat.) wie ein Sekundaner, d. h. ein Schüler der zweitletzten Klassenstufe einer höheren Lehranstalt.

151,5 f. *ein Königreich ... geben:* Anspielung auf den Ausruf des Titelhelden in Shakespeares Historiendrama »König Richard der

Dritte« (1597): »Ein Pferd! ein Pferd! mein Königreich für'n Pferd!« (V,4).

151,6 f. *Adalbert von Chamissos alter Waschfrau:* Adelbert von Chamisso (1781–1838) sagt von der Titelheldin seines Gedichts »Die alte Waschfrau« (entst. 1833): »So hat sie stets mit sauerm Schweiß / Ihr Brot in Ehr' und Zucht gegessen / Und ausgefüllt mit treuem Fleiß / Den Kreis, den Gott ihr zugemessen«; er schließt mit den Versen: »Ich wollt', ich hätte so gewußt / Am Kelch des Lebens mich zu laben / Und könnt' am Ende gleiche Lust / An meinem Sterbehemde haben.«

152,20 *poussieren:* (lat./frz.) jmd. den Hof machen; umwerben; jmd. verwöhnen, um etwas zu erreichen.

152,21 *Ismaelit:* Anspielung auf Hagars und Ismaels Austreibung (1. Mose 21,14–16): Abraham »nahm Brot und einen Schlauch mit Wasser und legte es Hagar auf ihre Schulter und den Knaben mit und ließ sie von sich. Da zog sie hin und ging in der Wüste irre bei Beer-Seba.«

152,21 f. *Der ... geflickte Lumpenkönig:* Anspielung auf Hamlets Ausruf: »Ein geflickter Lumpenkönig!« (»Hamlet« III,4; s. Anm. zu 99,23).

154,8 *Kommis:* (lat./frz.) Handlungsgehilfe.

155,11 *der »eminente«:* (lat./frz.) offenbar in Anspielung auf den Titel ›Eminenz‹ (›Hoheit‹) gebraucht; auch: der hervorragende, außerordentliche.

155,25 f. *diesem Menschlichen nicht mehr fremd:* Anspielung auf eine Sentenz aus der Komödie »Heautontimorumenos« (»Der Selbstquäler«, 163 v. Chr.) von Publius Terentius Afer (195?–159 v. Chr.): »Homo sum, humani nil a me alienum puto« (lat.; »ich bin ein Mensch, nichts Menschliches ist mir fremd, meine ich«).

156,4 *Provinzialstyx:* Styx: s. Anm. zu 66,15.

156,15 *Kassandra:* Unheil verkündende trojanische Weissagerin (griechischer Mythos).

156,22 *Phlegethon:* (griech. ›der Flammende‹) ein Fluß der Unterwelt (griechischer Mythos).

156,24 *Nymphen und Nixen:* weibliche Naturgottheiten (griechischer Mythos) und Wassermänner und -jungfrauen (germanischer Mythos).

157,31 f. *Der Wächter ... gerufen:* Das Nachtwächterhorn war im 19. Jh. durch die Pfeife bzw. durch einen Ruf abgelöst worden; vgl. Raabe, »Die Leute aus dem Walde« (1862/63), Kap. 24; »Das Horn von Wanza« (1880/81), besonders Kap. 14.

159,16 *eigenen Herd:* Anspielung auf das Sprichwort »Eigen Herd ist Goldes wert« (vgl. Wander, Bd. 2, 1870, Sp. 527; s. Anm. zu 37,26 f.).

159,17 *Exerzitien:* (lat.) Übungsstücke, Hausarbeiten.

160,21 *Billett:* (frz.) hier: Briefchen.

160,25 f. *in integrum restituiertem:* in integrum restituieren (lat., Rechtswissenschaft): in den vorigen Stand wiedereinsetzen; den ursprünglichen Zustand völlig wiederherstellen.

160,29 *Schmalhans:* seit 1663 belegte Bezeichnung für ›Hungerleider‹.

160,31 f. *Advocatus diaboli:* (lat., ›Anwalt des Teufels‹) Sprecher, der im römisch-katholischen Verfahren der Selig- und Heiligsprechung Gegengründe vorbringt; hier: spöttische Bezeichnung im Wortsinne.

160,36 *Seiger:* altertümliche Bezeichnung für ›Uhr‹; hier: Sanduhr in sinnbildlicher Bedeutung.

161,3–5 *und aber ... Rückert:* Anspielung auf die Refrainzeilen des Gedichts »Chidher« (1829) von Friedrich Rückert (1788–1866): »Und aber nach fünfhundert Jahren / Will ich desselbigen Weges fahren.«

161,21 f. *Konsortiums:* Konsortium (lat.): vorübergehende Vereinigung von Unternehmen (oder Geldgebern) zur Durchführung von Geschäften, die mit großem Kapitaleinsatz und großem Risiko verbunden sind.

161,23 *Villegiatura:* s. Anm. zu 79,34.

161,26 *Bismarck:* deutscher Reichskanzler von 1871 bis 1890; s. Anm. zu 73,33–37.
Kulturkampf: machtpolitische Auseinandersetzung zwischen Staat und römisch-katholischer Kirche in Preußen (1872 bis etwa 1887), in die Bismarck bestimmend eingriff und für die Rudolf Virchow (1821–1902) den Namen fand, als er in einer antikirchlichen Stellungnahme vom »Kampf für die Kultur« sprach.
soziale Frage: zentrales politisches Thema seit dem Aufkommen der Sozialdemokratie (1875 Vereinigung der beiden konkurrierenden Parteigruppen zur Sozialistischen Arbeiterpartei Deutschlands), dem Erlaß des Sozialistengesetzes (1878) und der Verabschiedung der Bismarckschen Sozialgesetzgebung (1883–91).

162,3 *Teutonen:* s. Anm. zu 23,30 f.

162,8–10 *Und dem Wandersmann ... zart und mild!:* Zitat aus dem

Studentenlied »Rudelsburg« (»An der Saale hellem Strande«, 1826) von Franz Kugler (1808–58): »Zwar die Ritter sind verschwunden, / nimmer klingen Speer und Schild; / doch dem Wandersmann erscheinen / in den altbemoosten Steinen / oft Gestalten zart und mild.«

162,11 *»Gaudeamus igitur«:* s. Anm. zu 17,27.

162,11 f. *Krambambuli:* beliebtes Studentenlied; eigentlich: »Der Krambambulist. Ein Lob-Gedicht über die gebrannten Wasser im Lachß zu Dantzig« (1745) von Crescentius Koromandel (d. i. Christoph Friedrich Wedekind; auch: Wittekind; 1709–77), 1747 von 43 Strophen auf 102 Strophen (nebst 6 Strophen Vorbericht) erweitert.

162,13 f. *Die Mühlen ... treibt:* Zitat aus dem Studentenlied »Ich lobe mir das Burschenleben« (18. Jh.): »Die Mühlen können nichts erwerben, / sobald das Wasser sie nicht treibt; / so muß denn auch der Bursch verderben, / wenn ihm der Wechsel außen bleibt.«

162,15 *Couleur:* (frz.) Farbe; hier für ›Verbindung‹ (s. Anm. zu 18,1).

162,16 *Potpourri:* (frz.) Zusammenstellung mehrerer Musikstücke.

162,27 f. *Lied von der Saale hellem Strande:* s. Anm. zu 162,8–10.

162,28 *Gaudeamus:* s. Anm. zu 17,27.

163,20 f. *vidimierte:* (lat.) beglaubigte.

163,33–36 *Schön Müllerin ... begraben:* Schnezler (s. Anm. zu 7,21–24), V. 45–48.

21. Blatt

164,12 *Schub:* in der Polizeisprache seit dem 18. Jh. Fortschaffung von Personen; hier ist wohl die Beförderung durch die Eisenbahn gemeint.

164,22 *Coupé:* (frz.) Abteil im Eisenbahnwagen.

166,37 *ästimierte:* s. Anm. zu 144,35.

168,3 *Epitaphium:* (griech./lat.) Grabschrift.

168,5 *post mortem:* (lat.) nach dem Tode.

168,9 *grünen Busch:* Zeichen, daß die Schankwirtschaft geöffnet ist.

168,29 f. *häufte ... auf sein Haupt:* Anspielung auf den Brief des Paulus an die Römer 12,20: »So nun deinen Feind hungert, so speise ihn; dürstet ihn, so tränke ihn. Wenn du das tust, so wirst du feurige Kohlen auf sein Haupt sammeln.«

171,37–172,1 *mit vollkommen zureichendem Grunde:* Anspielung auf den philosophischen Begriff, der Raabe aus der Abhandlung »Über die vierfache Wurzel des Satzes vom zureichenden Grunde« (1813) von Arthur Schopenhauer (1788–1860) vertraut war.

22. Blatt

172,15 *exerzitienhaft:* wie in einer Übungsarbeit (s. Anm. zu 159,17).

173,3 *Quinta:* s. Anm. zu 39,23. Eberhard Pfister ist jetzt Lehrer einer Quinta.

173,21 *Rhakopyrgos, arx panniculorum:* von Raabe gebildete griechische und lateinische Übersetzung des Wortes ›Lumpenburg‹.

175,25 f. *aufs Tapet brachte:* s. Anm. zu 68,26 f.

176,32 *Abt und Prior:* Abt und Stellvertreter des Abts; hier: bei allen Instanzen.

179,7 *Kontenance:* s. Anm. zu 43,4.

179,18 f. *kniee ... auf Erbsen:* Kinderstrafe, um Reue zu erzeugen. *Esel:* Holzgestell zum Tragen, auch für Sträflinge; hier: Schandsymbol zur Strafe für Schulkinder.

180,4 *Devise:* (lat./frz.) Wahlspruch, Losung.

181,10 *sintemalen:* eigtl.: seit dem Zeitpunkt; später wie hier: da, weil (häufig gebraucht in der Kanzleisprache, aber auch bei Martin Luther anzutreffen).

181,12 *ästimieret:* s. Anm. zu 144,35.

181,15–18 *Wer selig ... Blut –:* Wander (s. Anm. zu 37,26 f.), Bd. 4, 1876, Sp. 836 registriert das Sprichwort: »Wer will gut und selig sterben, laß sein Gut den rechten Erben«; Raabes Quelle nicht ermittelt.

181,17 *Allodegut:* freies Eigentum (im Gegensatz zum Lehen).

182,3 *item:* (lat.) ebenso, desgleichen.

182,29 f. *Ist kein Dalberg da?:* Nach Wander (s. Anm. zu 37,26 f.), Bd. 1, 1862, Sp. 549 stellte der deutsche Kaiser diese Frage, wenn er Knappen zu Rittern schlagen wollte, weil hierbei die Mitglieder der Familie Dalberg allen anderen vorangingen. Mit dem Erlöschen der Kaiserwürde 1806 hörte das Zeremoniell auf, doch Napoleon I. (1804–14) führte es in Frankreich wieder ein und verordnete, daß der Ritterschlag der Dalberg künftig ein Attribut der französischen Kaiserwürde sein sollte.

182,31 *Kollaboratoren:* (lat., Pl.) Hilfslehrer.

183,6 *Mülleraxt:* s. Anm. zu 120,4.

184,18 *Phantastikus:* (griech./lat.) Phantast; Träumer, Schwärmer.

187,17–21 *Knúzäma ... Korkorúgä:* lautgetreu transkribierte griechische Bezeichnungen für ›Weinen‹ und ›Wehklagen‹.

187,23 *Hyakinthosgelock:* Anspielung auf Homers Beschreibung der Haare des Odysseus in der »Odyssee« (8. Jh. v. Chr.): »geringeltes Haar, wie die purpurne Blum' Hyakinthos« (6,231; 23,158). Hyakinthos (griech.): Hyazinthe, Blumenpflanze, benannt nach dem vorgriechischen Fruchtbarkeitsgott Hyakinthos. Er wurde durch einen unglücklichen Diskuswurf Apolls getötet; aus seinem Blut entsproß die Blume (griechischer Mythos).

187,27 *Hellas:* (griech.) bei Homer eine Landschaft im südöstlichen Thessalien, die Heimat der Hellenen; bei Herodot (um 485 – um 425 v. Chr.) das ganze von Griechen bewohnte Gebiet; seit dem Mittelalter das griechische Festland und die griechischen Inseln.

187,28 *Nomenklatur:* (lat.) Zusammenstellung von Fachbezeichnungen eines Wissensgebiets.

187,31 *Reklamerich:* in Anlehnung an lat. reclamare ›dagegenschreien, laut nein! rufen, seinen Unwillen durch Schreien bekunden‹ gebildet: Schreihals.

188,1 *Monturstücken:* Montur (lat./frz.): Uniform.

188,4 *Homer:* bezieht sich auf die »Ilias« und die »Odyssee« (beide 8. Jh. v. Chr.).

188,5 f. *das abgetragene Zitat ... über uns:* Anspielung auf den Schlußvers von Schillers Gedicht »Der Spaziergang« (1795): »Und die Sonne Homers, siehe! sie lächelt auch uns« (V. 200). Zugleich ironischer Bezug auf den Schluß der Novelle »Psyche« (1875) von Theodor Storm (1817–88); der zweitletzte Absatz lautet: »Da löste sich die Stille in ein heiteres Lachen des Glückes; ganz vernehmlich blies der Faun auf seiner Flöte, und am Himmel draußen stand in vollem Glanz die Sonne, noch immer die Sonne Homers, und beleuchtete wieder einmal ein junges aufblühendes Menschenschicksal.« Die Textstelle belegt, daß Raabe Grund zur Ironie hatte.

Literaturhinweise

Textausgaben

Raabe, Wilhelm: Sämtliche Werke. (Braunschweiger Ausgabe.) Im Auftrag der Braunschweigischen Wissenschaftlichen Gesellschaft hrsg. von Karl Hoppe und Jost Schillemeit. 20 Bde. und 5 Erg.-Bde. Freiburg/Braunschweig 1951–59; dann: Göttingen: Vandenhoeck & Ruprecht, 1960–94.

Raabe, Wilhelm: Pfisters Mühle. Ein Sommerferienheft. Ebd. Bd. 16. Hrsg. von Hans Oppermann. 2., durchges. Aufl. 1970. S. 5–178; Apparat S. 517–544.

Raabe, Wilhelm: Pfisters Mühle. Ein Sommerferienheft. In: Die Grenzboten 43 (Leipzig 1884) Nr. 40–52. [Erstdr.]

Raabe, Wilhelm: Pfisters Mühle: Ein Sommerferienheft. Leipzig: Grunow, 1884 [Erste Buchausg.]

Bibliographien

Meyen, Fritz: Wilhelm Raabe Bibliographie. In: Wilhelm Raabe: Sämtliche Werke. (Braunschweiger Ausgabe.) Erg.-Bd. 1. 2., völlig umgearb. und erw. Aufl. Göttingen 1973. S. 113 f. und 367 f. – Seither regelmäßig ergänzt durch das jährlich erscheinende: Jahrbuch der Raabe-Gesellschaft. Braunschweig: bis 1988; Tübingen: seit 1989.

Forschungsliteratur

Bayerl, Günter: Herrn Pfisters und anderer Leute Mühlen. Das Verhältnis von Mensch, Technik und Umwelt im Spiegel eines literarischen Topos. In: Technik in der Literatur. Hrsg. von Harro Segeberg. Frankfurt a. M. 1987. S. 51–101.

Beckurts, Heinrich: Ueber die Verunreinigung der Flüsse durch Effluvien von Zuckerfabriken. Separat-Abdruck aus dem »Monatsblatt für öffentliche Gesundheitspflege«. o. O. [1882].

Blasius, Rudolf und Heinrich Beckurts: Verunreinigung und Reinigung der Flüsse nach Untersuchungen des Wassers der Oker. In: Deutsche Vierteljahrsschrift für öffentliche Gesundheitspflege 27 (1895) H. 2. S. 1–26.

Denkler, Horst: Neues über Wilhelm Raabe. Zehn Annäherungsversuche an einen verkannten Schriftsteller. Tübingen 1988.

Denkler, Horst: Wilhelm Raabe: »Pfisters Mühle« (1884). Zur Aktualität eines alten Themas und vom Nutzen offener Strukturen. In: Zuckerhistorische Beiträge aus der Alten und der Neuen Welt. H. 25. Berlin 1988. S. 345–371. [Nachdruck des Nachworts der vorliegenden Reclam-Ausgabe mit ergänzender Nachbemerkung und Fotodokumentation.]

– Wilhelm Raabe. Legende – Leben – Literatur. Tübingen 1989.

Detering, Heinrich: Ökologische Krise und ästhetische Innovation im Werk Wilhelm Raabes. In: Jahrbuch der Raabe-Gesellschaft 1992. S. 1–27.

Fairley, Barker: Wilhelm Raabe. Eine Deutung seiner Romane. München 1961.

Fuld, Werner: Wilhelm Raabes »Pfisters Mühle«. Der deutsche Umweltroman. In: Natur (1987). H. 11. S. 56 f.

– Wilhelm Raabe. Eine Biographie. München/Wien 1993.

Helmers, Hermann (Hrsg.): Raabe in neuer Sicht. Stuttgart/Berlin [u. a.] 1968.

– Wilhelm Raabe. 2. Aufl. Stuttgart 1978. (Sammlung Metzler. 71.)

– Raabe als Kritiker von Umweltzerstörung. Das Gedicht »Einst kommt die Stunde« in der Novelle »Pfisters Mühle«. In: Literatur für Leser (1987) S. 199–211.

Jungkunz-Höltje, Rita: »Lebensbilderbuch« einer Kultur- und Bewußtseinskrise: Wilhelm Raabes »Pfisters Mühle« (1884). In: Braunschweigische Heimat 79 (1993) S. 28–38.

Kaiser, Gerhard: Der Totenfluß als Industriekloake. Über den Zusammenhang von Ökologie, Ökonomie und Phantasie in »Pfisters Mühle« von Wilhelm Raabe. In: G. K.: Mutter Natur und die Dampfmaschine. Freiburg 1991. S. 81–107.

Kreyenberg, Wilhelm: Pfisters Mühle. In: Mitteilungen für die Gesellschaft der Freunde Wilhelm Raabes 20 (1930) S. 49–69.

Lensing, Leo A. / Peter, Hans-Werner (Hrsg.): Wilhelm Raabe. Studien zu seinem Leben und Werk. Braunschweig 1981.

Martini, Fritz: Wilhelm Raabe. In: Deutsche Literatur im bürgerlichen Realismus. 1848–1898. Stuttgart 1962. S. 665–736.

Oelze, Friedrich: »Mit der Zeit oder gegen die Zeit«? Lebensbetrachtungen aus »Pfisters Mühle« von Wilhelm Raabe. In: Mitteilungen für die Gesellschaft der Freunde Wilhelm Raabes 31 (1941) S. 102–117.

Ohl, Hubert: Bild und Wirklichkeit. Studien zur Romankunst Raabes und Fontanes. Heidelberg 1968.

Olbrich, Hubert: Zuckerfabrikabwässer als Pate von Pionierleistungen der Abwasserbiologie sowie des ersten deutschen Romans über Unweltprobleme. In: Zuckerhistorische Beiträge aus der Alten und der Neuen Welt. H. 25. Berlin 1988. S. 335–344.

Oppermann, Hans: Wilhelm Raabe in Selbstzeugnissen und Bilddokumenten. Reinbek bei Hamburg 1970.

Pongs, Hermann: Wilhelm Raabe. Leben und Werk. Heidelberg 1958.

Popp, Ludwig: »Pfisters Mühle«. Schlüsselroman zu einem Abwasserprozeß. In: Städtehygiene 10 (1959) H. 2. S. 21–25.

Roloff, Ernst-August: Wie »Pfisters Mühle« entstand. In: Wilhelm-Raabe-Kalender 2 (1948) S. 70–75.

Sammons, Jeffrey L.: The Mill on the Sewer: Wilhelm Raabe's »Pfister's Mill« and the Present Relevance of Past Literature. In: Orbis Litterarum 40 (1985) S. 16–32.

– Wilhelm Raabe. The Fiction of the Alternative Community. Princeton/Guildford 1987.

– Raabe. Pfisters Mühle. London 1988.

– The Shifting Fortunes of Wilhelm Raabe. A History of Criticism as a Cautionary Tale. Columbia, SC, 1992.

Schneider, Ulf Michael: Robert Musils Raabe-Lektüre: Pfisters Mühle. In: Mitteilungen der Raabe-Gesellschaft 70 (1983) S. 34.

Sporn, Thomas: Wilhelm Raabe: Ökologisch? In: Diskussion Deutsch 12 (1981) H. 57. S. 56–63.

Thienemann, August: »Pfisters Mühle«. Ein Kapitel aus der Geschichte der Biologischen Wasseranalyse. In: Verhandlungen des Naturhistorischen Vereins der preußischen Rheinlande und Westfalens 82 (1925) S. 315–329.

– Wilhelm Raabe und die Abwasserbiologie. In: Mitteilungen für die Gesellschaft der Freunde Wilhelm Raabes 15 (1925) S. 124 bis 131.

Thürmer, Wilfried: Die Schönheit des Vergehens. Zur Produktivität des Negativen in Wilhelm Raabes Erzählung »Pfisters Mühle« 1884. In: Jahrbuch der Raabe-Gesellschaft 1984. S. 68–86.

Vaupel, Elisabeth: Gewässerverschmutzung im Spiegel der schönen Literatur. In: Chemie in unserer Zeit 19 (1985) S. 77–85.

Nachwort

Wenn heutzutage ein Lyriker im Gedicht die Frage stellt: »Warum kippt denn / das Wasser um?«,[1] kann er damit rechnen, daß sich seine Leser in ihren eigenen Besorgnissen angesprochen fühlen und daß sie auch die politische Langzeitwirkung der benannten Thematik einzuschätzen wissen. Als Wilhelm Raabe (1831–1910) vor fast hundert Jahren der gleichen Frage nachzugehen begann und mit *Pfisters Mühle*[2] einen seiner »kurz=&=gutn 200=Seiter«[3] »darüber« (49,20)[4] schrieb, vermochte er nicht abzusehen, »wie das Publikum« sein Buch aufnehmen würde, obwohl er »keine üble Meinung von dem Werke« hatte.[5]

Diese Skepsis war berechtigt. Denn der seit 1856 »alljährlich zu Markte ziehende Autor« mußte zwar seine »Arbeitskraft« im kapitalistisch durchorganisierten Literaturbetrieb »schnell und sicher [...] zu verwerthen« suchen, um sein »Schriftstellerleben von der Hand in den Mund« fristen zu können;[6] der daraus resultierende »Lebens- und Litteraturkampf« brachte ihn jedoch nicht von dem früh geäußerten Vorsatz ab, die »ausgetretene Heerstraße« zu verschmähen

---

1 Jochen Kelter: Sonntag. Am Bodensee. In: Tintenfisch 12. Thema: Natur. Hrsg. von Hans Christoph Buch. Berlin 1977. S. 70.

2 Wilhelm Raabe: Pfisters Mühle. Ein Sommerferienheft. In: Sämtliche Werke. (Braunschweiger Ausgabe.) Im Auftrag der Braunschweigischen Wissenschaftlichen Gesellschaft hrsg. von Karl Hoppe. [Bislang] 20 Bde. und 3 Erg.-Bde. Freiburg/Braunschweig 1951–59, [dann:] Göttingen 1960–75. [Zit. als: BA.] Bd. 16. Hrsg. von Hans Oppermann. 2., durchges. Aufl. Göttingen 1970. S. 5–178; Apparat: S. 517–544. Mit dieser Ausgabe ist der vorliegende Text druckidentisch.

3 Arno Schmidt: Zettel's Traum. Stuttgart 1970. S. 761.

4 Bei Zitaten, deren Herkunft aus der Titelangabe im darstellenden Text eindeutig erschließbar ist, wird die Seitenangabe in runden Klammern nachgestellt. – »Pfisters Mühle« wird nach der vorliegenden Ausgabe mit Angabe der Seiten- und Zeilenzahl zitiert.

5 Wilhelm Raabe: Briefe. Hrsg. von Karl Hoppe und Hans-Werner Peter. In: BA Erg.-Bd. 2. Göttingen 1975. [Zit. als: BA Erg. 2.] S. 243 (22. 9. 1884).

6 Ebd. S. 208 (24. 3. 1880), S. 97 (24. 7. 1863), S. 303 (18. 7. 1891).

und dem »eigenen Wege« zu folgen.[7] Die Absicht, seine »Arbeiten nicht nach der Elle« zu verkaufen, »alles literarische Fabrikwesen« zu meiden und das »widerwillige Publikum [...] mit sich fort[zu]ziehen« statt mit ihm »zu gehen«, trug Raabe freilich »Verdrießlichkeiten und Verstimmungen« ein, die 1884, im Erscheinungsjahr von *Pfisters Mühle*, ihren Höhepunkt erfuhren, so daß der Autor »*materiellen* Schaden« zu beklagen hatte und sich in seiner bürgerlichen Existenz bedroht sah.[8] Seine ›Schriftstellernöte‹ verdeutlicht daher gerade das Schicksal dieses Buches, das als »Sommerferienheft« (5) einen »bittersten Ernst« in lockerer Form auffangen wollte (159,5 f.) und von den Zeitgenossen entweder zu schwer oder gar nicht wahrgenommen wurde.

Obwohl Raabe nämlich »eigene Naturbeobachtungen« zusammengefaßt, durch genaues »Aktenstudium« ergänzt und den zeit- und gesellschaftskritischen Befund in einer »Formensprache« mitzuteilen verstanden hatte, die »seine frühe Erfahrung der ›Antinomien des Daseins‹ [...] in gültiger Weise« gestaltete, traf das zwischen 7. April 1883 und 8. Mai 1884 entstandene Manuskript beim »Eintritt in die Welt« auf besonders hartnäckigen »Widerstand«:[9]

Nach gut vierzehntägiger Prüfung ließ der Braunschweiger Verleger George Westermann den Text an den Autor zurücksenden, weil – wie Raabe brieflich weitergab – seine »Bücher einander doch zu sehr [zu] gleichen« begännen und das »*deutsche Publikum* [...] fürs Erste genug« von ihm

7 Ebd. S. 301 (13. 6. 1891), S. 27 (2. 3. 1859).
8 Ebd. S. 136 (13. 10. 1869), S. 102 (10. 10. 1863); Aphorismen Raabes. Chronologisch geordnet. In: Karl Hoppe: Wilhelm Raabe. Beiträge zum Verständnis seiner Person und seines Werkes. Göttingen 1967. S. 87–129. [Zit. als: Aph.] S. 100 (1875); Briefwechsel Raabe – Jensen. Hrsg. von Else Hoppe und Hans Oppermann. In: BA Erg.-Bd. 3. Göttingen 1970. [Zit. als: BA Erg. 3.] S. 374 (31. 12. 1884); BA Erg. 2. S. 253 (31. 1. 1886).
9 August Thienemann: »Pfisters Mühle«. Ein Kapitel aus der Geschichte der Biologischen Wasseranalyse. In: Verhandlungen des Naturhistorischen Vereins der preußischen Rheinlande und Westfalens 82 (1925) S. 328; Hubert Ohl: Bild und Wirklichkeit. Studien zur Romankunst Raabes und Fontanes. Heidelberg 1968. S. 91 (vgl. BA 1. S. 17); Raabe: Brief vom 4. 2. 1885, zit. in: BA 16. S. 520.

habe.[10] Offenbar blieb der »lange und mühselige Weg« unbelohnt, den Raabe von den »humoristisch sentimentalen« Schriften seiner Frühzeit zu »Gezweig, Blatt, Blüthe, Frucht« des ebenso formgewissen wie wirklichkeitsbedachten Spätwerks zurückgelegt hatte:[11] die weite Strecke von seinem (manche Züge der »Alters-Arbeiten« vorwegnehmenden) Erstling *Die Chronik der Sperlingsgasse* (1856) über die vielversprechenden Romane *Der Hungerpastor* (1863/64), *Abu Telfan* (1867), *Der Schüdderump* (1869/70) und zahlreiche Nebenwerke minderen Ranges bis zu erzählerischen Spitzenleistungen wie den (nach Raabe zu seinen »besten« Büchern zählenden) *Alten Nestern* (1879), der (ihm als unzeitgemäßes »Wagestück« geltenden) *Prinzessin Fisch* (1882/83) und eben *Pfisters Mühle*, auf die sein Hauptwerk *Stopfkuchen* (1890), umgeben von den bedeutenden Erzähltexten *Das Odfeld* (1888), *Die Akten des Vogelsangs* (1896), *Hastenbeck* (1898) und *Altershausen* (1911), folgen sollte.[12]

Zwei Wochen genügten auch Julius Rodenberg, dem Herausgeber der *Deutschen Rundschau*, um sich gegen *Pfisters Mühle* zu entscheiden: Er glaubte die Leser seiner Zeitschrift nicht mit dem »fatalen Geruch« belästigen zu dürfen,[13] der in Raabes Text einem Mühlbach entsteigt, den die Abwässer der Rübenzuckerindustrie verschmutzen. Jetzt wurde dem Autor verdacht, daß er »eine Tatsache des wirklichen Lebens« aufgegriffen und dargestellt hatte, die ihm spätestens im Winter 1882/83 auf den donnerstäglichen Spaziergängen von Braunschweig zum ›Grünen Jäger‹, dem Vereinslokal der Männer-»Genossenschaft« der ›Kleiderseller‹, beim Anblick der (durch die Zuckerfabrik Rautheim verunreinigten) Wabe aufgefallen war.[14] Darüber hinaus

10 BA 16. S. 520 (4. 2. 1885); BA Erg. 2. S. 250 (6. 1. 1886).
11 BA Erg. 2. S. 390 (10. 4. 1897), vgl. BA 8. S. 379; BA Erg. 2. S. 28 (21. 3. 1859), S. 295 (31. 3. 1891).
12 Ebd. S. 370 (12. 8. 1895), S. 304 (18. 7. 1891); BA Erg. 3. S. 355 (18. 7. 1883).
13 Julius Rodenberg: Brief vom 29. 6. 1884. Zit. in: BA 16. S. 521.
14 Ebd.; Kleiderseller: Hans Oppermann: Wilhelm Raabe in Selbstzeugnissen

ließ man sein Bemühen unbeachtet, die eigenen Wahrnehmungen an den Ergebnissen eines seit dem 29. Dezember 1881 anhängenden Abwasserprozesses der Mühlenbesitzer Müller und Lüderitz aus Bienrode und Wenden gegen die Rautheimer Zuckerfabrik zu messen und mit den für die Kläger angefertigten abwasserbiologischen Gutachten der Chemiker Ferdinand Cohn (Breslau) und Heinrich Beckurts (Braunschweig), eines zeitweiligen Mitglieds der ›Kleiderseller‹, zu untermauern.[15] Kurz, Raabe mußte offensichtlich entgelten, daß er versucht hatte, »schlechte Wirklichkeit« (66,25) in »objectiven Dichtungen« mit dem Recht künstlerischer »Subjektivität« festzuhalten und bloßzustellen.[16]

Erst der Herausgeber der *Grenzboten*, Johannes Grunow, fand das »Ding« nach fünftägiger Sichtung »allerliebst« und nahm es am 10. Juli 1884 für Zeitschriftenabdruck und Buchausgabe unter Vertrag; der Verleger Friedrich Wilhelm Grunow vermochte jedoch »kein Mehl« auf Raabes »Mühle« zu mahlen und benötigte zehn Jahre, um die 1500 Buchexemplare der Erstauflage zum Ladenpreis von vier Mark pro Stück abzusetzen.[17] Raabe erreichte mit *Pfisters Mühle* wie mit seinem gesamten Spätwerk zunächst nur wenige »*Liebhaber*«, sah sich auf die Leser kommender Generationen vertröstet und konnte nur hoffen, »spätere, andere Geschlechter« würden »den alten Geschichtenerzähler aus der zweiten Hälfte des neunzehnten Jahrhunderts

und Bilddokumenten. Reinbek bei Hamburg 1970. S. 84; Wabe: BA 16. S. 518; Ernst-August Roloff: Wie »Pfisters Mühle« entstand. In: Wilhelm-Raabe-Kalender 2 (1948) S. 73 f.; vgl. Topographische Karte 1:25 000 Braunschweig 3729.

15 Ludwig Popp: »Pfisters Mühle«. Schlüsselroman zu einem Abwasserprozeß. In: Städtehygiene 10 (1959) H. 2. S. 22–25; vgl. Topographische Karte 1:25 000 Braunschweig Nord 3629; August Thienemann: Wilhelm Raabe und die Abwasserbiologie. In: Mitteilungen für die Gesellschaft der Freunde Wilhelm Raabes 15 (1925) S. 127.

16 BA Erg. 2. S. 243 (21. 11. 1883); Aph. S. 125 (entst. zwischen 1895 und 1903).

17 Johannes Grunow: Brief vom 5. 7. 1884. Zit. in: BA 16. S. 522; BA Erg. 2. S. 250 (6. 1. 1886), S. 254 (31. 1. 1886); BA 16. S. 522.

nicht allzu rasch und kurz als zu vergilbt bei Seite schieben«.[18]

Daß Raabe »länger als ein Menschenalter« und fast bis heute hin auf seine »Zeit« warten mußte, obwohl oder weil er es wagte, »seiner eigenen Generation um den kürzesten Schritt voraus zu sein« und bei der langjährigen »Fahrt über das Dintenmeer« nach »neuen Weltheilen« Ausschau zu halten, ist jedoch nicht nur der »deutschen Literaturmisere« anzulasten.[19] Für diese Rezeptionsverzögerung muß auch die »Literaturgeschichtsschreiberei«[20] haftbar gemacht werden, die den Autor zu Lebzeiten außer acht ließ oder aus schiefem Blickwinkel betrachtete und ihn nach seinem Tod zu verschütten, zu verstellen begann und selbst bei bemühter Gutwilligkeit für die gegenläufigsten Deutungsrichtungen in Anspruch nehmen wollte. Während die zeitgenössischen Literaturhistoriker sein Werk übersahen oder nur partiell registrierten und insgesamt belegten, daß er »nicht in ihren Kram« paßte,[21] suchten nachrückende Literaturwissenschaftler bei ihm ethisches Geleit, moralische Lebenshilfe und politischen Beistand für zumeist recht selbstherrlicheigenwillige und durchweg autorferne Verhaltensweisen und Handlungsperspektiven, so daß sich die Raabe-Forschung der jüngsten Vergangenheit veranlaßt sah, das Steuer herumzureißen und das Augenmerk auf den »Kunstcharakter«[22] der Raabeschen Schriften einerseits und ihren ideologiege-

18 BA Erg. 2. S. 468 (9. 8. 1906); Aph. S. 91 (6. 9. 1873); BA Erg. 2. S. 267 (21. 9. 1889).

19 BA Erg. 2. S. 421 (4. 3. 1901), S. 268 (21. 9. 1889), S. 370 (12. 8. 1895, hier gegen den von Raabe gebrauchten Bescheidenheitstopos zitiert); Walther Killy: Geschichte gegen die Geschichte. »Das Odfeld«. In: Hermann Helmers (Hrsg.): Raabe in neuer Sicht. Stuttgart/Berlin [usw.] 1968. [Zit. als: RinS.] S. 241.

20 BA Erg. 2. S. 498 (16. 1. 1910).

21 Ebd. S. 490 (29. 6. 1909, hier bezogen auf die Redaktion der »Grenzboten« unter Gustav Freytag).

22 Walther Killy: Wirklichkeit und Kunstcharakter. Neun Romane des 19. Jahrhunderts. München 1963. S. 146–165 (identisch mit dem in Anm. 19 zitierten Aufsatz).

schichtlichen Stellenwert wie ihren ideologiekritischen Erkenntnisrang andererseits zu richten. So berechtigt diese »neue Sicht«[23] erscheint und so ergiebig sich die aus ihr abgeleiteten Interpretationsansätze erwiesen haben, so dringend dürfte nun jedoch die synthetische Zusammenschau von gesellschaftshistorischer Einordnung, ideologiegeschichtlicher Bestimmung, sozialpsychologischer Analyse und literaturästhetischer Untersuchung und Wertung geworden sein. Das läßt sich besonders deutlich am Beispiel von *Pfisters Mühle* vergegenwärtigen.

Denn dieses »Sommerferienheft« ist nicht zufällig als »buntes Buch« (186,24) ausgewiesen, das aus zweiundzwanzig »losen Pfisters-Mühlen-Blättern« (174,18) zusammengefügt wurde, auf denen der in die Großstadt und den Gymnasiallehrerberuf abgewanderte Müllerssohn Eberhard (Ebert) Pfister Erinnertes, gegenwärtig Erlebtes und der Zukunft Anheimgestelltes zusammenfließen läßt: zu »konzentriertestem Dasein« (17,4 f.) verdichtete »Bilder« (172,23) von der »Glorie« (27,20) väterlicher Lebensbemeisterung und eigener Jugendblüte im Bereich einer Wassermühle und Schankwirtschaft, kontrapunktiert durch »acta registrata« (97,22) vom ökonomischen Niedergang des Betriebs und vom psychisch-physischen Verfall seines Besitzers als Folge industriell verursachter Umweltzerstörung, verfugt mit Erlebnissplittern aus der Sommerfrische im bereits verkauften, zum Abbruch bestimmten Vaterhaus und versetzt mit »Betrachtungen a priori und a posteriori« (52,10), die in die »Vorwelt« (8,24) zurückschweifen und sich die Zukunft offen lassen. Kann es bei dieser Erzählstruktur genügen, Lehren aus einzelnen wie zusammenhängenden Textpartikeln zu ziehen, ohne deren ideologiegeschichtlich bedingten Aussagewert zu veranschlagen und deren ästhetische Funktion im poetischen Fiktionszusammenhang zu berücksichtigen? Darf sich die Interpretation darauf beschränken, »vom Interesse am Gegenstand selbst abzusehen« (Walther Killy),

23 Hermann Helmers: Vorwort. In: RinS. S. 9.

den »Sinn« in der das »Pragmatisch-Stoffliche« relativieren-
den Erzählweise zu suchen (Hubert Ohl) und die »weitge-
hendste Relativierung der tatsächlichen Vorgangselemente
zugunsten des übertatsächlichen Sinngehalts« festzustellen
(Herman Meyer)?[24]
Was Textanalysen entgeht, wenn sie sich derartig veren-
gende Grenzen setzen, zeigt die Deutungsgeschichte von
Pfisters Mühle. Sie hat im »Rückblick«, im »Verrinnen der
Zeit«, im »Widerspruch zwischen Wertverlust in der
Gegenwart und Wertbewahrung in der Erinnerung«, im
»Konflikt zwischen einer menschlich-toleranten, persönli-
chen Form des Lebens und einer materialistischen, formali-
stischen, unpersönlichen, unfruchtbaren Gesellschaft«, im
»Todeskampf des alten vorindustriellen Deutschland gegen
die unabwendbare Industrialisierung«, in der »Veränderung
der menschlichen Umwelt« durch den Kapitalismus und
der Frage nach dem »Verbleiben der Humanität in einem
kapitalisierten Wilhelminischen Reich« die zentralen Themen gesehen und außerdem gemeint, »eine gradezu klassi-
sche Schilderung eines durch Zuckerfabrikabwässer verunreinigten Bachlaufes«, einen »Roman der Abwasserbiologie«, einen »Roman eines Abwasserprozesses« und schließlich die »zeitgemäße« Lektüre für »Zuckerfachleute« vor-
zufinden.[25] Keine der angeführten Auslegungen ist falsch;
sie alle erfassen jedoch nur Teilaspekte und müssen deshalb
miteinander verknüpft werden, sollen sie nicht die »poly-

24 Killy (Anm. 19) S. 244; Ohl (Anm. 9) S. 141; Herman Meyer: Raum und
Zeit in Wilhelm Raabes Erzählkunst. In: RinS. S. 118.
25 Barker Fairley: Wilhelm Raabe. Eine Deutung seiner Romane. München
1961. S. 38; Karl Hotz: Bedeutung und Funktion des Raumes im Werk
Wilhelm Raabes. Göppingen 1970. S. 139; Autorenkollektiv: Geschichte der
deutschen Literatur. Von 1830 bis zum Ausgang des 19. Jahrhunderts. Bd. 8.2.
Berlin 1975. S. 966; Roy Pascal: Die Erinnerungstechnik bei Raabe. In: RinS.
S. 142; Hans Oppermann. In: BA 16. S. 518; Joachim Worthmann: Probleme
des Zeitromans. Studien zur Geschichte des deutschen Romans im 19. Jahrhundert. Heidelberg 1974. S. 130; Thienemann (Anm. 9) S. 328; ebd. S. 316;
Albert Lorenz: Wie es anfing übel zu riechen in Pfisters Mühle. In: Zeitschrift
für die Zuckerindustrie 10 (1960) Nr. 11. S. 600.

perspektivische«[26] Erzähl- und Sinnstruktur des Textes verdecken.

Den angemessenen Deutungsspielraum für die synthetische Interpretation hat Raabe selbst durch seinen Erzähler Eberhard Pfister und eine weitere Romanfigur abstecken lassen: *Pfisters Mühle* registriert den »Übergang der deutschen Nation aus einem Bauernvolk in einen Industriestaat« (120,3 f.) und behandelt zwar »nicht die größte, aber eine von den größern Fragen der Zeit. Deutschlands Ströme und Forellenbäche gegen Deutschlands Fäkal- und andere Stoffe« (122,1–4). Mit dieser Konzentration auf die folgenreichste Phase neuerer deutscher Geschichte sicherte der Autor seiner Erzählung aktuelle Geltung und überzeitliche Relevanz, da die Konsequenzen dieser historischen Entwicklung bis heute zu spüren und noch lange nicht ausgestanden sind; die Selbstbeschränkung, sich mit einer der größeren Fragen und nicht der größten Frage auseinanderzusetzen, erlaubte ihm, im begrenzten, aber präzis erfaß- und beschreibbaren Themenbereich den Kristallisationspunkt für die übergreifenden Themen zu gewinnen, die sich am Horizont der erzählten Handlung abzeichnen und vom rückblickend-berichtenden, beschauend-feststellenden, voraussehend-reflektierenden Erzähler abgerufen und in den Erzählverlauf einbezogen werden können. So wächst den Motivkomplexen wie der Fabel Verweisungskraft zu, deren Richtung aus der Erzählhaltung abzuleiten ist: Am Stoff bereitete der Autor auf, was der Lösung bedurfte, aber von ihm noch nicht zu lösen war; dieses Dilemma machte er jedoch für sich und die Leser fruchtbar, indem er durch die Subjektivierung seines Erzählstils die eigene Ratlosigkeit zu erkennen gab und sich mit der Niederschrift illusionärer, vordergründiger oder unverbindlicher Schlußfolgerungen beschied, die das meiste oder alles offenlassen und daher eher zur Suche nach den notwendigen Lösungen anregen als

26 Fritz Martini: Deutsche Literatur im bürgerlichen Realismus. 1848–1898. Stuttgart 1962. S. 686.

zur Befriedigung des heraufbeschworenen Lösungsbedürfnisses beitragen.

Wie ungewiß die Perspektive bleibt, die sich aus den sorgfältig recherchierten, sachgerecht eingeführten und exakt dargelegten Zentralmotiven ergibt, beweist der Blick auf Abwasseranalyse, Abwasserprozeß und Zuckerkampagne, aus denen sich das ökologische Grundthema des Textes zusammenfügt. Obwohl Raabe – wie August Thienemann detailliert nachgewiesen hat[27] – die ihm von Beckurts geschilderten Verfahren der Hydrobiologie in epische Handlung umsetzte, die zu Prozeßzwecken erstellten Gutachten seines Gewährsmannes und des Abwasserspezialisten Cohn zur Beschreibung der Umweltverschmutzung im epischen Geschehnisbereich verwendete und schließlich auch die gerichtsverwertbare biologisch-chemische »Diagnose« (90,13) des verfärbten, verschlammten, verschleimten, faulenden und stinkenden Mühlbachs zu erzähllogischen Erklärungszwecken wörtlich oder paraphrasierend übernahm, vermochte er die Naturwissenschaften nicht zur Behebung der ökologischen und zugleich menschlichen Katastrophe zu verpflichten. Im Gegenteil: Lediglich zur Analyse der Wasserverschmutzung befähigt und weder zur Reinigung des verdorbenen Gewässers noch zur Heilung der ›angeknacksten‹ (123,1) Psyche des Müllers oder zur Reparatur der »so sehr übelriechend und abschmeckend gewordenen Welt« (167,33 f.) einsetzbar, versprechen sie sogar, in »Verbindung mit der Industrie« (62,8) dazu beizutragen, um des »nationalen Wohlstandes« willen (70,29 f.) »einen sprudelnden Quell, einen Kristallbach, einen majestätischen Fluß, kurz, irgendeinen Wasserlauf im idyllischen grünen Deutschen Reich so bald als möglich und so infam als möglich zu verunreinigen« (69,21–24). Ähnlich zwiespältig wirkt die Einschätzung der Justiz. Ludwig Popp vermochte im Anschluß an die Gerichtsakten zu zeigen, daß Raabe über den Verlauf des Prozesses zwischen den beiden Müllern und

27 Thienemann (Anm. 9) S. 315–329; (Anm. 15) S. 124–131.

der Aktienzuckerfabrik Rautheim genau unterrichtet war und daß er die Entscheidung der 3. Civilkammer beim Herzoglichen Landgericht Braunschweig vom 14. März 1883 als »rechtskräftiges« Urteil (174,9) »fast wörtlich« in den Erzähltext eingefügt hat.[28] Gegen dieses Urteil legte die beklagte Partei jedoch Berufung ein, der das Reichsgericht am 20. Mai 1884, also knapp zwei Wochen nach Fertigstellung des Raabeschen Manuskripts, stattgab: Der Autor hat offenbar den Fortgang des von ihm als abgeschlossen beschriebenen Prozesses ignoriert, weil den durch die Industrialisierung heraufgeführten Problemen der Luft- und Wasserverschmutzung nicht mehr mit den Rechtsnormen des Bürgerlichen Gesetzbuchs beizukommen war bzw. – wie der heutige Fachmann formuliert – »auf dem Prozeßwege die Reinhaltung eines Gewässers nicht erreicht werden kann«.[29] Den gleichen Bruch zwischen aktueller Realitätserfahrung und literarischer Lösungsperspektive gibt Raabes Beurteilung der Rübenzuckerindustrie zu erkennen. Keineswegs nur periphere Seitenbranche industrieller Produktion, durfte sie nach Aussage des Sachverständigen Beckurts speziell im Herzogtum Braunschweig als »eine der blühendsten, wohl die großartigste aller in unserem [19.] Jahrhundert zur Ausbildung gelangten chemischen Industrien« gelten.[30] Nachdem ihre Umstellung auf die kapitalistische Produktionsweise spätestens bis zur Reichsgründung 1870/71 abgeschlossen war, erzielte sie in den frühen achtziger Jahren bemerkenswerte Produktionssteigerungen, in deren Folge die Wasserverschmutzung derart zunahm, daß z. B. 1884/85 die Braunschweiger Trinkwasserversorgung wäh-

28 Popp (Anm. 15) S. 21–25. Bes. S. 25.
29 Ebd. S. 21.
30 Heinrich Beckurts: Ueber die Verunreinigung der Flüsse durch Effluvien von Zuckerfabriken. Vortrag, gehalten in der V. Versammlung des Vereins gegen Verunreinigungen der Flüsse, des Bodens und der Luft am 18. und 19. October 1882 in Braunschweig. Separat-Abdruck aus dem »Monatsblatt für öffentliche Gesundheitspflege« [Stadtarchiv Braunschweig, Raabe-Archiv. H III 10, Nr. 34; mit der Widmung: »Herrn W. Räbe in hoher Verehrung vom Verfasser«]. S. 1.

rend der Zuckerkampagne zusammenbrach.[31] An »technischen Mitteln, die Fabrikabflüsse leicht und bequem zu reinigen«, fehlte es jedoch ebenso wie an den dafür notwendigen Kapitalreserven und Investitionsanreizen; denn die Zuckerindustrie war aufgrund permanenter Überproduktion, allgemeiner Deflation und fallender Preise zwischen 1881 und 1886 in eine ökonomische Krise geraten, die den Aktienbesitzern handfeste Argumente gegen die Forderung lieferte, einen Anteil ihres Reingewinns für die Abwässerreinigung aufzubringen.[32] Angesichts dieser Faktenlage verwundert es nicht, daß Raabe die ›Verstänkerung‹ des ›Dunstkreises über Pfisters Mühle« und Umgegend (151,20 f.) »seit dem Kriege mit den Franzosen und dem allgemeinen Aufschwung« der Gründerjahre (55,24 f.) datierte, den Leidtragenden der jährlichen »Zuckerkampagnen« (120,11) über »viel zuviel Zucker in der Welt« (67,22 f.) klagen ließ und schließlich die als »große, industrielle Errungenschaft der Neuzeit« ausgewiesene Zuckerfabrik Krickerode ins Mythisch-Magische rückte, teils gründerzeitliches Spukschloß, teils gründerzeitlicher Drache (103,13–19): Dem hemmungslosen Expansionsdrang kapitalistischer »Erwerbsbetriebsamkeit« (57,1 f.) konfrontiert, sammelte er Indizien, beschrieb er Sachverhalte, ohne der entfesselten Wirtschaftsentwicklung die Richtung vorschreiben oder ihr Einhalt gebieten zu können. Die kapitalistische Warenproduktion mußte ihm folglich als schwerdurchschaubares »Geheimnis«, die ihr unterworfene Industrie als unheimliche Bedrohung erscheinen, denen er nicht mit »praktikablen Vorschlägen«, sondern mit dichterischer »Phantasie« beizukommen hoffte.[33]

31 Hans Mottek: Wirtschaftsgeschichte Deutschlands. Bd. 2. Berlin 1973. S. 216; Jürgen Kuczynski: Die Geschichte der Lage der Arbeiter unter dem Kapitalismus. Bd. 12. Berlin 1961. S. 65; Rudolf Blasius / Heinrich Beckurts: Verunreinigung und Reinigung der Flüsse nach Untersuchungen des Wassers der Oker. Sonder-Abdruck aus der »Deutschen Vierteljahrsschrift für öffentliche Gesundheitspflege«. Bd. 27. H. 2. Braunschweig 1895. S. 12.
32 Beckurts (Anm. 30) S. 2; Kuczynski (Anm. 31) S. 69, 75 und 66; Beckurts (Anm. 30) S. 13.
33 Karl Marx: Das Kapital. Bd. 1. Abschn. 1. Kap. 1: Die Ware. In: Karl

Daher knüpfte sich Raabes »Gefühl und Bangen«, sein »Unbehagen in der Zeit« von der *Chronik der Sperlingsgasse* (1856) bis zu *Altershausen* (1911) auch und besonders an die sichtbaren Zeichen zivilisatorisch bedingter Umweltveränderungen, die er durchaus als Resultate der »sozialen Zustände« begriff:[34] Luft- und Wasserverschmutzung mit allen ihren Folgen für das pflanzliche und tierische Leben, Zerstörung des historisch Gewachsenen und Vertreibung des »Grünen« durch das »Graue«, Innenstadtverwüstung, Wohngebietsverödung, Stadterweiterung, Landschaftszersiedelung, »Feldverbesserung«, »Verschönerungsarbeiten« in der unberührten Natur, »Raubbau in jeglicher Hinsicht«[35] galten ihm als Begleit- und Folgeerscheinungen jener Fortschrittsgesinnung, die den Drang zu rücksichtsloser Bereicherung mit dem Streben nach Glück verwechselte und im ökonomischen Profit den Beweis für menschliche Bewährung erkennen wollte. Dieser Ideologie, der die Reichsgründung schubhaften Auftrieb verschafft hatte, vermochte Raabe bei aller »Angst« und allem »Ekel« vor der heraufgezogenen »Zeit der Verwilderung« weder politische noch soziale Strategien entgegenzusetzen.[36] Die Verdrängung der in den Befreiungskriegen und im Vormärz gehegten bürgerlichen Emanzipationsideale aus dem öffentlichen Bewußtsein, das Schwinden begründeter Revolutionserwartungen im Verlauf der Restaurationsperiode nach 1848/49, die ›bonapartistische‹ Lösung des preußischen Verfassungskonflikts durch Bismarck sowie die Etablierung eines kleindeutschen Reichs, das Raabes politische Wünsche erfüllte und seine sozialen Hoffnungen enttäuschte, hatten ihn zum

Marx / Friedrich Engels: Werke. Bd. 23. Berlin 1962. S. 85; Hans Christoph Buch: Einleitung. In: Tintenfisch 12. Thema: Natur (Anm. 1) S. 12.
34 BA 11 (Meister Autor, 1874). S. 83; BA 2 (Wer kann es wenden?, 1859). S. 498.
35 BA 19 (Die Akten des Vogelsangs, 1896). S. 328; BA 15 (Prinzessin Fisch, 1882/83). S. 302; BA 17 (Der Lar, 1889). S. 241; BA 11 (Meister Autor). S. 45; BA 16 (Im alten Eisen, 1887). S. 462; BA 18 (Stopfkuchen, 1890). S. 33; BA 15 (Prinzessin Fisch). S. 311; BA 14 (Alte Nester, 1879). S. 173.
36 BA 10 (Christoph Pechlin, 1873). S. 205; BA Erg. 2. S. 171 (20. 9. 1873).

nationalliberalen »Realpolitiker« geprägt, der das politische Geschäft den Berufspolitikern überließ und besonders auf Bismarcks Weitblick, Standvermögen und Durchsetzungskraft vertraute.[37] Mit dieser Haltung ging wiederum die Bereitschaft einher, der Wirtschaft freies Spiel zu lassen, die »Errungenschaften« und »Neuerungen« (134,2) der Industrie anzuerkennen, den »Fortschritt« (134,1) der Wissenschaft und Technik zu begrüßen, so daß sich die Willenskundgabe des »angehenden Kapitalisten« (150,15) und späteren »Berliner Großindustriellen« (56,13 f.) in *Pfisters Mühle*, »auf gegebenem, bitter realem Erdboden so gemütlich als möglich mit zu schmatzen, zu schlucken, zu prosperieren« (98,18–21), durchaus mit Raabes Bild vom zeitgerechten Unternehmer deckte.

Wie ist diese Hinnahme der politisch-wirtschaftlichen Entwicklung aber mit seinem Unbehagen am Kapitalismus und seinem Erschrecken über die Deformationen bei Mensch und Tier, in Stadt und Land zu vereinbaren, die er auf die kapitalistische Ausrichtung an »Zweck, Nutzen und Gebrauch« (119,27), an »Nutzen und Gewinn«[38] zurückführte? Weshalb akzeptierte er die kapitalistischen Produktionsverhältnisse, obwohl er die Konsequenzen der Trennung von Hand- und Kopfarbeit, der Entfremdung der Arbeit, des Auseinanderfallens von Arbeit und Privatleben, Pflicht und Muße durchschaute?[39] Warum sprach er sich nicht für sozial- und wirtschaftspolitische Reformen aus, wenn er vor der Aussicht auf eine proletarische Revolution »Schauder« empfand und sich mit »dem sozialdemokratischen Zukunftsstaate« nicht befreunden konnte?[40] Wollte er die bestehenden Zustände als etwas ebenso »Selbstverständliches und höchst Gleichgültiges« (187,10 f.) akzeptie-

37 BA Erg. 2. S. 411 (4. 1. 1900), S. 200 (31. 12. 1878).
38 BA 8 (Der Schüdderump, 1869/70). S. 305.
39 Vgl. Gernot Folkers: Besitz und Sicherheit. Über Entstehung und Zerfall einer bürgerlichen Illusion am Beispiel Goethes und Raabes. Kronberg i. Ts. 1976. S. 62, 104 und 126; s. Pfisters Mühle. S. 173 f. und 187 f.
40 BA 1 (Ein Frühling. Erste Fassung. 1857). S. 257; BA Erg. 2. S. 477.

ren wie die in *Pfisters Mühle* beschriebenen Ruderer und Segler, die sich mit der Berliner Luft- und Wasserverschmutzung[41] scheinbar völlig abgefunden haben? Bestimmten ihn »Pessimismus«, der »Heroismus« der »Entsagung«, das Bekenntnis zu dem »scharfen, aber gesunden« Wort »Resignation«?[42]

Die Antwort ergibt sich aus Raabes Geschichtsverständnis, das auch Tendenz und Perspektive von *Pfisters Mühle* erklärt. Der Autor betrachtete das »Säkulum«, d. h. die »Zeitlichkeit«, die »Weltlichkeit« des »wüsten fahrigen neunzehnten Jahrhunderts«, als vorübergehende Phase des »vorbeigleitenden Daseins«.[43] Er wußte sich »*Auf der Schwelle!*« zwischen »Vergangenem« und »Zukünftigem« und war gerüstet, die »rational geordnete Gewöhnlichkeit« der »nüchternen modernen Tage« zu überstehen, weil er aus den Geschichten der Menschen wie der Weltgeschichte gelernt hatte, »was sein soll, wird; was nicht sein soll, wird nicht.«[44] Seine »Wehmuth« über das Scheiden des 19. Jahrhunderts rührte her aus dem Erlebnis des Untergangs überholter und verschmähter Werte, Güter, Ideale, Lebensformen und Verkehrsweisen; sein Trost beruhte auf der (nicht religiös, sondern säkularisiert-metaphorisch verstandenen) Zuversicht, daß »der Herr [d. h. hier: die geschichtliche Entwicklung] die Seinigen die besten Wege zu führen weiß«; seine Hoffnung gründete in der Gewißheit, im steten Wan-

---

41 Daß die »leidenschaftlichen Wasserratten« auf der Spree gern »Segelbootfahrten« unternehmen, berichtet Robert Springer 1878; gleichzeitig sagt er vom Festungsgraben, einem »Nebenstrom«: »Die zunehmende Verunreinigung dieses Gewässers wirkt nachtheilig auf den Gesundheitszustand der Stadtbevölkerung.« (Robert Springer: Berlin die deutsche Kaiserstadt nebst Potsdam und Charlottenburg mit ihren schönsten Bauwerken und hervorragendsten Monumenten. Darmstadt 1878. Nachdr. Berlin 1977. S. 95.)

42 BA Erg. 2. S. 357 (19. 7. 1894); BA 6 (Der Hungerpastor, 1863/64). S. 91; BA 14 (Alte Nester). S. 197.

43 BA 16 (Unruhige Gäste, 1885). S. 221; BA Erg. 2. S. 247 (31. 12. 1885); BA 19 (Kloster Lugau, 1894). S. 89.

44 BA 15 (Prinzessin Fisch). S. 386; BA 12 (Vom alten Proteus, 1875). S. 289; BA 7 (Abu Telfan, 1867). S. 189; BA 14 (Das Horn von Wanza, 1880). S. 373; BA 18 (Gutmanns Reisen, 1892). S. 381.

del der »Jahre«, der »Zeiten«, der »äußerlichen Umstände«, der »Verhältnisse«, der »Leben«, der »Gesichter und Meinungen« baue sich der »Menschheit Dasein auf der Erde [...] immer von neuem auf«, das Bleibende inner- und zwischenmenschlicher Humanität allem ›Verneuern‹ zum Trotz bewahrend und bewährend.[45] Kurz, Raabe ließ sein Weltbild weder von deterministischen noch von fatalistischen Bedingungsfaktoren beherrschen und hielt auch alle pessimistisch-resignativen Anwandlungen im Zaum, um die Handlungsfähigkeit der Menschen nicht zu beschneiden und ihr Recht auf Zukunft nicht zu entwerten. Daher gerät in *Pfisters Mühle* »die Welt« nicht »aus ihrem Geleise« (107,31 f.), als sich herausstellt, daß die Tage der Mühle abgelaufen sind und »niemals wiederkommen« können (27,7), während »Arbeit und Sorge der Gegenwart [...] in ihr volles, hartes Recht« treten (170,10 f.) und »das Leben weiter wühlt« (174,7): Die Verbindung zwischen der »versinkenden« alten und der aufsteigenden »neuen Zeit« (183,14) stellen Menschen her, die »sich auch mit dem schofelsten Material dem gegenüber, was über der Zeit und dem Raume liegt, zurechtzufinden« wissen (106,3–5).

Diese Selbstbestimmung des »richtigen Menschen« (184,32), den die Geschichte auserwählt und der in ihrem Auftrag Geschichte macht, bleibt aber – wie sich bereits an der wenig präzisen grammatischen Verknüpfung durch das verallgemeinernde Relativpronomen ›was‹ ablesen läßt – eigenartig unscharf, so daß sich auch am Textdetail die Frage ergibt, ob Raabe den in die vergehende Zeit gestellten und zur Erfüllung ihrer Zeit aufgerufenen ›richtigen Menschen‹ brauchbare Handlungsperspektiven geben wollte und ob er ihnen sagen konnte, was sie konkret tun sollen. Sie wäre allerdings zu vorschnell beantwortet, wenn in Anlehnung an Rudolf

45 BA Erg. 2. S. 410 (2. 1. 1900); BA 8 (Der Schüdderump). S. 379; BA 11 (Eulenpfingsten, 1874). S. 398; BA 13 (Wunnigel, 1877/78). S. 51; BA 14 (Alte Nester). S. 36; BA 19 (Die Akten des Vogelsangs). S. 321; BA 11 (Eulenpfingsten). S. 398; BA 11 (Zum wilden Mann, 1874). S. 204; BA 19 (Die Akten des Vogelsangs). S. 404; BA 15 (Prinzessin Fisch). S. 385.

Gottschall (1872) lediglich auf die Neigung von Raabes »Muse [...,] alles zum Guten zu wenden«, verwiesen oder mit Georg Lukács (1940) allein der »Wunschtraum« des Autors »nach Versöhnung« haftbar gemacht würde.[46] Offensichtlich verbot Raabes Überzeugung, niemand müsse »nüchterner in die Welt hineinsehen als ein ernster Romanschreiber«,[47] programmatische Lösungsvorschläge, die angesichts der für ihn undurchschaubar gewordenen Wirtschaftsgesetze und Gesellschaftsprozesse über seine von Anfang an festgehaltenen ethisch-moralischen Leitideen hinausgingen: Der Glaube an »das ewige Werden«, das eine »Zukunft« garantiert, wo eine »Vergangenheit« besteht, verpflichtet die aufeinanderfolgenden Generationen, die geistig-sittlichen »Waffen«, mit denen sie »das Leben bezwingen«, weiterzureichen und den Devisen »Geh grad!« und *Frei durch [...]!«* zu folgen.[48] Diese Aufforderung zum aufrechten Gang bietet zwar nicht jene »volle Lösung«, die Hermann Pongs in *Pfisters Mühle* vermißt;[49] der Autor verdeckte aber ebensowenig wie sein »weißlicher Müller und [...] weiser Mann«, daß er weder »alles auf einmal [... zu] bedenken« noch »das einander Ausschließende miteinander in Gleichklang [zu] bringen« (18,19–21) vermochte. Wovon er nicht sprechen konnte, darüber schwieg er – das bezeugt die »Ambivalenz« seines »Erzählens«, das beweist die als »most tolerantly and sincerely open-ended« beschriebene Grundtendenz seines Werks,[50] kurz, die offene Form, die den Leser aktiviert, die Gedanken des Autors weiter- und vielleicht

46 Rudolf Gottschall: Die deutsche Nationalliteratur des neunzehnten Jahrhunderts. 3. Aufl. Bd. 4. Breslau 1872. S. 397; Georg Lukács: Wilhelm Raabe. In: RinS. S. 58.
47 Aph. S. 118 (1895).
48 BA 1 (Die Chronik der Sperlingsgasse, 1856). S. 164, S. 10 und BA 6 (Der Hungerpastor). S. 463; BA 11 (Höxter und Corvey, 1875). S. 337; BA 13 (Deutscher Adel, 1878/79). S. 223.
49 Hermann Pongs: Wilhelm Raabe. Leben und Werk. Heidelberg 1958. S. 498.
50 Walter Müller-Seidel: Theodor Fontane. Soziale Romankunst in Deutschland. Stuttgart 1975. S. 329; William P. Hanson. Zit. in: Hermann Helmers: Wilhelm Raabe. Stuttgart 1968. S. 80.

sogar zu Ende zu denken. Diese Erzählweise mag dem heutigen Leser ›realistisch‹ im elementaren Sinne des Wortes vorkommen; sie entsprach jedoch keineswegs den Zielvorstellungen der ›programmatischen Realisten‹ vom Schlage Auerbachs oder Freytags,[51] die nach der gescheiterten bürgerlichen Revolution von 1848/49 ausgezogen waren, ihre liberale Ideologie in den Fiktionsbereich erdachter Romanhandlungen zu retten und wenigstens im Erzählverlauf einem guten Ende zuzuführen, was in der rauhen Wirklichkeit auf Widerstand stieß, scheitern mußte oder nur durch Anpassung und mit Selbstverleugnung zu erreichen war. Raabe versagte sich solche poetische Verklärungstaktik, die von den meisten zeitgenössischen Programmatikern nicht politisch motiviert, sondern ästhetisch als Gebot kunstgemäßen Gestaltens gerechtfertigt wurde. Der These einer seiner Romanfiguren entsprechend, daß nur »zu etwas« komme, »wer mit den gegebenen Verhältnissen rechnet«, ging er von der sichtbaren Wirklichkeit des »breiten Lebens« aus, behandelte aber das Objektive mit demonstrativer »Subjektivität« und nahm sich besonders solche erzählerischen Freiheiten heraus, die die Grenzen seines Erkenntnis- und Deutungsvermögens bloßzulegen und die aufgeworfenen, aber unbeantworteten Fragen offenzuhalten versprachen.[52] Damit schlug Raabe – wie Walter Müller-Seidel hervorhebt – den Bogen zur »beginnenden Literatur der Moderne«:[53] Wie konsequent er dabei verfuhr, obwohl er den ästhetischen Ballast des 19. Jahrhunderts nicht völlig abstreifen konnte, zeigt sich bei genauerer Betrachtung der Textstruktur von *Pfisters Mühle*.

Bereits der Untertitel »Ein Sommerferienheft« signalisiert den Verzicht des Autors auf eindeutige Gattungsbestimmung und konventionelle Gattungserfüllung. Weder zum

---

51 Raabe distanziert sich von den genannten Autoren, denen er Gutzkow zugesellt, ironisch in »Eulenpfingsten« (BA 11. S. 384).
52 BA 18 (Gutmanns Reisen). S. 364; BA 5 (Die Leute aus dem Walde, 1862/63). S. 33; Aph. S. 125 (entst. zwischen 1895 und 1903).
53 Müller-Seidel (Anm. 50) S. 329.

weitgespannt-vielschichtigen Gesellschaftsroman ausholend noch auf die tektonisch gefügte, stilisierend-verdichtete Novelle abzielend, entschied sich Raabe für die »Zwischenform [...] der ausgedehnten Erzählung«,[54] die die Widersprüche von Zeit und Gesellschaft am anekdotischen Sonderfall aufleuchten läßt, den Geschichtsprozeß in skurrilen Individualschicksalen spiegelt, die Undurchschaubarkeit der Gegenwart und die Unwägbarkeiten der Zukunft durch radikale Subjektivierung der Auseinandersetzung mit beiden auffängt und genügend Bruchstellen, Kontradiktionen und Sinnlücken bereithält, um die Phantasie der Leser anzureizen und ihr Einlaß in den Erzählzusammenhang zu gewähren.

Genau meßbar ist nämlich nur der Erzählvorgang selbst. Acht Ferientage auf dem Lande, herausgegriffen aus einem vierwöchigen Sommerurlaub, und ein zusätzlicher Tag in der Großstadt Berlin nutzt ein rückdenkender, nachsinnender, berichtender, konversierender, monologisierender (Er- und dann Ich-)Erzähler, um auf zweiundzwanzig Blättern niederzuschreiben, was ihm erinnerns- und bedenkenswert erscheint: der eigene Lebensweg von der Geburt bis zu den Flitterwochen und die Geschichte seiner Brautwerbung; Blüte und Niedergang der abwässerverseuchten Mühle bis zu Verkauf und Abriß sowie der Verlauf der Abwasseranalyse und des Abwasserprozesses; Leben und Tod der von Müller und Dichter repräsentierten alten Generation und Aufbruch der jungen in die eigene (schulpädagogische oder unternehmerische und zugleich familiär geborgene) Zukunft; Absterben der »Wunder« der »Vorwelt« (8,24), Zunahme der Zivilisationsschäden bei Natur und Mensch, Aufstieg der Industrie und Durchsetzung spätbürgerlich-kapitalistischer Denkweisen, Produktionsverhältnisse, Gesellschaftsformen. Bezeichnenderweise läßt das Erzählte jedoch die Übersichtlichkeit des Erzählens vermissen. Tagebuchartiger Sommerferienbericht, Chronik der Mühle und ihrer Bewohner und Gäste, Betrachtungen, Reflexionen und

54 Martini (Anm. 26) S. 682.

Projektionen schieben sich ineinander, ohne einem mechanischen Koordinierungsschema unterworfen zu sein: Die fünf Zeitspannen, innerhalb derer die Blätter (an gelegentlich wechselnden Schreiborten) be- oder geschrieben werden (Zeitspanne I: Blatt 1–5; II: 6–14; III: 15–17; IV: 18–21; V: 22), decken sich nicht mit den drei Strukturkomplexen des chronikalischen Geschehens (Komplex I: Blatt 1–7; II: 8–14; III: 15–22 bzw. III/A: 15–18 und III/B: 19–22), so daß der Leser angeregt ist, den jeweiligen Bezugsgrad der divergierenden Handlungskurven zu veranschlagen, gleichwohl aber an die Reihenfolge der unter sich nicht austauschbaren Blätter gehalten bleibt.

Diese Freigabe des Rezeptionsspielraums im Rahmen festgefügter struktureller Ordnungen gilt für den Gesamttext. Der Symbolwert des Geschehnisablaufs und die Verweisungskraft der Sachproblematik sind gebunden an verkürzende Fabel, eingegrenzten Handlungsraum und vereinseitigendüberzeichnetes Personal, die den Leser veranlassen, weiterreichende Schlüsse zu ziehen. Die »Facettierung von Wirklichkeit in individuellen Erfahrungsperspektiven«,[55] deren Motivation in der Handlungsfolge begründet ist und deren Richtung durch das erzählende Ich mitbestimmt wird, zwingt den Leser zu eigener Standpunktwahl. Die durch Charaktergestaltung und Situationsauswahl gerechtfertigte »Schöne-Geschichten-Erzählungsweise«[56] bringt es mit sich, daß der Erzähler »Lustiges, Rührendes und Interessantes« (33,6) zusammenschreibt, das den Leser zum Vergleich mit der literarisch ungeschönten Wirklichkeit herausfordern mag. Das »Kontrastreiche, Disharmonische« der Erzählsprache, die etwa die Modernität technischen Fachvokabulars und kapitalistischer Aufsteigerphraseologie neben abgebrauchte Sonderidiome wie studentischen Korporationsjargon und bürgerliche Bildungsreminiszenzen setzt und alles Gesprochene und Geschriebene einer (rhetorisch-literarische Traditionen aufnehmenden und subjektiv weiterent-

55 Ohl (Anm. 9) S. 104.
56 BA 18 (Stopfkuchen). S. 183.

wickelnden) Diktion einverleibt, verweist den Leser auf das »Disparate« der Realität, an das sich wiederum »die Frage nach einem Sinnzusammenhang des Ganzen« anschließt.[57]

Die dadurch bewirkte Leseraktivierung setzt sich mit der Gestaltung von Ort und Zeit fort. Während der im Erzählverlauf langfristig beibehaltene Schauplatz, die Mühle, schließlich abgebrochen und durch eine Fabrik ersetzt wird, dauert die stetig vergehende Zeit an: Der feste Orientierungspunkt, den der Ort dem Leser zu bieten scheint, geht verloren; die scheinbar desorientierende Zeitenfolge bietet die einzig verläßliche Orientierung, weil sich der Wandel als das Bleibende und die Entwicklung als das Konstante beweist.

Deshalb scheint dem Autor die Nachricht von der Mühlen-Misere in Bienrode und Wenden besonders gelegen gekommen zu sein. Literarisch war das Mühlen-Motiv, das bereits Georg Büchners Hauptmann »melancholisch« gestimmt hatte, längst verbraucht, wie der Autor mit Hilfe der leitmotivischen Zitierung aus August Ferdinand Alexander Schnezlers Gedicht »Die verlassene Mühle« selbst verdeutlichte.[58] Wirtschaftlich wurden die ineffektiven, ertragsschwachen und nicht mehr konkurrenzfähigen Wassermühlen zunehmend von ›Kunstmühlen‹ abgelöst, die sich nach 1870 durchzusetzen begannen.[59] Existentiell konnte sich die Mühle gerade nicht als Flucht- und Schutzraum, als Spielart der Epikurschen »Intermundien«, bewähren, weil sie weder als »dornenüberwachsenes« Dornröschenschloß noch als »Verschanzung« oder »Insel im Meere« den Zeiten widersteht und weil sie wie alle diese »Traumwinkel« vergänglich

57 Martini (Anm. 26) S. 677.
58 Georg Büchner: Woyzeck. Lese- und Bühnenfassung. In: Sämtliche Werke und Briefe. Hrsg. von Werner R. Lehmann. Bd. 1. Darmstadt 1967. S. 414, s. Hotz (Anm. 25) S. 139; August Ferdinand Alexander Schnezler: Die verlassene Mühle. Wiederabdr. in: BA 16 (Pfisters Mühle). S. 536 f.
59 Rolf Hochhuth: Mühlen, Maler, Dichter. In: Wilhelm Schott: In einem kühlen Grunde ... Bilder verschwundener Mühlen. Hrsg. von Rolf Hochhuth. München 1978. S. 6.

ist.[60] Das ergibt sich schlüssig aus den Mühlen-Darstellungen in Raabes Werk.

Zwei frühe Zeichnungen, wohl 1847 entstanden,[61] variieren bereits das Thema der zum Untergang bestimmten Wassermühle: Auf dem einen Blatt ist eine ältere Vorlage nostalgisch kopiert, das andere bezieht seinen ästhetischen Reiz aus dem Verfall der dargestellten Mühle.

Die von der Industrie um ihr Antriebswasser gebrachte und nicht länger betriebene, aber üppig umgrünte »Katzenmühle« in *Abu Telfan* (1867)[62] scheint zwar als aus dem Zeitenfluß herausgenommene, »Ruhe und Sicherheit« (7,91) vermittelnde Kraftzelle zu überdauern, die »wenigen« jene Seelenstärke schenkt, mit der sie »ein kleines Reich gegen eine ganze wilde Welt« verteidigen und geduldig auf ihren endlichen »Sieg« vertrauen können (7,249). Dieses Refugium enthüllt sich jedoch als »gespenstische, verwahrloste Ruine« (7,229) an einem »trüben Strom schmutzigen Wassers« (7,230), sowie sich mit Jahreszeit und Handlungskonstellation auch die Erwartungshaltung ihrer Besucher verändert und das Bild, das sie sich von ihr gemacht haben, von der nüchternen »Wirklichkeit« (7,229) verdrängt wird.

Die beiden Mühlen in der ›wahren Geschichte‹ (12,103) *Die Innerste* (1876)[63] sind bereits zum Zeitpunkt des Erzählens »nicht mehr vorhanden« (12,105). Die eine als Bandenunterschlupf ausgehoben und 1760 zerstört, die andere »nahrungslos« (12,195) geworden und um 1820 abgebrochen, vergegenwärtigen sie die Hinfälligkeit menschlichen Beginnens, die Naturgewalten zu zähmen: Der ausgebeutete, verschmutzte und folglich »verderbte« (12,104) Gebirgsfluß Innerste überlebt die Mühlen, die ihn in ihren Dienst

60 Lukács (Anm. 46) S. 57 f.; BA 20 (Altershausen, 1911). S. 308, vgl. BA 8 (Der Schüdderump). S. 303; BA 18 (Stopfkuchen). S. 151 und 104; BA 14 (Alte Nester). S. 93.
61 Karl Hoppe: Wilhelm Raabe als Zeichner. Göttingen 1960. S. 64. Abb. 65, S. 66. Abb. 67.
62 BA 7.
63 BA 12. S. 101–195.

genommen haben. Diesem im Bündnis mit der Zeit gegen den Menschen errungenen Sieg ist jedoch keine Dauer beschieden, weil sich die Zeit mit dem Menschen verbünden wird: Ihre »Nücken und Tücken« (12,195) helfen der Innerste nicht, der Regulierung zu entgehen bzw. den unbegradigt-unbefestigten Flußlauf zurückzugewinnen (12, 103.195).

Opfer der Zeit wird schließlich auch die Wassermühle des Müllers und Schankwirts Pfister, wenngleich es »ein eigen Ding« (8,3) um sie ist. Von Emmy, der zugereisten Gattin des Erzählers, »verzaubert« (171,6), »närrisch«, »lieb«, »arm« (124,16 f.), »kurios« (143,32), »merkwürdig« (124,7), »entsetzlich« (29,20) genannt und von ihrem Ehemann, dem Müllerssohn, für »vordem so fröhlich« (147,5) gehalten und jetzt als »melancholisch« (129,37), »alt« und »verloren« (138,20) bedauert, »lebet« sie noch und ist sie bereits »tot« (16,33), um absterbend für das unaufhaltsam weiterdrängende Leben zu zeugen. Im Gegensatz nämlich zu dem sterilen »Kirchhof«, auf dem Emmys Vater den »Fortschrittlern« unter Berufung auf verbriefte und letzthin doch befristete Rechte trotzt (33,33–35), wird zwar die einstmals als »ewig Anwesen« (51,10) der Pfisterschen Sippe betrachtete Mühle aufgegeben, weil sie von der industriellen Entwicklung eingeholt und überholt worden ist. Die an ihre Stelle rückende »große Fabrik« (8,13) soll effektivere Arbeit leisten. Doch auch diese imponierende »Anlage« (137,22) trägt bereits den Keim des Untergangs in sich; denn sie wird – wie Raabe vorausgesehen haben dürfte – durch »lukrativere, zeitgemäßere« Unternehmen (142,35 f.) verdrängt werden oder mag – was sich dem heutigen Leser aufdrängt – dem Verdruß der Anwohner weichen müssen, die den Raub natürlicher »Helle und Wärme« (16,19) und die Zerstörung der Umwelt nicht länger hinnehmen wollen. Ob sich die Nachgeborenen für die Profitmaximierung oder den Wachstumsverzicht entscheiden, ließ Raabe offen; daß ihre Entscheidung aber von der Erinnerung an die unwiederbringlich verlorene »grüne, lustige Feierabendstelle« im »nüchternen

Alltag« (40,36) mitbestimmt und geleitet sein könnte, bleibt anheimgestellt.

Den »lustigen und traurigen, tröstlichen, warnenden, belehrenden Erinnerungen« (37,22 f.) räumte der Autor daher ein breites Wirkungsfeld ein, ohne der bereits in seinem Erstling getadelten Versuchung zu erliegen, »auf dem grauen Esel ›Zeit‹« dem »Ziele« der Menschheit verkehrt herum sitzend zuzureiten.[64] Seine Rückschau ist nämlich – wie Lukács geltend gemacht hat – stets mit den Fragen »Woher? Wohin? Wozu?« verknüpft,[65] die aus der Sicht der Gegenwart mit dem Blick auf die Zukunft gestellt werden: Der Standpunkt des sich Erinnernden wird als zeitbedingt und vergänglich ausgewiesen, während die dahinter aufscheinende Geschichtsprogression fortdauernde Gültigkeit erwirbt und behauptet. Diesem Zeitbewußtsein, das das Bestehende im Vergehenden und das Vergehende im Bestehenden erfaßt, entspricht der den Erzähltext prägende Wechsel der Zeitebenen, den häufig gebrauchte Zeitadverbien wie »damals« (21,6), »vordem« (147,5), »heute« (22,3), »demnächst« (15,35) signalisieren und die Verschichtung von Erzählzeit (Zeit der Niederschrift des Sommerferienheftes), erzählter Zeit (Schicksal der Mühle und der ihr verbundenen Menschen) und Zukunftsprojektion (von unterschiedlich gewählten Zeitpunkten aus) vermittelt. Solche »Zeitvermischung«[66] mag den Leser irritieren; sie regt ihn jedoch zugleich an, sich auf die geschichtliche Entwicklung einzulassen, den eigenen Ort im Zeitenwechsel zu bestimmen und zu den epochalen Entwicklungsphasen Stellung zu nehmen. Die leitmotivisch eingebrachte Erkundigung nach dem Verbleib der zum Verkauf ausgestellten, aber nicht verkauften Bilder kann folglich die einfache, verunsichernde und doch beruhigende Antwort finden, »Rahmen und Leinwand« würden wiederverwendet, nachdem »die Umrisse und die Farben« der erfolglosen Kunstwerke getilgt seien (31,20 f.):

64 BA 1 (Die Chronik der Sperlingsgasse). S. 31.
65 Lukács (Anm. 46) S. 61.
66 Helmers (Anm. 50) S. 72.

Innerhalb des Bewährungsfeldes, das die Geschichte stellt, wechseln zwar die Konstellationen; die Bewährungschancen, die jeder für sich wahrzunehmen hat, bleiben jedoch bestehen.

Angesichts dieses Bemühens, den Leser zum eigenen Urteil zu befähigen und ihm kritischen Abstand gegenüber Einzelaussage und Gesamttext zu verschaffen, war es nur konsequent, wenn Raabe nicht zur Identifikation mit seinen Figuren einlud. Der Ich-Erzähler Eberhard Pfister, der im Zuge seines bürgerlichen Aufstiegs sichtbar an eigenständiger Statur verliert und mit schweifenden Träumereien die wachsende Entfernung von der elementaren Wirklichkeit zu kompensieren sucht, sowie seine Frau Emmy, geb. Schulze, die ihm die nüchtern-praktische Vernunft der Großstädterin entgegensetzt und – als Ehegattin am Ziel ihrer bürgerlichen Karriere – gesellschaftliche Entwicklungssperre mit individueller Blässe vergilt, stellen den Kontakt zum Leser her und ermutigen ihn, in Anbetracht ihrer Befangenheit das erzählte Geschehen von höherer Warte zu beschauen. Dabei helfen sie, alle Aufmerksamkeit auf den Müller Bertram Gottlieb Pfister und den Chemiker Adam August Asche zu lenken, denen sämtliche übrigen Figuren ergänzend oder kontrastierend zugeordnet sind. Aber auch bei diesen beiden ›rechten Männern‹ (184,35) ist durch ihre Modellierung zu Originalen dafür gesorgt worden, daß sich das Identifikationsverlangen der Leser an ihnen nur entzünden kann und von ihnen nicht befriedigt wird, während die karikierten oder idealisierten Neben- und Randfiguren von vornherein kaum Einfühlung aufkommen lassen. Dennoch tragen sämtliche Personen dazu bei, den vom alten Pfister und vom jungen Asche gelebten evolutionären Leitgedanken zu illustrieren: Der in Anlehnung an Christian Dietrich Grabbe und mit einem Seitenblick auf Robert Griepenkerl gezeichnete, aber nicht mit ihnen identische (168,1–6) lebensuntüchtig-verkommene Dichter Felix Lippoldes[67] und der

---

67 Kontamination aus Lipp[e-Detm]old, dem Geburtsland Grabbes.

weltflüchtig-abgestumpfte Kalkulationsrat Schulze stellen sich dem Lauf der Geschichte entgegen, dem der Architekt der neuen Fabrik und der Advokat Doktor Riechei opportunistisch folgen, die Haushälterin Christine und der Mühlenknecht Samse pflichtbewußt gehorchen und Vater Pfister wie Asche ihre historische Mission verdanken, nicht mehr haltbare Positionen aufzugeben und – auch unter Opfern – neue, zukunftsverheißende zu erobern.[68] Ob freilich die von den beiden aktiven Helden anvisierte Perspektive in die richtige Richtung führt, selbst wenn ihnen eine alle Härten ausgleichende Frau wie Albertine Lippoldes zur Seite steht, muß der Leser selbst herausfinden.

Denn der Autor kommentierte die Parteinahme Asches für den expandierenden Kapitalismus ebensowenig wie den Abschied Pfisters von der vorindustriellen Epoche unentfremdeter Arbeit; er teilte nur Meinungen der von ihm erfundenen Personen mit und beschrieb erdachte Situationen, die kontroverse Deutungen zulassen und sogar fördern. Besonders irritierend haben Pfisters testamentarische Verfügung, die Mühle zu verkaufen und den Erlös in Asches umweltverschmutzendes »Erdenlappenlumpenundfetzenreinigungsinstitut am Ufer der grauen Spree« (148,14) zu stecken, sowie das Schlußtableau gewirkt, das Erwerbstätigkeit, Familienleben, Bildungsgenuß zu wechselseitiger Kompensation zusammenrückt und doch säuberlich voneinander trennt wie Villa und »Fleckenreinigungsanstalt« (187,5). Ist Otto Kamp recht zu geben, der 1894 in diesem »Ausgang« das Bekenntnis des Autors zur »ordinären Weisheit des Mammonismus« sehen wollte?[69] Wird hier – wie Lukács 1940 gemeint hat – »um jeden Preis ein Mittelweg« gesucht, der notwendig in »eine dichterische Niederlage« münden muß?[70] Handelt es sich – so Joachim Worthmann

68 Für den Nationalliberalen Raabe lag der Vergleich Asches mit Bismarck nahe, s. S. 73
69 O[tto] K[amp]: Pfisters Mühle. In: Allgemeine konservative Monatsschrift für das christliche Deutschland (1894) H. 8. S. 892.
70 Lukács (Anm. 46) S. 58.

1974 – um einen angestrengt ausgehaltenen »Balanceakt zwischen Tradition und Fortschritt«, mit dem der bewußte Verzicht »auf jede Lösung im Sinne einer Harmonie« einhergeht?[71] Vielleicht sollte die Aussage Eberhard Pfisters, daß er für das letzte Blatt seines »bunten Buches« genausowenig Gewähr übernähme wie für alle anderen Blätter (186,24–27), ernst genommen und diesmal auch für den Autor selbst beansprucht werden. Denn die von Lukács zu Recht konstatierte »politisch-soziale Auswegslosigkeit Raabes«[72] motivierte zwar den Rückgriff auf die Arbeit als Reproduktionsmittel für die bürgerliche Existenz und auf eheliche Liebe wie humanistische Kultur als Regenerationsfaktoren für die psychische Stabilisierung des Bürgers im Kapitalismus; diese individuell geleistete Zusammenführung von »Verstand« und »Glück« in der »Welt« (22,31 f.) darf aber nicht als verbindliches Lösungsmodell für die Probleme gewertet werden, die sich mit Industrialisierung und Kapitalisierung für die Welt ergeben hatten. Raabe tauchte daher Pfisters testamentarische Abschiedsrede und Asches Feierabendidyll in sentimentales bzw. ironisches Licht, setzte mit Bezug auf das Seneca-Motto (5) dem Lachen aus, was nach Maßgabe des Mahomet zugesprochenen Leitwortes in *Abu Telfan* (7,6,380.382) noch zum Weinen angeregt hatte, und gestattete sich, das für ihn »Unbeantwortbare im Unbeantworteten«[73] zu belassen: Obwohl er von der »Unverwüstlichkeit der Welt und des Menschendaseins auf Erden« überzeugt war, verzichtete er darauf, den »Parakleten der Zukunft spielen zu wollen«.[74]

Um so dringender stellte und stellt sich den Lesern die Aufgabe, diese, d. h. ihre Zukunft in die Hand zu nehmen. Denn Raabe hat in *Pfisters Mühle* nur Anfänge gezeigt. Seine Zeitgenossen wehrten ihnen nicht, und die Nachgeborenen ließen Schlimmeres zu. Darum kann es kaum überraschen,

71 Worthmann (Anm. 25) S. 140, 142 und 143.
72 Lukács (Anm. 46) S. 52.
73 Martini (Anm. 26) S. 677.
74 BA Erg. 2. S. 357 (19. 7. 1894), S. 391 (10. 4. 1897).

daß Raabes Thema mittlerweile bis auf die Kinderbühnen gedrungen ist, wo – wie das Lehrstück *Wasser im Eimer* (1977)[75] des Berliner ›Grips Theaters‹ veranschaulicht – »Menschen ab 8« (2) sich sorgen, »Wald« und »Fluß«, kurz, »alles« werde »kaputt gemacht«, bis sie herangewachsen seien (19). Welche Empfindungen dieses Versagen der Folgegenerationen in Raabe, der sich auf sie verlassen wollte, erregt hätte? Wahrscheinlich wäre er darüber genauso entsetzt gewesen wie über den Anblick der Wabe, die nicht mehr nur in den Monaten der Zuckerkampagne, sondern jahrein, jahraus Abwässer führt.[76]

Horst Denkler

75 Reiner Lücker / Stefan Reisner: Wasser im Eimer. Theaterstück für Menschen ab 8. Hrsg. vom Grips Theater Berlin. Berlin 1977.
76 Popp (Anm. 15) S. 22 (die Aktienzuckerfabrik Rautheim ist kurz vor Ende des Zweiten Weltkriegs stillgelegt worden); laut Schreiben des Wasserwirtschaftsamtes Braunschweig vom 5. 4. 1979 ergaben sich für die Wabe bei Riddagshausen bei Messungen am 30. 3. 1978 folgende Probenergebnisse: absetzbare Stoffe: keine; pH-Wert: 7,9; Chlorid: 95 mg/l; NH_4: 0,6 mg/l; NO_3: 24 mg/l; Perm.Verbrauch: 19 mg/l; BSB_5 [Biochemischer Sauerstoffbedarf]: 6 mg/l; O_2-Gehalt: 11,9 mg/l; Colititer [kleinste Wassermenge, in der noch Kolibakterien als Anzeichen fäkaler Verunreinigung nachweisbar sind]: 10^{-2}.

Inhalt

Wilhelm Raabe

IN RECLAMS UNIVERSAL-BIBLIOTHEK

Philipp Reclam jun. Stuttgart

Theodor Fontane

IN RECLAMS UNIVERSAL-BIBLIOTHEK

Philipp Reclam jun. Stuttgart